ZICKZACK *neu*

4

Paul Rogers, Lawrence Briggs, Bryan Goodman-Stephens

Nelson

Thomas Nelson and Sons Ltd
Nelson House   Mayfield Road
Walton-on-Thames   Surrey
KT12 5PL   UK

Thomas Nelson Australia
102 Dodds Street
South Melbourne
Victoria 3205   Australia

Nelson Canada
1120 Birchmount Road
Scarborough   Ontario
M1K 5G4   Canada

© Paul Rogers, Lawrence Briggs,
   Bryan Goodman-Stephens 1996

First published by Thomas Nelson & Sons Ltd 1996

I(T)P   Thomas Nelson is an International
        Thomson Publishing Company.

I(T)P   is used under licence.

ISBN 0-17-439894-8
NPN 9 8 7 6 5 4 3 2 1

Commissioning and development – Clive Bell
Marketing – Jennifer Clark
Editorial – Michael Spencer, Diane Collett
Production – Suzanne Howarth
Administration – Clare Trevean

Printed in Spain

Acknowledgements

Berliner Flughafengesellschaft mbH (p. 81)
Deutsche Lebensrettungsgesellschaft e.V. (p. 141)
Juma (p. 73)
Kreisjugendring Pinneberg (p. 154)
Landesjugendreferat Wien (p. 145)
Marco (p. 96)
Meiden Verlagsgesellschaft MBH & Co. (POP/Rocky)
(pp. 116-117)
Menschenskinder (p. 32)
Pilos Puntos, Kalle Waldinger, Gesamtschule Ronsdorf,
Wuppertal (p. 64, Bildgeschichten)
Rowohlt Taschenbuch Verlag GmbH (pp. 8, 48, 128)
SALTO (p. 20)
Stadt Wien (p. 44)
Stafette (pp. 21, 146)
Treff (pp. 62-63, 104)
Verkehrsamt Mittenwald (p. 152)
Verlag Josef Knecht (p. 54)
Verlag Kiepenheuer & Witsch (p. 44)

Photography

Austrian National Tourist Office (p. 60)
Barnaby's Picture Library (p. 160)
Global Scenes (p. 60)
Robert Harding Picture Library (pp. 55, 85, 160)
Alastair Jones (p. 84)
Pilos Puntos (p. 64)
Paul Rogers (pp. 74, 160, Bildgeschichten)
Anne Schön (pp. 84-85)
Switzerland Tourism (p. 43)
Mark Theiding (p. 144)
Mandy Watlin (p. 157)
all other photographs by:
Brighteye Productions
David Simson
Michael Spencer

Illustration

Clinton Banbury
Judy Byford
Bob Harvey
Finbar Hawkins
Helen Holroyd
Nigel Jordan
Jeremy Long
Lotty
Julian Mosedale
Dennis Tinkler
Jude Wisdom
Allen Wittert

Every effort has been made to trace the copyright
holders of extracts reprinted in this book. We apologise
for any inadvertent omission, which can be rectified in a
subsequent reprint.

Welcome to ZickZack neu!

You are starting on the final stage of a course that will take you through German-speaking countries throughout the world and will help you to understand and enjoy using German yourself. ● ● ●   For much of the time you will be working on activities with guidance from your teacher, but at the end of each chapter there is a section called **sb** *Selbstbedienung*, where you'll be able to choose for yourself activities at different levels. ● ● ●   If you want to take your time and check that you've understood, choose GOLD activities.   If you're ready to try out what you've already learned, choose ROT activities.   If you want to stretch yourself still further, then the SCHWARZ activities are for you.   For all three types of activity, you can ask your teacher for answer sheets so that you can check how you're getting on. ● ● ●   At the end of every other chapter there is a **LESEECKE**, a section for you to read and enjoy without having to do any activities at all. ● ● ●   At the back of the book you can look up words or phrases that you've forgotten or don't understand and find extra help with grammar.

You'll find English translations of the 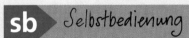 instructions, too.

Viel Spaß und mach's gut!

Ich persönlich

Sieh dir das Formular an. Wie stellt man normalerweise die Frage?

Beispiel

Name: **Petra Lindauer** = Wie | heißt du? / heißen Sie?

Name: **Petra Lindauer**

Alter: **16**

Wohnort: **Dortmund**

Adresse: **Am Sportplatz 25**

Geschwister: **1 Bruder (14), 1 Schwester (11)**

Hobbys: **Badminton, Judo und Leichtathletik, Gitarre**

Lieblingsfach: **Erdkunde**

Hör zu. Petra beantwortet die Fragen.

Wie schreibt man das?

Hör zu. Es gibt noch drei weitere Interviews wie bei Petra Lindauer. Trag die Formulare in dein Heft ein und füll sie aus.

Beispiel

Name: **MICHAEL SCHÄTZLE**

1 Alter:
Wohnort:
Adresse:

Name:

2 Alter:
W

Name:
A
(

Name:
Alter:
Wohnort:
Adresse:
Geschwister:

3 Hobbys:

| Wie ist | deine / Ihre | Adresse? |

| Hast du / Haben Sie | ein Hobby? |

| Hast du / Haben Sie | Geschwister? |

| Wo | wohnst du? / wohnen Sie? | Wie alt | bist du? / sind Sie? |

| Was ist | dein / Ihr | Lieblingsfach? |

| Wie | heißt du? / heißen Sie? |

◖◗ Partnerarbeit

Macht denselben Dialog zu zweit.
Partner(in) A ist Petra (oder Peter für Jungen), und Partner(in) B stellt die Fragen.
Macht jetzt eure eigenen Interviews. Dann schreibt alles auf.

Stimmt das?

Sieh dir folgende Namen an.
Hat der Lehrer alles richtig aufgeschrieben? Hör zu und sag, ob das stimmt.

1 Anne Frühsproß
2 Thomas Zufelder
3 Christa Hagenturm
4 Casimir Kemer
5 Britta Biedermeier

Tip des Tages

Ich	heiße	Petra. Peter.	
	bin	fünfzehn sechzehn	Jahre alt.
	wohne	in Dortmund.	
	habe	einen Bruder. eine Schwester. keine Geschwister.	
	treibe gern Sport.		
	spiele Gitarre.		
Mein Lieblingsfach ist		Erdkunde. Englisch.	
Das stimmt (nicht).			

Nationalitäten

Sieh dir die Flaggen und die Fotos an. Welche Länder sind das?
Was sagen die Leute? Welche Nationalitäten haben sie?

Beispiel
Uli ist Österreicherin.

Ich wohne in Luxemburg.

Michel

Ich wohne in Graz.

Uli

Ich wohne in Zermatt.

Michael

Ich wohne in Glasgow.

James

Ich wohne in Köln.

Jens

Ich wohne in Paris.

Annette

Ich wohne in Berlin.

Ich wohne in Kiel.

Jutta

Elif

männlich	**weiblich**
Österreicher	Österreicherin
Engländer	Engländerin
Deutscher	Deutsche
Franzose	Französin
Türke	Türkin
Ire	Irin
Waliser	Waliserin
Schotte	Schottin
Luxemburger	Luxemburgerin
Schweizer	Schweizerin

Jetzt hörst du diese Leute. Was sagen sie? Schreib die fehlenden Informationen auf.

Beispiel

1 *Hallo. Ich heiße Uli … Ich wohne in Graz. Ich bin Österreicherin.*

Und du?

Jetzt bist du dran. Sag, wer du bist, wo du wohnst, und was für eine Nationalität du hast.

Jan P.Schniebel © Rowohlt Taschenbuch Verlag GmbH, Reinbek bei Hamburg

Was ich alles bin

Lies folgende Texte. Wie sind diese Teenager? Was sagen sie?

Bernd   Christa

Hier steht über mich nur:

> Name: *Bernd Schmidt*
> Alter: *16*
> Wohnort: *Kaltenkirchen*
> Adresse: *Barossaweg 29*
> Geschwister: *1 Schwester (19)*

... Ich bin aber auch Christas Freund, Popfan, Discofreak, Tennisspieler, Kaugummiesser, Zeitungsausträger, Nichtraucher, Schulhasser, Vegetarier, Computerfreak. Ich bin auch Mensch, und meine Freunde finden mich freundlich und lustig, aber andere sagen, daß ich angeberisch bin.

Und du? Beschreib dich auch so.

Und ich bin auch Bernds Freundin, Fußballspielerin, Verkäuferin, Babysitterin, Kellnerin, Ponyreiterin, Kanarienvogelbesitzerin. Ich bin aber auch Mensch, und meine Freunde finden mich nett und lebhaft, aber einige sagen, daß ich doof bin.

Eigenschaften

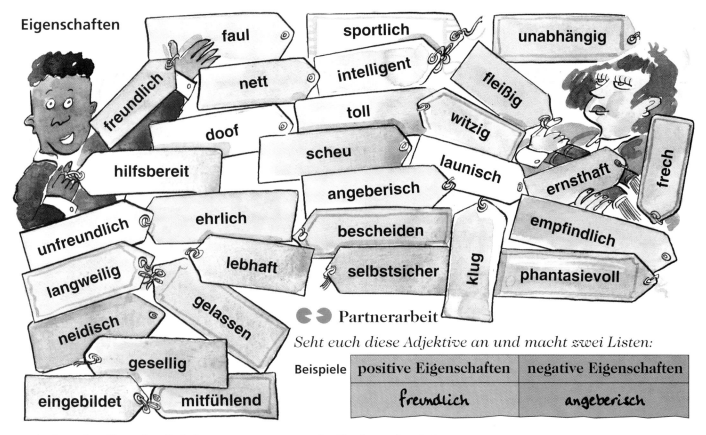

faul · sportlich · unabhängig · freundlich · nett · intelligent · fleißig · toll · witzig · doof · scheu · launisch · ernsthaft · frech · hilfsbereit · angeberisch · empfindlich · unfreundlich · ehrlich · bescheiden · langweilig · lebhaft · selbstsicher · klug · phantasievoll · neidisch · gelassen · gesellig · eingebildet · mitfühlend

🔵🔵 Partnerarbeit

Seht euch diese Adjektive an und macht zwei Listen:

Beispiele	positive Eigenschaften	negative Eigenschaften
	freundlich	*angeberisch*

Wie beschreibst du dich jetzt?

Bist du sportlich? Intelligent? Empfindlich? Scheu? Wähl vier Adjektive, die dich am besten beschreiben und schreib sie auf – ohne deinen Namen! Reich deinem Lehrer/deiner Lehrerin den Zettel und hör zu – wer ist das?

Wie findest du sie?

Lies die Texte und schreib deine Meinungen auf, oder mach Dialoge mit deinem Partner/deiner Partnerin.

Beispiel

A – Wie findest du Peter?
B – Ich finde ihn angeberisch, langweilig und doof.

Peter: Ich bin immer fit und voller Energie. Ich bin der beste Fußballer in der Schule. Die Mädchen flirten gern mit mir.

Petra: Ich bin schön. Ich habe jede Menge feste Freunde. Alle Jungen finden mich schön und intelligent. Die anderen Mädchen sind neidisch auf mich. Das ist mir egal.

Zehra: Ich bin sehr launisch, mal glücklich mal traurig. Das ist schwer für meine Freunde. Ich helfe gern anderen. Ich lese furchtbar gern und spiele viele Instrumente.

Bernd: Ich erzähle gern Witze, die meine Freunde zum Lachen bringen. Ich arbeite nicht gern, aber meine Freunde finden, ich habe viele Ideen.

Tip des Tages

Wie findest du		Peter? den Lehrer ...
		Petra? die Lehrerin ...
Ich finde	ihn	angeberisch. langweilig. witzig. eingebildet. doof. toll.
	sie	

Sternzeichen

Finde den Text für dein Sternzeichen. Wie findest du ihn? Stimmt das? Ist das doof? Lauter Quatsch? Wie bist du wirklich?

WIDDER (21. März bis 19. April)

Der Widder hat viele Ideen, ist optimistisch und voller Enthusiasmus. Leider beendet er nicht immer alle Projekte. Widder sind schnell, eigensinnig und flirten gern. Sie sind auch oft witzig und klug.

WAAGE (23. September bis 22. Oktober)

Die Waage liebt Gerechtigkeit und alles, was schön ist. Waagen sind ausgeglichene Menschen. Sie nehmen ihre Arbeit sehr ernst. Waagen essen gern Süßes und flirten gern und viel.

STIER (20. April bis 20. Mai)

Der Stier ist freundlich und liebevoll. Er weiß, was er will. Der Stier mag bequeme Klamotten, nicht unbedingt modisch. Stiere sind praktisch und gleichzeitig auch romantisch.

SKORPION (23. Oktober bis 21. November)

Der Skorpion ist nicht sehr diplomatisch und liebt keine Kompromisse. Er hat nicht viele Freunde. Er weiß immer zuerst, was er nicht will, dann erst, was er will. Sein Instinkt sagt ihm, wann der richtige Moment für etwas gekommen ist. Skorpione sind kreativ und haben sehr gute Nerven.

ZWILLING (21. Mai bis 20. Juni)

Der Zwilling ist voller Phantasie, hilfsbereit und hat viele Freunde. Er ist klug und flexibel. Zwillinge sind immer beliebt, sie möchten aber gern unabhängig sein.

SCHÜTZE (22. November bis 21. Dezember)

Schützen sind oft sehr gute Diplomaten. Sie können lachen, auch wenn sie traurig sind. Sie brauchen nicht viele Freunde, aber sie haben viele Bekannte. Sie sind immer fleißig und aktiv. Sie wollen immer alles auf einmal tun, aber das geht nicht immer.

KREBS (21. Juni bis 22. Juli)

Der Krebs ist empfindlich und zurückhaltend. Er hilft gern anderen und braucht selbst viel Liebe. Krebse sind launisch, mal so mal so. Sie wollen die Welt gern verbessern.

STEINBOCK (22. Dezember bis 19. Januar)

Der Steinbock ist sehr stolz, unabhängig und selbstsicher. Er organisiert die ganze Zeit und ist besonders vorsichtig und ordentlich. Steinböcke sind nicht so sozial wie andere Tierzeichen.

LÖWE (23. Juli bis 22. August)

Der Löwe steht gern im Mittelpunkt und möchte bewundert werden. Der Löwe glaubt, er hat immer Recht. Er ist optimistisch und flirtet mit vielen. Zu zweit sind Löwen oft scheu.

WASSERMANN (20. Januar bis 18. Februar)

Der Wassermann möchte unabhängig sein. Er möchte anders sein als die anderen, aber nicht isoliert. Wassermänner denken gerne. Manchmal findet man nur schwer Kontakt zu ihnen.

JUNGFRAU (23. August bis 22. September)

Die Jungfrau ist klug und möchte in allen Dingen perfekt sein. Sie liebt die Arbeit. Sie ist oft idealistisch. Jungfrauen sind sehr romantisch und scheu.

FISCHE (19. Februar bis 20. März)

Der Fisch ist sanft und zärtlich, voller Phantasie und sehr kreativ. Fische sind nicht kalt, sie haben viel Gefühl. Sie sind gute Freunde, haben aber oft Allergien.

 Welches Sternzeichen?

Hör zu und schreib die passenden Informationen auf. Sechs Personen beschreiben sich. Welche Sternzeichen haben sie?

Steffi und Freunde

Und dein Freund ist Engländer? Aber du sprichst doch gar kein Englisch. Und der, spricht der denn gut Deutsch?

Na, wie sprecht ihr miteinander?

Ich brauche mich nicht zu ärgern, über das, was er sagt. Er kann mich nicht langweilen und auch nicht anlügen. Und was am besten ist, …

Kein Wort.

Überhaupt nicht. Aber ich sag dir was – es ist viel besser so.

… ich brauche nicht zu wissen, wie dumm er ist.

Tierliebhaber

Hast du Haustiere?
Was für welche?
Welche Adjektive passen zu Haustieren?
Sind Katzen intelligent? Faul? Treu?
Und Fische – sind sie interessant oder langweilig? Wie findest du sie?

Hier beschreiben zwei junge Leute ihre Haustiere. Kannst du raten, welches Adjektiv unten in jede Lücke paßt?

Ich habe eine Schildkröte, die Cleo heißt.
Meine Eltern finden sie völlig _____.
Meine Freunde finden sie auch ziemlich _____.
Aber ich habe sie sehr lieb. Sie ist _____.

Wir haben einen Hund, der Juppi heißt. Er sieht nicht sehr _____ aus, ist aber eigentlich gar nicht so _____. Er ist sehr _____, besonders meinem Vater, weil er ihn meistens spazieren führt.

niedlich	intelligent
treu	langweilig
uninteressant	dumm

Jetzt bist du dran. Beschreib dein Haustier oder ein Haustier, das du kennst.

Tip des Tages

Ich habe	einen	Hund/Hamster/Wellensittich/Goldfisch.
	eine	Katze/Maus/Schildkröte.
	ein	Meerschweinchen/Kaninchen/Pferd.
	viele	tropische Fische.

Er Sie Es	ist	völlig sehr recht	langweilig. niedlich. doof.
Sie	sind	ziemlich nicht so ein bißchen	intelligent. schön. faul.

Meine Familie und andere Tiere

A Ralfs Fotoalbum

Hier ist das Fotoalbum von Ralf. Er stellt uns seine Familie vor. Einige von ihnen haben auch Haustiere. Sieh dir die Fotos an und hör zu. Welches Foto ist das?

A Mein Cousin heißt Dirk. Der ist ein bißchen doof, aber ganz nett.

B Das sind meine Großeltern – Opa Kurt und Oma Ilse.

C Das ist mein Hund – Max. Der ist schön, nicht?

D Oma Elisabeth in ihrem Garten. Sie ist sehr unabhängig und wohnt jetzt in Wiesbaden. Leider sehen wir sie nicht sehr oft.

E Meine Tante Ingrid hat viele Haustiere. Ihre Schildkröte heißt Blitz.

F Das sind meine Eltern im Urlaub. Meine Mutter heißt Beate, und mein Vater heißt Frank. Tolles Foto, nicht?!

G Das hier ist meine Kusine Renate mit Kuschel. Die ist ein Einzelkind. Ich finde sie ein bißchen launisch.

H Und das ist meine Schwester Susi und ihr Hamster, Radrenner.

1

3

2

4

B Partnerarbeit. Wer ist das?

Partner(in) A spielt die Rolle von Ralf, Partner(in) B zeigt auf ein Foto und fragt: ‚Wer ist das?' Sieh dir die Texte an, wenn du willst.

C Beschreibe die Fotos

Lies den Text und füll die Lücken mit ‚sein(e)' oder ‚ihr(e)' aus.

Das ist Ralfs Fotoalbum. Das sind _____ Opa und _____ Oma. Und hier rechts, das sind _____ Eltern. Die alte Dame unten links ist _____ andere Oma. Das ist _____ Garten in Wiesbaden. Rechts unten ist Renate, Ralfs Kusine. _____ Meerschweinchen heißt Kuschel. Und das ist Susi, _____ Schwester. _____ Lieblingstier ist ein Hamster.

D Partnerarbeit.
Richtig oder falsch?

Partner(in) A sagt etwas über die Fotos – zum Beispiel: ‚Ralfs Vater heißt Kurt.' Partner(in) B muß sagen, ob das stimmt.

E Von wem wird gesprochen?

Lies die Sätze. Wer ist das?

1 Er ist drei Jahre alt.
2 Die ist sechzig und wohnt alleine.
3 Ihr Mann heißt Frank.
4 Sein Vater heißt Kurt.
5 Ralf sieht sie nicht sehr oft.
6 Sie hat keine Geschwister.

F Wie waren die Fragen?

Hier sind die Antworten, aber wie waren die Fragen?

1 – Ingrid.
2 – In Wiesbaden.
3 – Sie hat einen Hamster.
4 – Er ist Ralfs Cousin.
5 – Sie ist ein bißchen launisch.

Schreib mal wieder

Welche Nationalität hast Du? Und was für Geschwister und Haustiere? Wie heißen sie und wie alt sind sie? Hast Du einen besten Freund oder eine beste Freundin? Wie ist er bzw. sie? Wie findest du Sternzeichen? Welches Sternzeichen bist du? Wie bist du wirklich? Und wie finden dich deine Freunde?

Mach jetzt eine Aufnahme von deiner Antwort!

Tip des Tages

Das ist	sein Hund. seine Schwester. sein Haustier.
Das sind	seine Eltern.
Das ist	ihr Wellensittich. ihre Mutter. ihr Haustier.
Das sind	ihre Großeltern.

Dies und **das**

Mein Name Mehmet

Ich bin Türke, 14 Jahre alt
Schon 4 Jahre in Deutschland
Ich nix kann sprechen gut deutsch
Ich viel haben türkische Freund
Aber nix haben deutsche Freund
Ich möchte viel haben deutsche Freund
Aber Deutsche möchten nix
Sie immer sagen zu mir
Du Kameltreiber
Aber ich nix haben Kamel
Uns auch sagen Du Knoblauchfresser
Aber ich nix fressen Knoblauch
Und mir immer schimpfen
Du Stinker
Aber ich mich jeden Tag waschen
Aber warum sagen mir immer sowas
Ich verstehe nix
Ich schuld … ?
Ich weiß nix …

Tierhumor

Gribouille kommt endlich nach Hause

Eine französische Katze namens Gribouille hielt es im deutschen ‚Exil' in Reutlingen nicht aus: 1 000 Kilometer legte sie in zwei Jahren zurück, bis sie jetzt endlich wieder zu ihrem Herrchen in Tannay (Mittelfrankreich) zurückfand. Kurz nach ihrer Geburt wurde sie an einen Gendarmen verschenkt, der wenige Wochen danach nach Deutschland umziehen mußte.

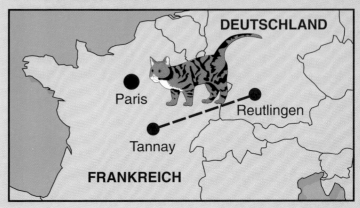

Bildgeschichte

sb ▶ *Selbstbedienung*

⚑ Flaggen aus aller Welt

Sieh dir die Flaggen an. Was sagen diese Leute?

Beispiel
1 *Ich heiße Sabine. Ich bin Deutsche.*

Sabine **Mehmet**

Fatma **Barbara** **Dieter**

Anne **Thomas** **Karl**

⚑ Das paßt

Finde die passenden Paare.

Beispiel
1H

1 Wie heißt du?	A Nein, sie wohnt in Wiesbaden.
2 Wie alt bist du?	B Sie heißt Anja.
3 Wo wohnst du?	C Ich bin sechzehn Jahre alt.
4 Wo wohnen deine Großeltern?	D Ja, ich habe eine Schwester.
5 Hast du Geschwister?	E Er ist neun.
6 Wie heißt sie?	F Sie ist zwanzig Jahre alt.
7 Wie alt ist sie?	G Ja, einen Hund.
8 Wohnt sie auch in Stuttgart?	H Karin.
9 Hast du Haustiere?	I Sie wohnen in der Schweiz.
10 Wie alt ist er?	J Hier in Stuttgart.

⚑ Ich

Drei junge Leute stellen sich vor. Was sagen sie?

Beispiel
Jens: Ich bin vierzehn und wohne in Wuppertal. Ich habe einen Bruder. Ich habe einen Hund. Ich spiele gern Fußball.

Jens **Claudia** **Bernd**

14 16 15
Wuppertal Lübeck Freiburg

🚩 Im Gegenteil!

Schreib die fehlenden Wörter auf – wenn du sie richtig schreibst, kannst du mit den ersten Buchstaben von jedem Wort ein neues Wort bilden.

Beispiel

1 ... häßlich = H

1 Nicht schön, sondern ... . ☐
2 Nicht dumm, sondern ... . ☐
3 Nicht interessant, sondern ... . ☐
4 Nicht richtig, sondern ... . ☐
5 Nicht häßlich, sondern ... . ☐
6 Nicht angeberisch, sondern ... . ☐
7 Nicht unehrlich, sondern ... . ☐
8 Nicht links, sondern ... . ☐
9 Nicht unempfindlich, sondern ... . ☐
10 Nicht langweilig, sondern ... . ☐
11 Nicht glücklich, sondern ... . ☐

Das neue Adjektiv: .... ?

Erfinde dein eigenes Wörterpuzzle!

🚩 Steckbriefe

Trag das Formular in dein Heft ein und füll es für jede Person aus.

NAME:

ALTER:

WOHNORT:

GESCHWISTER:

HAUSTIERE:

HOBBYS:

STERNZEICHEN:

NAME:

ALTER:

WOHNORT:

GESCHWISTER:

HAUSTIERE:

HOBBYS:

STERNZEICHEN:

> **1** Hallo! Ich heiße Barmin. Mein Geburtstag ist am zehnten Juli. Ich bin fünfzehn Jahre alt. Ich spiele gern Tennis – ich spiele oft mit meiner Schwester. Ich schwimme auch gern. Wir wohnen in Hamburg. Wir haben einen großen Garten, aber wir haben keine Haustiere.

> **2** Ich heiße Michaela und wohne in Berlin. Ich bin ein Einzelkind. Ich habe eine Katze und zwei Meerschweinchen. Ich lese gern, ich gehe gern ins Kino, und ich spiele Flöte. Ich bin vierzehn und habe am neunzehnten März Geburtstag.

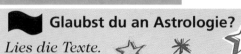

 Meiner Meinung nach

Nenne …
1 … einen Sportler, der angeberisch ist.
2 … eine Sportlerin, die launisch ist.
3 … einen Popstar, der bescheiden ist.
4 … eine Sängerin, die klug ist.
5 … eine Politikerin, die ernsthaft ist.
6 … einen Politiker, der doof ist.
7 … einen Schriftsteller, der witzig ist.
8 … einen Filmstar, der ekelhaft ist.

 **Sprichwörter**

Viele deutsche Sprichwörter haben mit Tieren zu tun.
Was ist richtig?
Sieh dir die Bilder an und vervollständige die Sätze.
Die richtigen Endungen sind unten zu finden.

1 Falsch wie die …

2 Ich bin …

3 Du bist ein …

4 Ich habe einen …

5 So ein …

6 Sie vertragen sich wie …

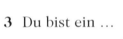

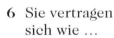

Hundewetter	schlauer Fuchs
Schlange	Hund und Katze
Bärenhunger	hundemüde

Glaubst du an Astrologie?

Lies die Texte.

Simone
Ob ich an Astrologie glaube? Das erste, was ich von einem Menschen wissen will, ist: Welches Sternzeichen hast du?

Ralf
Ich halte das alles für den größten Quatsch. Geprägt wird man doch von der Familie. Sicher auch von der Umwelt. Aber nicht von den Sternen – ich kann mir das jedenfalls nicht vorstellen.

Katja
An Astrologie glaube ich eigentlich nicht, aber wie der Zwilling charakterisiert wird, das trifft schon ziemlich genau zu auf mich. Ich weiß nicht. Vielleicht ist ja doch was dran.

Jeannine
Ich glaube, daß man selbst etwas aus sich und seinem Leben macht. Totalen Blödsinn find' ich Astro-Charaktere. Ich vergesse das auch sofort wieder, wenn mir jemand erzählt, er sei Waage oder Widder oder was weiß ich. Es interessiert mich einfach nicht. Meinetwegen kann er eine Kobra sein – für mich ist es Peter oder Markus oder Thomas.

Carsten
Naja, ich gebe schon was auf Sternzeichen. Zum Beispiel, ich habe festgestellt, daß Fische-Menschen überhaupt nicht zu mir passen. Aber meistens verlaß' ich mich lieber auf mein Gefühl als auf die Sterne.

A Wer ist für Astrologie?
Wer ist dagegen?
Wer ist nicht unbedingt dafür, aber auch nicht unbedingt dagegen?
B Woher weißt du das? Schreib einen Satz pro Person.

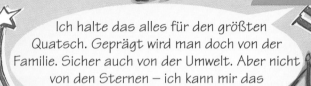

1 Personal details using ich, du, er/sie (1st, 2nd and 3rd person singular)

Ich heiße Chris. Ich wohne in Berlin. Ich bin sechzehn.	*I'm Chris.* *I live in Berlin.* *I'm sixteen.*
Wie heißt du? Wo wohnst du? Wie alt bist du?	*What's your name?* *Where do you live?* *How old are you?*
Meine Schwester heißt Tina. Sie wohnt in Österreich. Sie ist zwanzig.	*My sister's called Tina.* *She lives in Austria.* *She's twenty.*

2 Three ways of saying 'you': singular, familiar (*du*); plural, familiar (*ihr*); singular or plural, formal (*Sie*)

Hast du Habt ihr Haben Sie	Geschwister?	*Have you got brothers and sisters?*
Treibst du Treibt ihr Treiben Sie	gern Sport?	*Do you like doing sport?*

3 Saying what you think of people. Personal pronouns 'him' and 'her'

Wie findest du	Peter? den Lehrer?	*What do you think of Peter?* *What do you think of the teacher?*
Ich finde ihn	nett. interessant.	*I think he's nice.* *I find him interesting.*
Wie findest du	Petra? die Lehrerin?	*What do you think of Petra?* *What do you think of the teacher?*
Ich finde sie	doof. komisch.	*I think she's silly.* *I find her funny.*

4 Saying what you have: *ein* and *kein*

Ich habe	einen Bruder. eine Schwester. ein Pferd.		*I have one brother.* *I have one sister.* *I have a horse.*
	keine	Geschwister. Haustiere.	*I have no brothers or sisters.* *I have no pets.*

5 Possessive adjectives: *mein, dein, sein, ihr*

Das ist	mein Hund. dein Geburtstag. sein Haus. ihr Buch.	*That's my dog.* *That's your birthday.* *That's his house.* *That's her book.*
Das ist	meine Schwester. deine Katze. seine Gitarre. ihre Adresse.	*That's my sister.* *That's your cat.* *That's his guitar.* *That's her address.*
Das sind	meine Eltern. deine Sachen. seine Großeltern. ihre Freunde.	*Those are my parents.* *Those are your things.* *Those are his grandparents.* *Those are her friends.*

Hilfe, zu acht im Wohnmobil!

Fast ein Drittel aller Kinder in Deutschland sind Einzelkinder. Es gibt aber auch andere: Maxi und ihre vier Geschwister.

,Nein, Langweile hab' ich nicht,' sagt Maximiliane, als wir sie fragen: ,Wie ist das Leben mit vier Geschwistern?' Maximiliane, gennant Maxi, ist elf Jahre alt und das ,mittlere' von fünf Kindern der Familie Scheuerecke. Die anderen sind Stephanie (18), Sebastian (12), Veronika (9) und der Jüngste, Christian (7). Und dann ist da noch ein großer Hund namens Boris. Also eine ,richtige kleine Großfamilie', eine von den ganz wenigen heutzutage. Die Familie wohnt in einem hübschen Reihenhaus, das bis unter das Dach ausgebaut ist – schließlich sind es ja sieben Personen.

Fast jeder hat sein eigenes Zimmer. Nur Maxi muß ihr Zimmer mit Veronika teilen. Kein Problem für Veronika. Im Gegenteil, denn Veronika ist Maxis liebste Spielkameradin. Natürlich wäre Maxi auch einmal ganz gerne allein – wenn sie sich mal streiten oder wenn die jüngere Schwester absolut nicht schlafen will und, wie Maxi sagt, ,quasselt und quasselt'.

Fünf Kinder im Haus – da ist immer etwas los. Aber großen Streit gibt es eigentlich nie. Die Mutter (37) meint dazu: ,Wenn zwei sich mal streiten, dann sind ja noch immer die anderen Geschwister zum Spielen da.'

Lustig ist es, wenn die Familie mit ihrem Campingbus nach Korsika fährt. Alle gucken und staunen, wenn der Bus an einem Rastplatz hält, die Tür des Wohnmobils aufgeht und alle der Reihe nach aussteigen: die Eltern, die fünf Kinder und ... Boris, der Hund.

Gibt es denn gar nichts, was dir bei deinen Freundinnen, die Einzelkinder sind, besser gefällt? ,Doch,' sagt Maxi, ,die anderen bekommen viel mehr Geschenke. Wenn ich von einer Geburtstagsfeier zurückkomme und Süßigkeiten mitbringe, muß ich immer mit meinen Geschwistern teilen. Dann bleibt oft nichts mehr für mich übrig ...'

Aber so viele Geschwister zu haben hat natürlich auch Vorteile. Schon Christian weiß das, obwohl er erst sieben ist. Er fragt immer die anderen Geschwister, ob sie für ihn die Hausaufgaben machen. Dann kann er spielen gehen. Und Maxi sagt: ,Ich möchte kein Einzelkind sein. Nein, nie, das wäre ja langweilig!'

© mit freundlicher Genehmigung aus SALTO entnommen

Stefan und die Emus

Sie sind 1 Meter 20 hoch, voller Federn und haben lange, kräftige Beine: Die zwei Emus aus Australien bewohnen jetzt ein großes Gehege, das Stefan für sie gemacht hat. Die beiden Vögel, die jetzt über ein Jahr alt sind, laufen auf ihn zu, als er ihnen Futter bringt.

Stefan weiß, wie wichtig das richtige Futter für diese Vögel ist. Es muß 16,5 Prozent Eiweiß enthalten. Pro Tag fressen die Emus, die Vegetarier sind, zehn Kilo Preßfutter und trinken zehn bis 15 Liter Wasser. Außerdem bekommen sie noch gekochte Kartoffeln oder Karotten mit Weizenkleie.

Wenn Stefan morgens in die Schule geht, haben die beiden schnellen Laufvögel ihren Frühsport schon hinter sich. Sie können, ausgewachsen, über fünfzig Stundenkilometer erreichen.

Stefan opfert jede Mark Taschengeld für sein Hobby, und er jobbt als Kellner. Vierzig verschiedene Vogelarten hat er bei sich zu Hause. Täglich beschäftigt er sich mehrere Stunden mit seinen Vögeln.

© STAFETTE

🔊 Tagesablauf

Hör gut zu und wiederhol die Sätze.

Ich stehe um
sieben Uhr auf.

Ich komme um
zehn vor acht in
der Schule an.

Ich gehe um halb
acht aus dem Haus.

Ich komme um
Viertel nach eins
nach Hause.

Ich gehe gegen
halb elf ins Bett.

🔊 Wer spricht?

Hör gut zu. Wer spricht?

Susi

Benny

Sylvia

Stefan

⚫⚫ Partnerarbeit

*Partner(in) A wählt eine Person und
Partner(in) B stellt Fragen.*

A – Ich habe gewählt. Wer bin ich?
B – Wann stehst du auf?
A – Um halb sieben.
B – Wann gehst du aus dem Haus?
A – Um Viertel nach sieben.
B – Du bist Benny.
A – Richtig.

Und du?

*Beschreib deinen Alltag. Schreib das auf, dann
kannst du es auf Kassette aufnehmen oder es
der Klasse erzählen.*

Tip des Tages

Wann	stehst du auf?
	gehst du aus dem Haus?
	kommst du in der Schule an?
	kommst du nach Hause?
	gehst du ins Bett?
Um	sieben (Uhr).
	Viertel nach sieben.
	acht (Uhr).
Gegen	halb zwei.
	neun (Uhr).

Was machst du normalerweise?

Sieh dir die Bilder und die Texte unten an. Was paßt wozu?
Schreib die Texte auf.

Beispiel
A Ich dusche.

Ich höre Radio.
Zum Frühstück esse ich Cornflakes und Toast.
Ich fahre mit dem Bus zur Schule.
Ich mache meine Hausaufgaben.
Ich sehe fern.
Ich arbeite am Computer.

Ich komme zu Fuß zur Schule.
Ich dusche.
Ich nehme ein Bad.
Zum Frühstück trinke ich Kaffee und Saft.
Ich werde zur Schule gefahren.
Ich lese.

Was macht ihr?

Hör gut zu. Wer macht was? Sieh dir die Bilder
(A–L) oben an und schreib jeweils die
entsprechenden Buchstaben auf.
Beispiel
Maria: A, C, …

Connie

Maria   Tobias

Was machst du im Haushalt?

Sieh dir die Lückentexte an und rate, welche Wörter
fehlen. Hör dann die Kassette an. Hast du recht?

Küche	Auto	Fenster	Pflanzen
Hund	Bügeln	Haushalt	Bett

Ich putze die _____ , und ich wische Staub.

Alexa

Am Wochenende helfe ich in der _____ . Ich koche das Mittagessen zum Beispiel.

Knut

Ich staubsauge, ich gieße die _____ , und ich helfe beim _____ .

Maria

Ich helfe nicht viel im Haushalt. Ich gehe nur mit dem _____ spazieren.

Ich helfe nicht im _____ . Ich gehe aber einkaufen.

Kemal

Jede Woche wasche ich das _____ , und mein Zimmer mache ich selber sauber. Ich mache mein _____ natürlich selbst, und ich putze das Bad. Jeden Tag wasche ich ab.

Türkan

Michael

Wer hilft am meisten im Haushalt? Und wer hilft am
wenigsten? Und du? Was machst du im Haushalt?

Fernseh-Umfrage

Was hältst du vom Fernsehen?

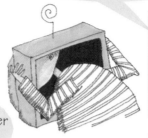

Doris

Ich sehe wenig fern. Es gibt zuviel Quatsch, zu viele Wiederholungen oder alte Spielfilme. Ich sehe vielleicht drei Stunden pro Woche fern.

Mit dem Fernsehen bin ich zufrieden. Besonders Spielfilme interessieren mich. Ich sehe oft mit meiner Familie fern. Das ist ganz komisch, denn wir reden oder streiten über das, was wir sehen.

Karin

Ich finde das nicht so toll. Ich sehe sehr wenig fern. Bei uns zu Hause gibt es auch kaum Streit ums Programm, denn keiner will vor dem Fernseher sitzen. Wir haben alle viele andere Interessen. Ich, zum Beispiel, gehe dreimal in der Woche zum Basketballtraining.

Kerstin

Das Fernsehen ist nicht so gut, find' ich. Es gibt zu viele Sportsendungen und billige Serien aus Amerika. Ich interessiere mich sehr für alte Kinofilme aus den dreißiger und vierziger Jahren. Ich sehe nicht viel fern. Höchstens zwei oder drei Stunden in der Woche.

Bernd

Ich sehe abends so lange fern, bis es nichts Gutes mehr gibt, so vier, fünf Stunden am Tag. Ich gehe nicht sehr oft aus.

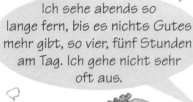

Nicole

Ich mag kein Fernsehen. Ich find' Fernsehen nicht gut.

Danny

Fernsehen ist abends nur gut, wenn es Spielfilme gibt. Serien find' ich doof. Ich sehe auch gern Sendungen wie zum Beispiel das Nachrichtenmagazin *Heute Aktuell*.

Maxi

Felix

Fernsehen ist OK. Ich sehe am liebsten Serien. Ich sehe meistens abends fern, so drei oder vier Stunden.

Wer?

1 Wer treibt lieber Sport?
2 Wer sieht gern die Nachrichten?
3 Wer sieht gern Serien?
4 Wer sieht besonders gern Spielfilme? (3 Personen)
5 Wer findet, daß es zuviel Sport im Fernsehen gibt?
6 Wer findet Serien besonders doof?
7 Wer sieht oft mit der Familie fern?
8 Wer sieht am meisten fern?

Und du?

Was hältst du vom Fernsehen?

Wie oft siehst du fern?

Gibt es bei dir manchmal Streit über das Fernsehprogramm?

Was sind deine Lieblingssendungen?

Statistik

Jugendliche verbringen etwa nur zwanzig Minuten am Tag mit Lesen, während sie ungefähr achtundachtzig Minuten vor dem Fernseher sitzen.
In fast jedem Haushalt findet sich ein Fernsehapparat.

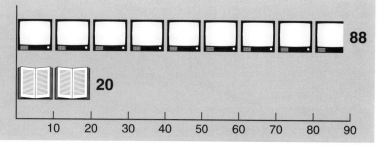

88

20

| | | | | | | | | |
|10|20|30|40|50|60|70|80|90|

Was machst du lieber – Fernsehen oder Lesen?

Hör gut zu und lies, was diese Jugendlichen sagen. Wer liest lieber, und wer sieht lieber fern? Wer macht gern beides?

Boris
Ich finde Fernsehen besser als Bücher. Die Nachrichten bringen wichtige Informationen aus aller Welt: Sportsendungen und Katastrophen zum Beispiel.

Frank
Bücher finde ich gut. Man geht in die Bücherei und man sucht sich ein Buch über ein bestimmtes Thema aus. Das kann man mit dem Fernsehen nicht machen.

Katja
Im Fernsehen sind sehr gute Filme drin, aber Bücher sind viel spannender. Ich sammle Bücher und habe schon hundertfünfzig Bücher.

Claudia
Ich finde Lesen ein bißchen besser, weil es bildet.

Tobias
Man kann von beidem etwas lernen.

Sabine
Ich lese genausoviel wie ich fernsehe. Mal ist das eine spannender, mal das andere.

Florian
Beim Fernsehen muß man sich nicht so konzentrieren und kann auch noch etwas nebenbei machen. Bei Büchern fehlt die Musik im Hintergrund. Wenn ich gerade ein gutes Buch lese, und es kommt ein guter Film im Fernsehen, dann sehe ich lieber den Film an. Das Buch kann ich ja immer noch lesen.

Matthias
Manchmal komme ich erst durchs Fernsehen zum Lesen. Wenn ich einen guten Film sehe, kaufe ich mir die Bücher dazu.

Maren
Ich selbst lese viel und sehe nicht viel fern. Ich finde Lesen so gut.

Markus
Lesen regt die Phantasie mehr an. Beim Fernsehen ist alles vorgegeben.

Tip des Tages

Mit dem Fernsehen bin ich zufrieden.	Ich bin mit dem Fernsehen zufrieden.
Bei uns gibt es wenig Streit.	Es gibt wenig Streit bei uns.
Serien find' ich doof.	Ich finde Serien doof.
Am liebsten sehe ich Spielfilme.	Ich sehe Spielfilme am liebsten.

Was machst du in der Freizeit?

Mach Interviews über die Freizeit mit einem Partner/einer Partnerin.

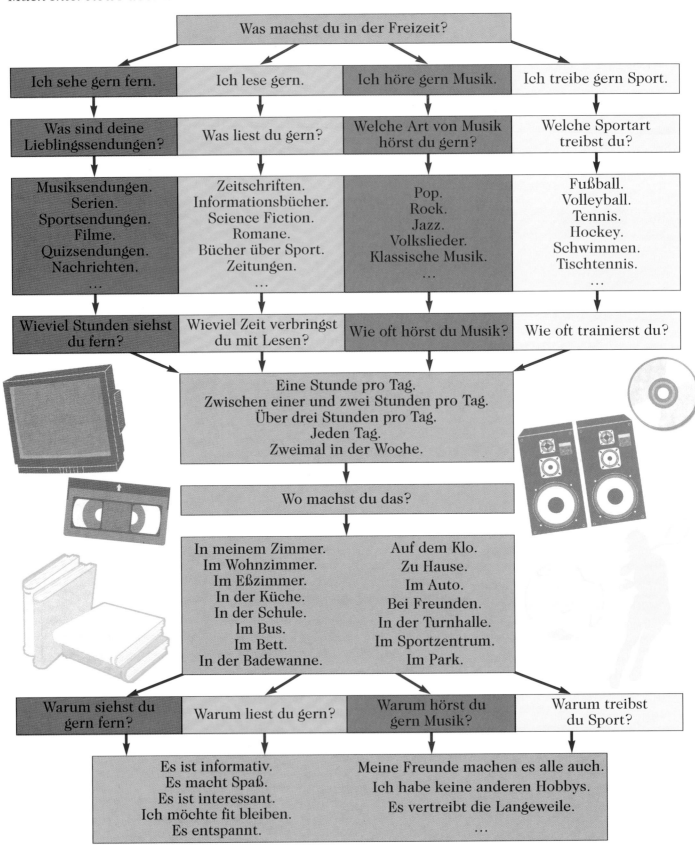

Was machst du in der Freizeit?

| Ich sehe gern fern. | Ich lese gern. | Ich höre gern Musik. | Ich treibe gern Sport. |

| Was sind deine Lieblingssendungen? | Was liest du gern? | Welche Art von Musik hörst du gern? | Welche Sportart treibst du? |

| Musiksendungen. Serien. Sportsendungen. Filme. Quizsendungen. Nachrichten. ... | Zeitschriften. Informationsbücher. Science Fiction. Romane. Bücher über Sport. Zeitungen. ... | Pop. Rock. Jazz. Volkslieder. Klassische Musik. ... | Fußball. Volleyball. Tennis. Hockey. Schwimmen. Tischtennis. ... |

| Wieviel Stunden siehst du fern? | Wieviel Zeit verbringst du mit Lesen? | Wie oft hörst du Musik? | Wie oft trainierst du? |

Eine Stunde pro Tag.
Zwischen einer und zwei Stunden pro Tag.
Über drei Stunden pro Tag.
Jeden Tag.
Zweimal in der Woche.

Wo machst du das?

In meinem Zimmer.
Im Wohnzimmer.
Im Eßzimmer.
In der Küche.
In der Schule.
Im Bus.
Im Bett.
In der Badewanne.

Auf dem Klo.
Zu Hause.
Im Auto.
Bei Freunden.
In der Turnhalle.
Im Sportzentrum.
Im Park.

| Warum siehst du gern fern? | Warum liest du gern? | Warum hörst du gern Musik? | Warum treibst du Sport? |

Es ist informativ.
Es macht Spaß.
Es ist interessant.
Ich möchte fit bleiben.
Es entspannt.

Meine Freunde machen es alle auch.
Ich habe keine anderen Hobbys.
Es vertreibt die Langeweile.
...

Nach der Schule

Was machst du, wenn du nach der Schule zu Hause ankommst?
Benutze die Wörter <u>zuerst</u>, <u>danach</u>, <u>dann</u> *und* <u>zum Schluß</u>,
wie im Beispiel. Wähl Sätze aus der Liste unten, oder erfinde
andere, wenn du willst.

Beispiel

<u>Zuerst</u> hole ich mir etwas zu trinken, <u>danach</u> gehe ich in mein
Zimmer, <u>dann</u> lege ich mich auf mein Bett und <u>zum Schluß</u> fange
ich mit meinen Hausaufgaben an.

Ich sehe eine Weile fern.

Ich gehe in mein Zimmer.

Ich packe meine Schultasche aus.

Ich gehe auf die Toilette.

Ich fange mit meinen Hausaufgaben an.

Ich gehe wieder aus.

Ich setze mich hin.

Ich schlafe ein.

Ich mache Musik an.

Ich ziehe mich um.

Ich lege mich auf mein Bett.

Ich schlage Bücher und Hefte auf.

Ich ziehe die Schuhe aus.

Ich hole mir etwas zu trinken/ zu essen.

Ich rufe meinen Freund/ meine Freundin an.

Schreib mal wieder

Hi! Du wolltest wissen, wie mein Tagesablauf
aussieht. Das ist nicht sehr interessant! Morgens
klingelt der Wecker bei mir um Viertel vor sieben.
Ich stehe auf und gehe dann schnell ins Bad. Dann
gehe ich in die Küche, um ein Glas Milch zu trinken.
Um acht Uhr fängt die Schule an und dauert bis um
eins. Nach der Schule gehe ich manchmal mit meiner
Freundin zu ihr nach Hause und bin den ganzen
Nachmittag dort. Wenn ich dann nach Hause komme,
sind meine Eltern und Geschwister auch da, und wir
essen alle gemeinsam. Abends mache ich meine
Hausaufgaben und sehe ein bißchen fern. Gegen zehn
Uhr gehe ich dann ins Bett.

    Schreib bald!

    Deine Melanie

Stimmt das? Wenn nicht, schreib es
richtig auf!

1 Melanies Mutter weckt sie auf.
2 Melanie steht vor sieben Uhr auf.
3 Sie ißt nichts zum Frühstück.
4 Sie hat jeden Tag vier Stunden
   Schule.
5 Nach der Schule geht sie nicht
   immer direkt nach Hause.
6 Melanie ist Einzelkind.
7 Nachmittags macht sie immer ihre
   Hausaufgaben.
8 Sie ist meistens vor elf Uhr im Bett.

Und du? Kannst du einen Brief über
deinen Alltag schreiben?

Drei Interviews......................

RADMILHA

Radmilha ist 61 Jahre alt. Sie kommt aus Serbien und wohnt jetzt in einem Asylbewerberheim in Berlin.

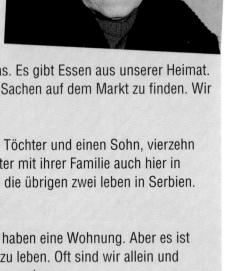

Interviewer: Wie sieht Ihr Tag jetzt aus?

Radmilha: Ich stehe um sechs Uhr auf. Nach dem Frühstück sitze ich vor dem Fernseher und denke nach: über meine Heimat, meine Familie, unser Leben früher in Serbien und jetzt hier in Deutschland. Am Vormittag mache ich die Hausarbeit.

Interviewer: Wie ist Ihre Wohnung im Wohnheim?

Radmilha: Wir haben ein eigenes kleines Bad und eine kleine Küche. Ich koche und backe jeden Tag etwas. Es gibt Essen aus unserer Heimat. Da wir nicht viel Geld haben, versuche ich, billige Sachen auf dem Markt zu finden. Wir bekommen Geld von der Sozialhilfe.

Interviewer: Ist Ihre Familie auch hier in Deutschland?

Radmilha: Ich wohne hier mit meinem Mann. Wir haben vier Töchter und einen Sohn, vierzehn Enkel und zehn Urenkel. Leider lebt nur eine Tochter mit ihrer Familie auch hier in Berlin. Eine andere Tochter lebt in Österreich, und die übrigen zwei leben in Serbien. Wo unser Sohn ist, weiß ich nicht.

Interviewer: Wie gefällt Ihnen das Leben in Deutschland?

Radmilha: Es ist hier ganz schön. Wir sind in Sicherheit und haben eine Wohnung. Aber es ist schwer, wenn man älter ist, in einem neuen Land zu leben. Oft sind wir allein und warten vor dem Fernseher, bis es Zeit ist, ins Bett zu gehen.

SVEN

Sven ist 13 Jahre alt. Er wohnt nicht mehr bei seiner Familie.

Interviewer: Was machst du den ganzen Tag lang?

Sven: Ich fahre stundenlang Rolltreppe im Kaufhaus und suche etwas zu essen.

Interviewer: Und abends?

Sven: Abends trifft sich die Clique im Stadtzentrum. Wir trinken Bier und hören Musik. Manchmal hängen wir auch am Marktplatz rum, gegenüber von McDonalds oder am Bahnhof.

Interviewer: Und wo schläfst du?

Sven: Meistens schlafe ich im Luftschacht in einer Tiefgarage. Dort ist es schön warm.

Interviewer: Wovon lebst du? Woher bekommst du Geld?

Sven: Manchmal gibt mir meine Oma ein bißchen Geld. Oft sammle ich gebrauchte Heroinspritzen und tausche sie gegen neue ein. Die Stadt macht das kostenlos. Die Spritzen verkaufe ich dann in der Nacht an Drogensüchtige. Ab und zu klaue ich auch mal einen Apfel im Supermarkt oder gehe betteln.

Interviewer: Gefällt dir das Leben auf der Straße?

Sven: Die Clique ist prima. Zu Hause gibt's immer nur Streit. Die Clique ist wie eine Familie aber ich habe ständig Hunger, bin immer auf der Flucht und habe Angst vor der Polizei.

SANDRA

Sandra ist 21 Jahre alt und ist Straßenmusikantin.

Interviewer: Wie sieht ein Tag bei dir aus?

Sandra: Ich stehe zwischen acht und zehn Uhr auf und hole beim Bäcker Brötchen. Dann frühstücke ich zusammen mit meiner Freundin Nicola. Da sitzen wir schon mal zwei Stunden lang und quatschen. Dann mache ich die Arbeiten im Haushalt.

Interviewer: Wann beginnt ihr zu musizieren?

Sandra: Gegen vierzehn Uhr fahren wir mit der U-Bahn ins Stadtzentrum. Dort suchen wir dann nach einem freien Standplatz. In Hamburg sind wir die einzige Frauenband. Beim Publikum kommen wir ziemlich gut an. Bei schönem Wetter gibt es auch mal 'ne Party. Dann tanzen die Leute auf der Straße und singen mit.

Interviewer: Welche Musik spielt ihr?

Sandra: Hauptsächlich spielen wir Lieder aus den Sechzigern. In der Pause sitzen wir dann in einem Hauseingang, trinken Tee und beobachten die Leute.

Fragen

RADMILHA

1 Wo wohnt sie?
2 Woher kommt sie?
3 Wann macht sie die Arbeiten im Haushalt?
4 Wo kauft sie meistens ein?
5 Wie viele Kinder hat sie?
6 Was macht sie gewöhnlich abends?

SVEN

1 Wie bekommt er sein Essen?
2 Wen sieht er abends?
3 Wo schläft er?
4 Wer aus seiner Familie gibt ihm Geld?
5 Wie macht er sonst Geld?
6 Warum wohnt er nicht mehr zu Hause?

SANDRA

1 Wo wohnt sie?
2 Was ißt sie zum Frühstück?
3 Mit wem frühstückt sie?
4 Wie fährt sie in die Stadtmitte?
5 Wie macht sie ihr Geld?
6 Was passiert manchmal bei schönem Wetter?

Überblick

1 Wer ist die jüngste Person?
2 Wer ist die älteste Person?
3 Wer arbeitet in der Stadtmitte?
4 Wer hat keine Wohnung?
5 Wer steht am frühsten auf?
6 Wer hat oft Hunger?
7 Wer lebt am gefährlichsten?
8 Wer hat das einsamste Leben?

Wähl jetzt eine von diesen Personen und beschreib sein/ihr Leben (mündlich oder schriftlich) in einigen Sätzen.

TRINITY GRAMMAR SCHOOL

Wer ist in der Poststraße zu Hause?

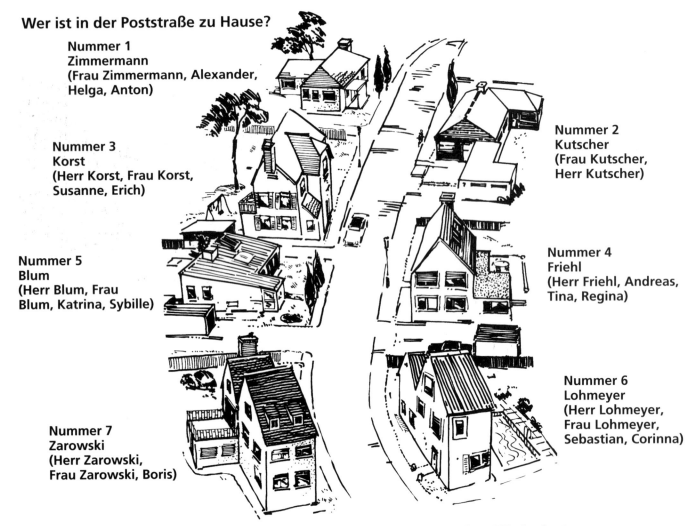

Nummer 1
Zimmermann
(Frau Zimmermann, Alexander,
Helga, Anton)

Nummer 3
Korst
(Herr Korst, Frau Korst,
Susanne, Erich)

Nummer 5
Blum
(Herr Blum, Frau
Blum, Katrina, Sybille)

Nummer 7
Zarowski
(Herr Zarowski,
Frau Zarowski, Boris)

Nummer 2
Kutscher
(Frau Kutscher,
Herr Kutscher)

Nummer 4
Friehl
(Herr Friehl, Andreas,
Tina, Regina)

Nummer 6
Lohmeyer
(Herr Lohmeyer,
Frau Lohmeyer,
Sebastian, Corinna)

Sieh dir die Straße an und lies die Texte unten. Wer ist heute zu Hause?

- Katrina Blum ist bei ihrem Freund Marco und trinkt Kaffee.
- Tina Friehl spielt im Garten Tischtennis mit ihrer Schwester.
- Frau Kutscher ist bei ihrer Schwester in Berlin zu Besuch.
- Frau Blum und ihr Mann sind im Gartenzentrum.
- Herr Lohmeyer führt mit seiner Tochter den Hund spazieren.
- Herr Kutscher arbeitet im Garten.
- Herr und Frau Zarowski sitzen im Garten und lesen.
- Frau Zimmermann kauft im Stadtzentrum ein.
- Andreas Friehl hat Magenschmerzen. Er ist mit seinem Vater beim Arzt.
- Die Familie Korst ist im Urlaub in Griechenland.
- Helga Zimmermann spielt mit ihrer Freundin Sybille Blum Tennis im Sportzentrum.
- Anton Zimmermann hört im Wohnzimmer Radio.
- Sebastian Lohmeyer spielt in seinem Zimmer Gitarre.
- Alexander Zimmermann ist auf Schüleraustausch in England.
- Frau Lohmeyer ist beim Friseur.
- Boris Zarowski repariert sein Rad in der Garage.

Die Hölle ist los!

Stell dir vor, die Eltern im Nachbarhaus sind fürs Wochenende weg. Die Kinder laden ihre Freunde zu einer grossen Party ein. Was finden die Eltern, wenn sie unerwartet zurückkommen? Was machen da alle? Was meinst du? Schreib das auf.

Tip des Tages

Er Sie	ist	bei einem Freund. beim Friseur.
Sie	sind	in England.
Er Sie	spielt arbeitet	im Garten. in der Garage.
Sie	spielen sitzen arbeiten	

Bei uns zu Hause

Sieh dir die Leute in diesem Wohnblock an und lies die Texte. Welcher Text paßt zu welcher Wohnung?

Beispiel
1M

B Er putzt die Fenster und stößt einen Blumentopf vom Fensterbrett.

A Sie streiten. Einer zieht den anderen an den Haaren.

C Sie macht eine Flasche Mineralwasser auf und wird ganz naß.

D Er sitzt auf der Toilette und liest Comics. Sein Bruder steht vor der Tür und klopft.

E Sie feiert Geburtstag und bläst die Kerzen aus.

F Sie machen eine Kissenschlacht und werfen Oma ein Kissen ins Gesicht.

H Er schläft und hört das Telefon nicht.

G Sie schneidet ihrem Sohn die Haare sehr kurz. Er schreit.

I Sie hören laute Musik und tanzen dazu wie wild.

J Sie sieht fern und ißt Chips.

L Sie liegt krank im Bett und trinkt Tee.

K Er telefoniert und schenkt dabei Kaffee ein.

M Sie nimmt das Shampoo und badet den Hund in der Badewanne.

N Sie sitzen vor dem Fernseher und schlafen.

P Sie spielt Geige, ihr Hund jault dabei.

O Er macht Hausaufgaben und sieht in die Luft.

Es gibt noch sieben weitere Personen bzw. Gruppen im Bild, für die kein Text oben steht. Finde fünf davon und beschreib, was sie tun.

Beispiel
4 *Er wäscht in der Küche ab.*

Dies und das

Was ich gern mache … ?

Tanzen
Träumen
Faulenzen
Ski laufen
Tennis spielen
Ins Kino gehen
Gute Musik hören
Einen Film sehen
Einen Krimi lesen
Etwas Gutes essen
Ins Ausland reisen
Im Wald spazierengehen
Ins Schwimmbad gehen
Durch die Stadt bummeln
Mit dem Computer spielen
Meine Ferien am Meer verbringen
Und natürlich immer viel viel viel Spaß haben!

Und du?

Wirklich?

Ich stehe spät auf.
Ich gehe nach unten.
Ich setze mich hin und mach' den Fernseher an.
Ich kann meinen Augen und Ohren nicht trauen!
Keine politische Krise.
Keine Vergewaltigung.
Kein Mord.
Kein Sturm.
Kein Erdbeben.
Kein Krieg.
Kein Hochwasser.
Kein Autounfall.
Kein Bankraub.
Kein Schiffuntergang.
Kein Hauseinbruch.
Kein Autodiebstahl.
Träume ich noch?

Zeit ist Geld

6.30 Uhr. Mein Wecker klingelt. In einer Minute muß ich aus dem Bett sein. Punkt 6.31 Uhr stehe ich vor meinem Bett. Nach der Morgenwäsche (6.31 Uhr und 5 Sekunden bis 6.41 Uhr und 5 Sekunden) beginne ich mein Frühstück; jeweils im 20 Sekunden-Abstand einen Bissen Brot und einen Schluck Tee. Genau um 7 Uhr steige ich in mein linkes Hosenbein, 7 Uhr und 3 Sekunden in das rechte. Um 7.04 Uhr bin ich vollständig bekleidet. Ich packe schnell meinen Ranzen und gehe aus dem Haus. Um 7.20 Uhr sitze ich auf meinem Fahrrad. Eins–zwei, eins–zwei geht es zur Schule. Eine rote Ampel bringt mich völlig aus dem Rhythmus. Verdammt nochmal! Die Katastrophe läßt sich nicht mehr verhindern, und zu guter Letzt sitze ich mit zehn Sekunden Verspätung an meinem Platz in der Klasse.
Annika Lorenz (15), Bonn

Bildgeschichte

1

Gut. Also wir üben bei Olaf zu Hause. Aber wann?

Lieber nachmittags.

Ach nein. Nachmittags mach' ich meine Hausaufgaben.

2

Deine Hausaufgaben kannst du abends machen.

Ja, aber abends sehe ich gern fern.

3

An welchem Tag also?

Dienstags und freitags gehe ich aus.

Montags hab' ich Fußballtraining.

4

Mittwoch also, bei mir. Gegen vier Uhr?

Wo wohnst du?

Meine Mutter bringt mich mit dem Keyboard hin. Wir holen dich ab, wenn du willst.

Bei Olaf zu Hause.

Ein paar Minuten später.

5

Mach die Tür zu.

Fangen wir an? Eins, zwei, drei, vier …

6

Das genügt! Hört sofort damit auf!

sb ▶ Selbstbedienung

⚑ Wie hilft er im Haushalt?

Beispiel
1D *Er wischt Staub.*

A Er hilft beim Abspülen.

B Er gießt die Pflanzen.

C Er kauft ein. **D** Er wischt Staub.

E Er führt seinen Besitzer spazieren. **F** Er putzt die Fenster.

⚑ Sport, Fernsehen oder Musik?

Worüber spricht man?

1 Ich sehe drei oder vier Stunden pro Tag fern.
2 Ich trainiere zweimal in der Woche.
3 Meine Lieblingssendungen sind Serien.
4 Wir spielen in der Turnhalle.

5 Ich spiele seit zwei Jahren Gitarre.
6 Meine Mutter hört lieber Volkslieder.
7 Wir sehen gern Spielfilme.
8 Es ist gut, fit zu bleiben.

⚑ Lauter Fragen

Was paßt wozu?   **Beispiel**
                        1C

1 Wann stehst du auf?
2 Duschst du?
3 Wie kommst du zur Schule?
4 Wann ist die Schule aus?
5 Was machst du zu Mittag?
6 Was machst du am Nachmittag?
7 Siehst du viel fern?
8 Gehst du oft abends aus?

A Nein, ich hab' keine Lust, vor dem Fernseher zu sitzen.
B Ich werde gefahren.
C Normalerweise um sieben.
D Ich esse mit meiner Mutter und meiner Schwester.
E Nein. Ich muß nach dem Abendessen für die Schule arbeiten.
F Meistens so gegen eins.
G Nein, ich nehme ein Bad.
H Nachmittags mache ich meine Hausaufgaben oder gehe zum Sportzentrum.

Ende gut, alles gut

Find das richtige Ende für jede Frage.

Beispiel
1E

1 Was sind deine …	A siehst du fern?
2 Welche Art von Musik …	B Lieblingsbuch?
3 Welche Sportart …	C eine Fernsehzeitschrift?
4 Was machst du …	D treibst du?
5 Wieviel Stunden …	E Lieblingssendungen?
6 Bist du Mitglied …	F in deiner Freizeit?
7 Warum treibst du …	G hörst du gern?
8 Kaufst du …	H liest du gern?
9 Was ist dein …	I in einem Verein?
10 Was für Bücher …	J Sport?

 Ohne Frage!

In diesem Dialog fehlen die Fragen. Sieh dir die Fragen unten an. Schreib den ganzen Dialog mit den Fragen auf.

Detlev:

Maria: Ich arbeite am Computer.

Detlev:

Maria: Ja, seit über zwei Jahren.

Detlev:

Maria: In der Schule und durch Bücher.

Detlev:

Maria: Zwischen 10 DM und 20 DM im Monat.

Detlev:

Maria: Er macht Spaß, und ich möchte später mit dem Computer arbeiten.

Wie lernst du, mit dem Computer umzugehen?

Hast du deinen eigenen Computer?

Warum interessierst du dich so sehr für den Computer?

Was machst du in deiner Freizeit?

Wieviel Geld gibst du für Software aus?

 Sinn oder Unsinn?

1 Ich gehe ins Bett, dann dusche ich.
2 Ich stehe um halb acht auf, dann frühstücke ich um acht.
3 Morgens vor dem Frühstück höre ich Radio oder sehe fern.
4 Ich frühstücke um Viertel nach acht und gehe um zwanzig vor acht aus dem Haus.
5 Meine Lieblingssendung ist montags um halb zehn. Ich sehe sie jeden Tag.
6 Bei uns gibt es nie Streit ums Programm, denn wir haben vier Fernseher im Haus.

7 Ich spiele dreimal in der Woche Tennis und ein- oder zweimal Volleyball. Ich treibe sehr wenig Sport.
8 Ich helfe nicht viel im Haushalt, aber mein Bruder kocht gern, macht manchmal das Haus sauber und wäscht den Wagen. Er hält mich für faul.

Kannst du andere Sätze in diesem Stil schreiben? Dein Partner/deine Partnerin soll sagen, ob es Sinn macht oder Unsinn ist.

sb ▶ Selbstbedienung

⚑ Ich stehe morgens um halb sieben auf

Lies den Text und füll die Lücken aus.

Ich _____ morgens um halb sieben auf und _____ um acht Uhr in der Schule sein. Ich _____ und _____ den Bus um halb acht zur Schule. Die Schule ist meistens so gegen zwei Uhr aus, dann _____ ich nach Hause und _____ mit meiner Mutter und meiner jüngeren Schwester zu Mittag. Danach _____ ich Hausaufgaben. Das dauert etwa so zwei Stunden. Dann ist es meistens schon abends, und wir essen mit meinem Vater zusammen zu Abend, und danach _____ ich noch ein bißchen fern und _____ früh ins Bett, denn ich _____ am nächsten Morgen wieder früh aufstehen.

esse
sehe
stehe
muß
mache
nehme
fahre
gehe
frühstücke
muß

⚑ Ein Tag aus dem Leben des Alex K.

Lies den Bericht und dann stell dir vor, du bist Alex. Beschreib deinen Alltag.

Beispiel
Um sieben Uhr klingelt der Wecker. Ich stehe auf. Dann um zehn nach sieben gehe ich …

7.00	Der Wecker klingelt. Alex steht auf.
7.10	Alex geht ins Badezimmer. Er wäscht sich.
7.35	Er geht in die Küche und frühstückt. Er ißt sehr schnell. Zum Frühstück ißt er eine Scheibe Brot mit Käse und eine Tasse Tee.
7.40	Er geht aus dem Haus.
7.45	Alex geht zur Bushaltestelle und wartet auf den Bus.
13.35	Die Schule ist aus. Alex geht nach Haus. Zum Mittagessen gibt es Pizza.
14.30	Gleich nach dem Essen setzt sich Alex wieder an den Schreibtisch. Er macht seine Hausaufgaben. Alex findet das gar nicht so leicht.
15.30	Er sieht das neue Popvideo von seinem Freund an.
18.15	Er geht in den Supermarkt und kauft was zum Essen und Trinken.
19.00	Alex fährt mit dem Fahrrad zu seinem Freund. Er sieht seinen Freund fast jeden Nachmittag. Sie sprechen über die Schule, die neuesten Sportnachrichten und über Musik. Manchmal gehen sie zusammen ins Kino oder ins Theater.
19.30	Alex hat schon wieder Hunger. Er ißt deshalb schnell ein Wurstbrötchen. Das schmeckt gut.
20.30	Alex hat heute abend nichts Besonderes vor. Er bleibt zu Hause. Seine Schwester Irene ist auch da. Im Fernsehen läuft ein Krimi. Irene und Alex schauen ihn an.
24.00	Er geht ins Bett.

1   Asking questions

Wann	stehst du auf? gehst du aus dem Haus?	*When do you get up?* *When do you leave home?*
Um wieviel Uhr	kommst du nach Hause? gehst du ins Bett?	*What time do you get home?* *What time do you go to bed?*
Wie oft trainierst du?		*How often do you train?*
Was	sind deine Lieblingssendungen? machst du im Haushalt?	*What are your favourite programmes?* *What do you do to help at home?*
Welche Art von Musik hörst du?		*What kind of music do you listen to?*

auf einen Blick

2   Telling the time

Um	vier Uhr. halb fünf. Viertel vor fünf. Viertel nach fünf.	*At four o'clock.* *At half past four.* *At quarter to five.* *At quarter past five.*
Gegen	sieben Uhr. Mittag.	*At about seven o'clock.* *At about midday.*

3   Gern, lieber, am liebsten

Ich	sehe treibe lese	gern gern gern	fern. Sport.	*I like watching television.* *I like doing sport.* *I like reading.*
Ich sehe lieber Filme. Wer treibt lieber Sport?				*I prefer watching films.* *Who prefers doing sport?*
Ich sehe am liebsten Serien.				*I like (watching) series best.*

4   Separable verbs

Ich <u>stehe</u> um sieben Uhr <u>auf</u>.	*I get up at seven o'clock.*
Ich <u>komme</u> um acht in der Schule <u>an</u>.	*I get to school at eight.*
Wann <u>kommst</u> du in der Schule <u>an</u>?	*When do you get to school?*
Sie <u>kauft</u> im Stadtzentrum <u>ein</u>.	*She is shopping in the town centre.*
Er <u>geht</u> mit seinen Freunden <u>aus</u>.	*He goes out with his friends.*
Manchmal <u>hängen</u> wir am Marktplatz <u>herum</u>.	*Sometimes we hang around on the market square.*
Wir <u>sehen</u> nicht viel <u>fern</u>.	*We don't watch much television.*
<u>Schlagt</u> eure Bücher <u>auf</u>.	*Open your books.*
Die Leute <u>singen</u> <u>mit</u>.	*People sing along.*

5   Word order

Ich bin mit dem Fernsehen zufrieden. Mit dem Fernsehen bin ich zufrieden.	*I'm happy with television.*
Es gibt wenig Streit bei uns. Bei uns gibt es wenig Streit.	*There aren't many arguments in our house.*
Ich finde Serien doof. Serien find' ich doof.	*I think serials are stupid.*
Ich sehe Spielfilme am liebsten. Am liebsten sehe ich Spielfilme.	*I prefer watching plays.*

Was hast du am Wochenende gemacht?

Hör gut zu. Sieh dir die Tabelle an. Wer spricht?

	Party	Fernsehen	Karten	Fußball	Buch	Tennis	Garten	Kino	Einkaufen	Restaurant	Hausaufgaben	Musik
Connie		✓	✓			✓					✓	
Kirsten		✓		✓				✓			✓	
Matthias		✓	✓		✓					✓	✓	
Banu	✓						✓	✓	✓			✓
Oliver	✓			✓					✓			✓
Peter		✓				✓		✓	✓			

Schlüssel

 Ich habe eine Party gegeben.

 Ich habe ferngesehen.

 Ich habe Karten gespielt.

 Ich habe Fußball gespielt.

 Ich habe ein Buch gelesen.

 Ich habe Tennis gespielt.

 Ich habe im Garten geholfen.

 Ich habe einen Film im Kino gesehen.

 Ich habe eingekauft.

 Ich habe im Restaurant gegessen.

 Ich habe meine Hausaufgaben gemacht.

 Ich habe Musik gehört.

Partnerarbeit

Partner(in) A wählt eine Person und beschreibt, was er/sie gemacht hat. Partner(in) B muß raten, wer das ist.

Beispiel

A – Wer bin ich? Ich habe ferngesehen und habe Tennis gespielt.

B – Hast du auch Karten gespielt?

A – Ja.

B – Dann bist du Connie.

A – Ja, richtig.

Am Samstag

Schreib dieses Gedicht weiter – und erfinde ein passendes Ende dazu!

Am Montag habe ich Tennis gespielt,
Aber ich habe nicht meine Hausaufgaben gemacht.

Am Dienstag habe ich Tennis gespielt und Musik gehört,
Aber ich habe nicht meine Hausaufgaben gemacht.

Am Mittwoch habe ich Tennis gespielt, Musik gehört und ein Buch gelesen,
Aber …

Zwei Briefe

Lies diese zwei Briefe. Dann beantworte die Fragen.

Frau H. Ziegert

Fundbüro

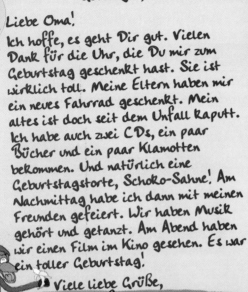

Göttingen, den 9. Februar

Liebe Oma!

Ich hoffe, es geht Dir gut. Vielen Dank für die Uhr, die Du mir zum Geburtstag geschenkt hast. Sie ist wirklich toll. Meine Eltern haben mir ein neues Fahrrad geschenkt. Mein altes ist doch seit dem Unfall kaputt. Ich habe auch zwei CDs, ein paar Bücher und ein paar Klamotten bekommen. Und natürlich eine Geburtstagstorte, Schoko-Sahne! Am Nachmittag habe ich dann mit meinen Freunden gefeiert. Wir haben Musik gehört und getanzt. Am Abend haben wir einen Film im Kino gesehen. Es war ein toller Geburtstag!

Viele liebe Grüße,
Dein Stefan

Göttingen, den 9. Februar

An das Fundbüro
Göttingen

Sehr geehrte Damen und Herren,
Ich habe meine neue Armbanduhr verloren. Es ist eine weiße Swatch-Uhr mit einem rot-blauen Armband. Nach meiner Geburtstagsfeier am Dienstag, dem 17. Juli, bin ich mit Freunden in die Stadt gefahren. Ich habe die Uhr entweder im Kino oder auf dem Weg dorthin in der Straßenbahn verloren. Hat jemand eine solche Uhr bei Ihnen abgegeben?
Vielen Dank im voraus.
Mit freundlichen Grüßen,

Stefan Wagner

1 Warum hat Stefan an seine Großmutter geschrieben?
   a Er will sie zu seiner Geburtstagsparty einladen.
   b Er will ihr für das Geburtstagsgeschenk danken.
2 Warum hat Stefan ein Fahrrad zum Geburtstag bekommen?
   a Er hat einen Unfall mit dem alten Rad gehabt.
   b Er hat sein altes Rad verloren.
3 Was hat er auch zum Geburtstag bekommen?
   a Süßigkeiten und Schulsachen.
   b Kleidung und CDs.
4 Was gab's zu essen bei der Party?
   a Kuchen.
   b Eis.
5 Wie haben sie bei der Party gefeiert?
   a Sie haben sich die CDs angehört.
   b Sie haben zusammen Musik gemacht.
6 Was haben sie nach der Party gemacht?
   a Sie haben etwas in der Stadt gemacht.
   b Sie haben sich ein Video angesehen.
7 Wo hat Stefan seine neue Uhr verloren?
   a Auf dem Weg nach Hause.
   b In der Straßenbahn oder im Kino.

So ein Glück! So ein Pech!

Schreib jetzt selber zwei solche Briefe: den ersten einen Dankbrief für ein Geschenk; den zweiten ans Fundbüro, weil du das Geschenk verloren hast!

Tip des Tages

Ich	habe	meine Hausaufgaben	gemacht.
Du	hast	Radio	gehört.
Er	hat	Karten	gespielt.
Sie	hat	Geld	verloren.
Wir	haben	Klamotten	bekommen.
Ihr	habt	einen Film	gesehen.
Sie	haben	Freunde	eingeladen.

Stadtmitte

A Partnerarbeit

Seht euch den Stadtplan an. Stellt einander Fragen darüber.

Beispiel

A – Wo ist die Post? In der Osterstraße?
B – Nein, in der Baustraße.
A – Und wo ist der Bahnhof?
B – In der Bahnhofstraße. Wo ist das Museum?
A – Am Münsterwall.

B Stimmt das?

Hör gut zu. Sechs Leute fragen nach dem Weg. Sind die Antworten richtig oder nicht?

C Partnerarbeit

Ihr seid jetzt am Bahnhof. Stellt einander Fragen.

Beispiel

A – Entschuldigung. Wo ist hier das Museum, bitte?
B – Rechts dann links. (Das Museum ist auf der rechten Seite.)
A – Vielen Dank.

 **D** Am Bahnhof

Hör jetzt gut zu. Diese Leute sind auch am Bahnhof und fragen nach dem Weg. Wie sind die Fragen? Kannst du die Fragen beantworten? Du hörst dann das ganze Gespräch. Hast du richtig geantwortet?

E Partnerarbeit

Jetzt sind wir auf dem Verkehrsamt. Lies die Dialoge, dann denk dir weitere Dialoge aus.

Wo ist hier der/die/das...?

Wie komme ich zum/zur...?

1 – Entschuldigung. Wo ist hier das Schwimmbad?
– Hier rechts, dann geradeaus. Dann die erste Straße rechts, in der Goethestraße.
– Danke schön.
– Bitte schön.

2 – Entschuldigung, wie komme ich zum Dom?
– Der ist in der Domstraße. Gehen Sie hier links, dann nehmen Sie die erste Straße rechts. Der Dom ist auf der linken Seite.
– Vielen Dank.
– Bitte.

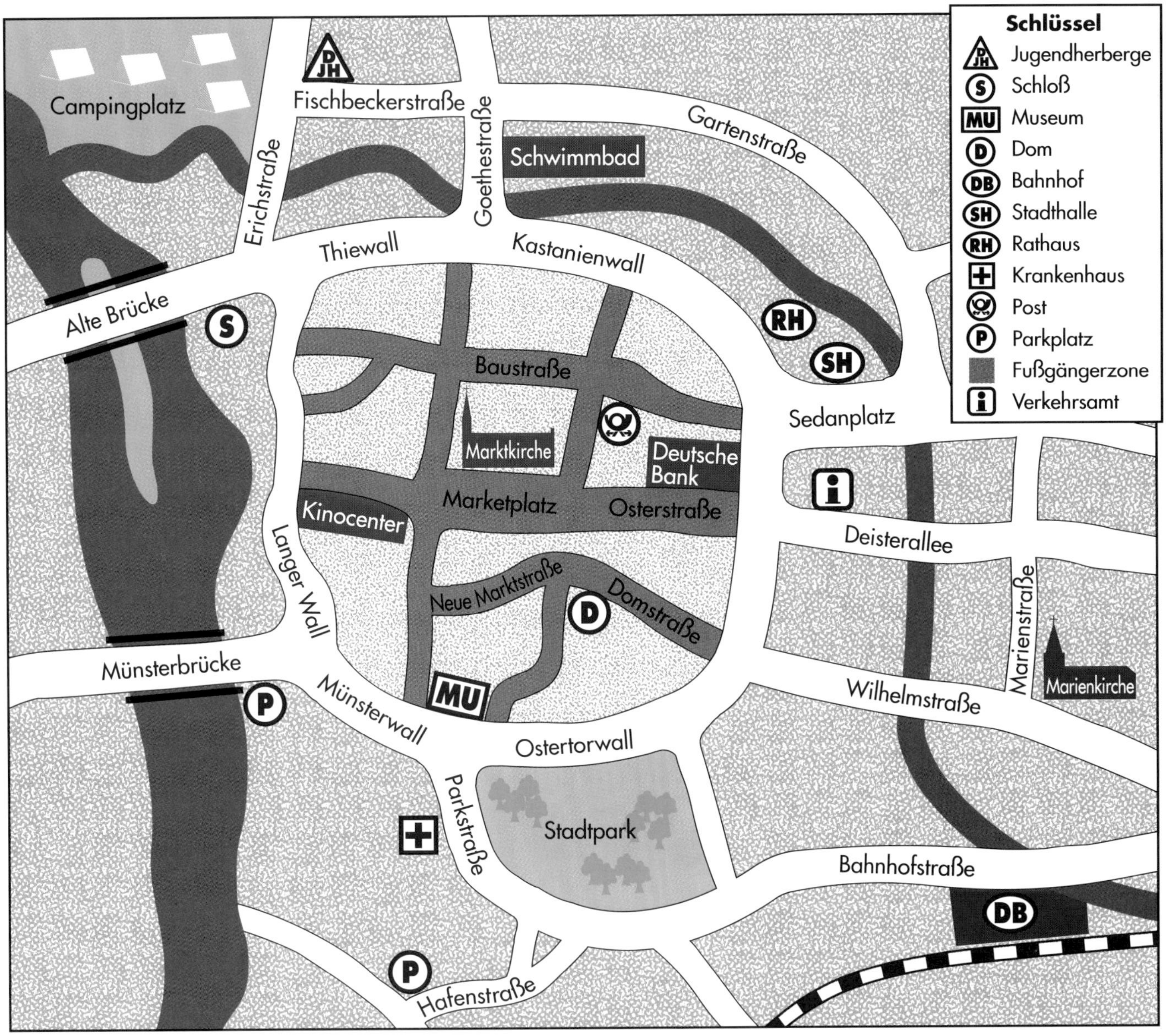

Schlüssel

- Jugendherberge
- Schloß
- MU Museum
- Dom
- DB Bahnhof
- SH Stadthalle
- RH Rathaus
- Krankenhaus
- Post
- Parkplatz
- Fußgängerzone
- Verkehrsamt

Campingplatz

Fischbeckerstraße

Gartenstraße

Schwimmbad

Goethestraße

Erichstraße

Thiewall

Kastanienwall

Alte Brücke

S

RH

SH

Baustraße

Sedanplatz

Marktkirche

Deutsche Bank

Langer Wall

Marketplatz

Osterstraße

Kinocenter

Deisterallee

Neue Marktstraße

Domstraße

D

Marienstraße

Münsterbrücke

MU

Wilhelmstraße

Marienkirche

Münsterwall

P

Ostertorwall

Stadtpark

Bahnhofstraße

Parkstraße

DB

P

Hafenstraße

Tip des Tages

Wo ist hier der Wie komme ich zum	Bahnhof? Stadtpark? Campingplatz? Marktplatz?	Gehen Sie hier		links. rechts. geradeaus.	
		Der ist Die ist	in der	Wilhelmstraße. Goethestraße. Deisterallee.	
Wo ist hier die Wie komme ich zur	Stadthalle? Marienkirche? Jugendherberge?	Das ist	am	Münsterwall. Marktplatz. Sedanplatz.	
Wo ist hier das Wie komme ich zum	Schloß? Verkehrsamt? Rathaus? Museum?	Nehmen Sie die		erste zweite dritte vierte	Straße	links. rechts.
		Der Die Das	ist auf der	linken rechten	Seite.

Auf der Post

Du gehst auf die Post. Hör zu und lies den Text.

1
– Guten Tag. Was kostet ein Brief nach England, bitte?
– Ein Brief nach England kostet 1 DM.
– Und was kostet eine Postkarte?
– Nach England?
– Ja.
– 80 Pfennig.
– Ich hätte gern zwei Briefmarken zu 1 DM und fünf Briefmarken zu 80 Pfennig.
– Das macht 6 DM, bitte.
– Danke schön. Auf Wiedersehen.
– Auf Wiedersehen.

Auf der Bank

Was sagt man, wenn man Geld wechseln will? Hör zu und lies die Dialoge.

1
– Guten Tag. Ich möchte gerne 20 Pfund in DM wechseln.
– Kann ich bitte Ihren Paß haben?
– Bitte schön.
– Danke schön. Unterschreiben Sie bitte hier den Zettel. Sie bekommen 44 DM.
– Danke. Auf Wiedersehen.
– Auf Wiedersehen.

2
– Guten Tag.
– Guten Tag.
– Was kostet es, einen Brief in ein EU-Land zu schicken?
– In ein EU-Land? 1 DM.
– Und eine Postkarte?
– Eine Postkarte in ein EG-Land kostet 80 Pfennig.
– Gut. Ich möchte Briefmarken für einen Brief und drei Postkarten, bitte.
– Das macht 3,40 DM.
– Bitte schön.
– Danke schön. Auf Wiedersehen.

 Partnerarbeit

Macht jetzt weitere Dialoge auf der Post

2
– Guten Morgen. Ich möchte gerne diese Reiseschecks einlösen.
– Kann ich bitte Ihren Paß haben? Und unterschreiben Sie bitte alle Schecks hier oben. 200 DM, ist das richtig?
– Ja.
– Wie möchten Sie das Geld?
– Drei 50-Mark-Scheine, einen Zwanziger und drei Zehner, bitte.
– Bitte, 200 DM und Ihr Paß.
– Danke. Auf Wiedersehen.
– Auf Wiedersehen.

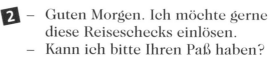

Belgien	bfrs
Dänemark	dkr
Finnland	Fmk
Frankreich	FF
Großbritannien	£
Italien	Lit
Japan	Yen
Kanada	Kan $
Niederlande	hfl
Norwegen	nkr
Österreich	S
Portugal	Esc
Schweden	skr
Schweiz	sfr
Spanien	Ptas
USA	US $

Tip des Tages

Ich	hätte gern	eine Briefmarke zwei Briefmarken	zu	80 Pfennig. 1 Mark.
	möchte	einen Brief in ein EU-Land schicken.		

Was kostet	ein Brief eine Postkarte		nach	Schottland? England?

Ich möchte	20 Pfund in DM wechseln. diese Reiseschecks einlösen.	Wie möchten Sie das Geld? Kann ich Ihren Paß sehen?

Zürich Cityplan

Du bist in Zürich zu Besuch und liest diesen Cityplan. Wo kann man Informationen über folgendes bekommen? Lies die Texte in den Sprechblasen unten und schreib A1, B2 usw.

Beispiel: A6

ZÜRICH CITYPLAN

1 Offizielles Verkehrsbüro
Bahnhofplatz 15 (im HB),
Tel. 211 40 00.
Informationen, Hotelzimmer-
vermittlung, Stadtrundfahrten,
Altstadtbummel und Exkursionen,
Prospekte von Zürich und anderen
Orten der Schweiz, Mietwagen,
Fremdenführer und Hostessen.
1. Nov–28. Feb
   Mo–Do 08.00–20.00 Uhr
   Fr 08.00–22.00 Uhr
   Sa–So 09.00–18.00 Uhr
1. Mä–31. Okt
   Mo–Fr 08.00–22.00 Uhr
   Sa–So 08.00–20.30 Uhr

2 Apotheke rund um die Uhr am
Bellevue, Theaterstraße 14,
Tel. 252 44 11

3 Auskunftsdienst. *Inland:* Tel. 111;
Internationale Auskunft: Tel. 191

4 Ausländische Zeitungen. *Kioske
am:* Hauptbahnhof und HB-
Shopville sowie Bellevue-, Parade-
und Heimplatz u.a.

5 Billett-Zentrale Zürich (BZZ) am
Werdmühleplatz, Tel. 221 22 83
Vorverkauf für Theater, Konzerte,
Unterhaltung und Sport.
Mo–Fr 10.00–18.30 Uhr;
Do bis 21.00 Uhr; Sa bis 20.00
Uhr; So bis 14.00 Uhr.

6 Fahrrad mieten. An jedem
Bahnhof.

7 Filme für Kameras nach
Ladenschluß: an den HB-Kiosken.

8 Fluggesellschaft *Swissair
Information* Tel. 812 71 11.
Flugscheine und Reservation
Tel. 251 34 34; *Luftreisebüro* im
Hauptbahnhof und an der
Bahnhofstraße 27.

9 Fundbüros. *Im Hauptbahnhof,*
Tel. 211 88 11, tägl. geöffnet
06.45–20.45 Uhr; *Städtisches
Fundbüro* (Stadtpolizei),
Werdmühlestraße 10,
Tel. 216 51 11, geöffnet
07.30–17.30 Uhr, Sa geschl.

10 Geldwechsel. Im Hauptbahnhof
tägl. von 06.30–23.30 Uhr

11 Kinderhüten/Babysitting. *In den
Warenhäusern (an der
Bahnhofstraße):* Globus, Jelmoli,
für 2–6jährige während der
Ladenöffnungszeiten,
ausgenommen Abendverkauf.
Kady vermittelt Babysitters
stundenweise, Tel. 211 37 86.

12 Notfälle
Polizeinotruf Tel. 117 (nur in
dringenden Notfällen) oder

Tel. 216 71 11 (auch bei
Vermißtmeldung von Personen).
*Ärztlicher und zahnärztlicher
Notfalldienst* Tel. 47 47 00 oder
Städtische Sanität: Tel. 361 61 61
(Erste Hilfe, Kranken- und
Unfalltransporte usw).
Tierärztlicher Notfalldienst des
kantonalen Tierspitals,
Winterthurerstraße 260,
Tel. 365 11 11.
Autopanne: Touring-Hilfe:
Tel. 140.

13 Öffnungszeiten (Richtlinien)
Städtische Verwaltung:
08.15–16.30 Uhr, Sa geschl.
Banken: Mo bis Fr 08.15–16.30;
Do bis 18 Uhr und ausserhalb der
normalen Zeit: im Hauptbahnhof
(Wechselstube) 06.30–23.30 Uhr
tägl.
Geschäfte: Mo bis Fr 09.00–18.30
Uhr; Sa 09.00–16.00 Uhr; Do in
der City teilweise Abendverkauf bis
21.00 Uhr; Mo teilweise
geschlossen.
Post: Fraumünsterpost,
Hauptbahnhof HB, Sihlpost:
Normale Schalterstunden Mo bis
Fr 07.30–18.30 Uhr; Sa
07.30–11.00 Uhr; So geschlossen.
Alle übrigen Postämter sind über
Mittag geschlossen.

14 Polizei. Stadtpolizei einschl.
Kriminal- und Seepolizei,
Tel. 216 71 11 (Notruf 117)
Hauptwache, Bahnhofquai 3.

15 Schlüssel-Schnellservice u.a. in
den Warenhäusern Jelmoli und
Globus an der Bahnhofstraße;
Brauchli, Wohllebgasse 5,
Tel. 211 47 41, Tag und Nacht.

16 Schuhe reinigen im
Hauptbahnhof, Eingang
Bahnhofstraße.

17 Schuh-Schnellservice u.a.
Schuhbar in den Warenhäusern
Jelmoli und Globus und
Schuhhaus Bata an der
Bahnhofstraße (bis 16.30 Uhr);
Guerini, HB-Shopville, ab 07.30,
Do bis 21.00 Uhr.

18 Transfer zum Flughafen. Züge
alle 10–20 Minuten vom
Hauptbahnhof. Fahrzeit ca. 10
Minuten.

19 Wasch- und Duschkabinen mit
Haarfön in den Damen- und
Herrentoiletten von: Shopville,
Bahnhofquai, Paradeplatz,
geöffnet 06.00–22.00 Uhr.

20 Wetterbericht. Tel. 162

A Entschuldigung. Können Sie mir sagen, wo ich hier ein Fahrrad mieten kann?

B Entschuldigen Sie bitte. Ich will Geld wechseln und die Banken haben schon geschlossen. Wo kann ich das heute noch machen?

C Wo kann ich bitte Informationen über Zürich und Umgebung bekommen?

D Guten Tag. Wo bekommt man Karten für das Fußballspiel?

E Ich habe meinen Schirm verloren.

F Ich will einen Flug nach London buchen. Wo kann ich das machen?

G Wo gibt es bitte einen Schlüsseldienst? Wann ist er geöffnet?

H Können Sie mir bitte die Nummer für den Wetterdienst geben?

I Wie oft fahren die Züge vom Hauptbahnhof zum Flughafen? Wie lange dauert die Fahrt?

J Wo kann ich bitte eine englische Zeitung kaufen?

K Entschuldigung. Meine Sandale ist kaputt. Ist hier ein Schuhdienst in der Nähe?

L Ich will einen Film für meine Kamera kaufen, aber die Geschäfte haben alle zu. Wissen Sie, wo ich jetzt noch einen kriegen kann?

M Ich muß dringend einen Zahnarzt sehen. Gibt es eine Telefonnummer für Notfälle?

N Ich will einen Babysitter für heute abend finden.

O Ich muß Briefmarken kaufen. Welche Postämter bleiben über Mittag offen?

Donauinsel

Sieh dir die Werbung an. Ist das richtig oder falsch?

1 Man darf auf der Donauinsel nicht angeln.
2 Man darf fast überall mit dem Wagen fahren.
3 Man kann Motorboote mieten.
4 Man darf fast überall radfahren.
5 Hunde dürfen frei herumlaufen.
6 Man kann ohne Motorboot wasserskifahren.
7 Gute Wasserskifahrer können über 50 Stundenkilometer fahren.
8 Nur Kinder dürfen die Wasserrutsche benutzen.
9 Surfer müssen auf Schwimmer Rücksicht nehmen.
10 Wenn man eine Grillparty feiern will, muß man einen Grillplatz reservieren.

DONAUINSEL — FREIZEIT STADT WIEN

Eine neue Attraktion im Wiener Donaubereich ist die Wasserrutsche bei der Brigittenauer Brücke. Mit 207 Meter ist sie die längste der Welt.

WASSERRUTSCHE

BOOTFAHREN
... ist erlaubt. Verbote gibt es für Katamarane, Motorboote sowie Haus- und Kajütboote. Einfacher ist es, ein Boot zu mieten.

GRILLEN
Feiern Sie doch einmal Ihre eigene Grillparty! Sie brauchen nur zum Telefon greifen, um einen der zahlreichen Grillplätze zu reservieren. Die Benutzung der Griller ist kostenlos.

HUNDE
... müssen an der Leine gehen. Beachten Sie bitte die Hinweise!

Radfahren ist praktisch auf der ganzen Donauinsel erlaubt. Nehmen Sie aber Rücksicht auf Fußgänger und Ruhende.

RADFAHREN

SURFEN
Auf der Neuen Donau sind Surfer willkommen. Achten Sie auf die Angler und die Schwimmer!

Fahrverbot
Auf der ganzen Insel herrscht ein allgemeines Fahrverbot für Fahrzeuge mit Verbrennungsmotoren.

Wasserskifahren
... muß nicht umweltfeindlich sein. Auf der Neuen Donau kann man auch ohne Motorboot mit Geschwindigkeiten zwischen 28 und 58 km/h über das Wasser flitzen. Für den Antrieb sorgt ein 1 Kilometer langes Umlaufseil.

*Mach zwei Listen auf englisch für englische Touristen:
1 was erlaubt ist; 2 was verboten ist.*

▭ Kleinstadtsonntag

Gehn wir mal hin?
Ja, wir gehn mal hin.
Ist hier was los?
Nein, es ist nichts los.
Herr Ober, ein Bier.
Leer ist es hier.
Der Sommer ist kalt.
Man wird auch alt.
Bei Rose gabs Kalb.
Jetzt isses schon halb.
Jetzt gehn wir mal hin.
Ja, wir gehn mal hin.
Ist er schon drin?
Er ist schon drin.

Gehn wir mal rein?
Na gehn wir mal rein.
Siehst du heut fern?
Ja, ich sehe heut fern.
Spielen sie was?
Ja, sie spielen was.
Hast du noch Geld?
Ja, ich habe noch Geld.
Trinken wir ein'?
Ja, einen klein'.
Gehn wir mal hin?
Ja, gehn wir mal hin.
Siehst du heut fern?
Ja, ich sehe heut fern.

aus: Wolf Biermann. Alle Lieder
© 1991 Verlag Kiepenheuer & Witsch, Köln

Hast du schon was vor?

Schreib die Tabelle ab, hör gut zu und trag die Informationen in die Tabelle ein.

Beispiel 1

WANN?	WAS?/WOHIN?	ANTWORT
Heute abend	ins Kino	Ja

Partnerarbeit. Hast du Lust?

Denkt euch Dialoge aus.

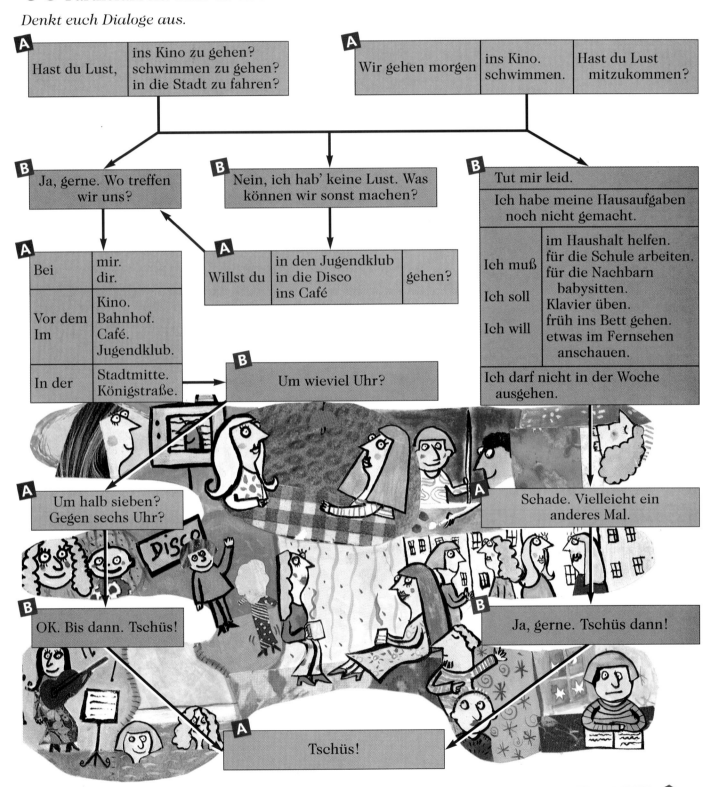

A
Hast du Lust,	ins Kino zu gehen? schwimmen zu gehen? in die Stadt zu fahren?

A
Wir gehen morgen	ins Kino. schwimmen.	Hast du Lust mitzukommen?

B
Ja, gerne. Wo treffen wir uns?

B
Nein, ich hab' keine Lust. Was können wir sonst machen?

B
Tut mir leid.
Ich habe meine Hausaufgaben noch nicht gemacht.

A
Bei	mir. dir.
Vor dem Im	Kino. Bahnhof. Café. Jugendklub.
In der	Stadtmitte. Königstraße.

A
Willst du	in den Jugendklub in die Disco ins Café	gehen?

Ich muß Ich soll Ich will	im Haushalt helfen. für die Schule arbeiten. für die Nachbarn babysitten. Klavier üben. früh ins Bett gehen. etwas im Fernsehen anschauen.

Ich darf nicht in der Woche ausgehen.

B
Um wieviel Uhr?

A
Um halb sieben? Gegen sechs Uhr?

A
Schade. Vielleicht ein anderes Mal.

B
OK. Bis dann. Tschüs!

B
Ja, gerne. Tschüs dann!

A
Tschüs!

▱▱ Im Kino

Du willst einen Film sehen. Was sagt man im Kino?
– Guten Tag. Eine Karte für den Film *Höllestadt*, bitte.
– Möchten Sie Parkett oder Loge?
– Parkett, bitte.
– Das macht 10 DM, bitte.
– Wann fängt der Film an?
– Der Film fängt um 20.15 Uhr an.
– Welcher Saal ist es, bitte?
– Es ist Saal 4, gleich hier geradeaus.
– Vielen Dank.

▱▱ In der Stadthalle

Wie wäre es mit einem Konzert?
Wie bestellt man Karten? Hör zu
und lies den Dialog.
– Guten Tag. Was kostet eine Karte
für das Konzert am Samstag?
– Eine Karte kostet 20 DM.
– Ich hätte gern zwei Karten.
– Das macht dann 40 DM, bitte.
– Wann fängt das Konzert an?
– Um 19.30 Uhr.
– Danke schön. Auf Wiedersehen.
– Auf Wiedersehen.

Was läuft?

Sieh dir das Kinoposter an
und beantworte die Fragen.

1 Wo läuft *Nur über meine
   Leiche*?
2 Wann fängt am Dienstag die
   letzte Vorstellung?
3 Wo befindet sich das
   Kinocenter Elberfeld?
4 Um wieviel Uhr ist die erste
   Vorstellung von *Congo*?
5 Was kostet der Eintritt ins
   Kinderkino?
6 Welche Filme fangen um
   3.30 Uhr an?
7 Wann fängt am Mittwoch-
   abend die letzte Vorstellung
   von *Don Juan* an?
8 Wie viele Säle gibt es im
   Rex-Theater?
9 Was bedeutet „ab 16 J."?
10 Welcher Film heißt
   Sleeping Beauty auf
   englisch?

●● *Improvisiere
Gespräche mit deinem
Partner/deiner Partnerin.*

🔊 Wann kann ich dich wiedersehen?

Hör zu und schreib die Vorwahl und die Telefonnummer auf.

Wann kann ich dich denn wiedersehen?

Oh, das kann ich dir nicht sagen. Du kannst doch anrufen.

OK. Wie war nochmal deine Telefonnummer?

Meine Nummer? Das ist Wedel – 04103 – und dann 95 73.

Alles klar … ich ruf' dich an. Bis dann. Tschüs!

Tschüs.

Beispiel

Vorwahl	Telefonnummer
Wedel (04103)	95 73

Hamburg

Bielefeld

Schrobenhausen

Schreib mal wieder

Schreib eine Antwort auf diesen Brief!

Darfst Du ausgehen, wenn Du willst, oder mußt Du Deine Eltern fragen? Was kann man abends bei Dir in der Stadt machen? Was hast Du letztes Wochenende gemacht? Und was machst Du nächstes Wochenende? Was kostet bei Dir eine Kinokarte? Wann sind die Geschäfte bei Dir geöffnet? Übrigens habe ich Deine Telefonnummer verloren. Wie war sie nochmal?

Steffi und Freunde

Mensch! Es ist doch schon halb acht! Muß ich dir in deinem Alter noch sagen, wann du aufstehen mußt?

Aber …

In diesem Aufzug gehst du mir nicht auf die Straße! So lange du deine Füße unter unseren Tisch streckst …

Geld brauchst du? Na, du bist kein Kind mehr. Warum suchst du dir keinen Job? Verdien dir selbst was.

Es ist fast halb zwölf! Höchste Zeit, daß du ins Bett kommst.

Steffi, wie wäre es, wenn wir dieses Wochenende zusammen ausgehen würden?

Aber wohin? In einen Nachtklub oder ins Kasperletheater?!

Dies und das

Geradeaus am Wald vorbei bis zur Siedlung, bei der Ampel rechts und die zweite Straße links. Und bei dem Supermarkt an der Ecke fragst du dann noch mal!

Was wollte der denn?

Weiß ich auch nicht, ich hab' kein Wort verstanden...

Jan P. Schniebel © Rowohlt Taschenbuch Verlag GmbH, Reinbek bei Hamburg

Liebe Renate,
Keiner hat Dich gerner
als Werner

**Ein Brief muß nicht immer lang sein.
Schreib mal wieder...**

Jutta,
sei kein Frosch,
spiel mal mit mir Squash.

Bildgeschichte

sb ▶ *Selbstbedienung*

Stadtplan

Stell dir vor, du bist im Verkehrsamt.
Die Leute fragen nach dem Weg.
Schreib die Dialoge auf.

Beispiel

A – Entschuldigung. Wo ist hier **das Rathaus**?
B – Das ist in der **Lindenstraße**. Nehmen Sie die **fünfte** Straße **rechts**.
A – Danke schön.
B – Nichts zu danken.

1   **2**

3   **4**

Kannst du dir jetzt noch weitere
Dialoge ausdenken?

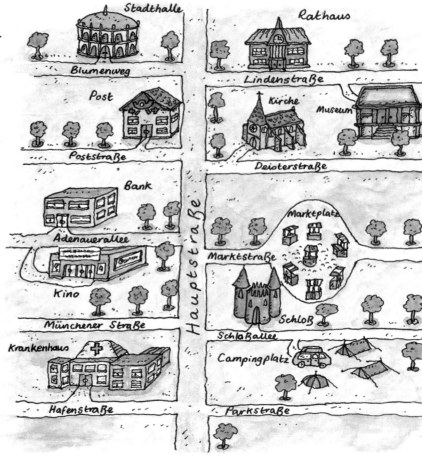

Komisch!

Das stimmt nicht ganz. Die Wörter in grün sind alle im falschen Satz.
Schreib die Sätze richtig.

1 Zu meinem Geburtstag habe ich eine Party gefunden.
2 In der Stadt haben wir eine Pizza verloren.
3 Glücklicherweise hat Petra ihren Hund getrunken.

4 Ich habe eine Limonade gegessen.
5 Frau May hat ihren Regenschirm in der Straßenbahn gegeben.

Bis dann!

Wie ist der Dialog richtig?
Schreib den ganzen Text
in deinem Heft auf.
Beginn mit:
– Hast du heute schon was vor?

– Nee, das ist langweilig. Da kann man nichts machen. Was läuft im Kino?

– Tschüs!

– Wohin denn?

– OK. Treffen wir uns um halb acht?

– Ach nein. Keine Lust. Ich kann nicht gut tanzen. Gehen wir ins Café.

– Nein, warum?

– Vielleicht in die Disco?

– Ja. Bis dann. Tschüs!

– Hast du heute schon was vor?

– Ein Krimi. Soll ganz gut sein.

– Klar. Am Rathaus, oder?

– Hast du Lust auszugehen?

Was paßt nicht dazu?

1	Klamotten	Briefmarke	Postkarte	Brief
2	links	richtig	geradeaus	rechts
3	Saal	Parkplatz	Parkett	Loge
4	Goethestraße	Deisterallee	Verkehrsamt	Blumenweg
5	Stadthalle	Schwimmbad	Flugschein	Schloß
6	morgen	vormittags	abends	nachmittags
7	Kaufhaus	Geschäft	Laden	Krankenhaus
8	Reisescheck	Zeitung	Geld	10-Mark-Schein

Letzte Woche

Hier ist dein Tagebuch von letzter Woche. Was hast du gemacht? Beginn: Am Montag habe ich ....

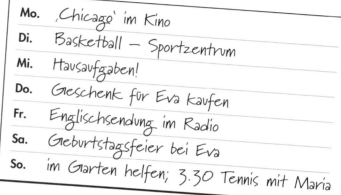

Mo.	‚Chicago' im Kino
Di.	Basketball – Sportzentrum
Mi.	Hausaufgaben!
Do.	Geschenk für Eva kaufen
Fr.	Englischsendung im Radio
Sa.	Geburtstagsfeier bei Eva
So.	im Garten helfen; 3.30 Tennis mit Maria

Frage und Antwort

Welche Antwort paßt zu welcher Frage?

1 Hast du Lust ins Kino zu gehen?
2 Wann kann ich dich wiedersehen?
3 Was läuft?
4 Wo ist hier der Stadtpark?
5 Ich möchte Reiseschecks einlösen.
6 Was kostet ein Brief nach Italien?
7 Wann fängt der Film an?
8 Welcher Saal ist es?
9 Wohin gehen wir denn?
10 Wie war nochmal deine Telefonnummer?

A In die Disco.
B Wedel 93 62.
C Das ist ein EU-Land: 1 DM.
D Zweite Straße rechts.
E Saal 5, hier geradeaus.
F Um halb acht.
G Ein Horrorfilm.
H Ich weiß nicht. Ruf mich an.
I Unterschreiben Sie hier.
J Ja, gerne.

Achtung! Mein Zimmer!

Erfinde ein Schild für deine Zimmertür. Du könntest zum Beispiel folgendes schreiben: Hier darf man nicht ... oder Eltern müssen ...

sb ▸ Selbstbedienung

⚑ Gibt es noch Karten?

Sieh dir den Text an und schreib die fehlenden Wörter in dein Heft.

Beispiel
A = *Karten*

> Ich wollte noch fragen, ob es für das heutige Konzert noch … **A** … gibt?

> Tut mir leid. Da sind wir schon … **B** …. Kann ich Ihnen vielleicht einen anderen … **C** … anbieten? Ich könnte Ihnen noch Karten für das nächste Konzert am … **D** … geben.

> Gibt es da eine … **E** … für Studenten?

> Ja, bis 10 … **F** … Ermäßigung bekommen Sie. Haben Sie Ihren … **G** … mit?

> Ja, bitte. … **H** … Sie mir bitte zwei Karten geben?

> Welche … **I** … hätten Sie gerne? Wir haben Loge und Parkett. Loge ist etwas teurer.

> Ich nehme zwei Karten für das … **J** ….

> Das wären dann zweimal … **K** … DM, sechzig Mark, und die zehn Prozent Ermäßigung, also … **L** ….

> Bitte schön. Auf Wiedersehen.

54 DM   Prozent
Preislage
Abend   Karten
Montagabend
Könnten
Ermäßigung
Parkett   30
Studentenausweis
ausverkauft

⚑ Um zu mir zu kommen

Du hast Ulrike eingeladen. Sie weiß aber nicht, wo du wohnst. Erklär ihr, wie sie von der Schule zu dir kommt.
Beginn: Nimm zuerst die Königstraße …

Stell dir jetzt vor, du mußt ihren Eltern den Weg erklären. Wie sagst du es nun?
Beginn: ,Nehmen Sie zuerst …'

⚑ Schöne Einladung, aber …

Du läßt dich von deinem Freund/deiner Freundin anfaxen. Leider funktioniert die Faxmaschine ziemlich schlecht. Wie ist es richtig? Schreib den ganzen Text richtig auf.

```
Hallo! Ich hab' ja angerufen, Du
warst leider ni--- zu Hause.
Hoffentlich erhältst Du mein Fax!
Wann k--- ich dich wieders----?
Vielleicht nächste W----?
Hast du Lu--, i-- Kino zu gehen? Es
lä-- ein guter F--- - ,Cityfreaks'.
Wenn Du k---- Lust darauf hast,
könnten w-- vielleicht in d-- Dis--
gehen? Oder i-- Café?
Wie wäre es mit Dienstagnachmittag?
Wo tr----- wir uns? A- Bahnhof? U-
17.00 Uhr?
Ruf m--- an - Du kennst ja mei--
Telef--------, oder? Vielleicht
könnt--- Du mich anfaxen!
Melde Dich!
Tschüs bis Dienstag!
```

Schreib deinen eigenen Faxbrief – ohne Fehler!

1 The perfect tense with haben

Ich habe	meine Hausaufgaben gemacht.	*I did/have done my homework.*
Du hast	Musik gehört.	*You listened to music.*
Er/Sie hat	Karten gespielt.	*He/She played cards.*
Wir haben	eine Party gegeben.	*We had a party.*
Ihr habt	Freunde eingeladen.	*You invited some friends round.*
Sie haben	ferngesehen.	*They watched television.*

2 Asking for directions; prepositions with the dative

Entschuldigung/Entschuldigen Sie!		*Excuse me.*
Wo ist hier	der Marktplatz?	*Where is the market square?*
	die Post?	*Where's the post office?*
	das Verkehrsamt?	*Where is the tourist office?*

Wie komme ich	zum Marktplatz?	*How do I get to the market square?*
	zur Post?	*How do I get to the post office?*
	zum Verkehrsamt?	*How do I get to the tourist office?*

In der	Domstraße links.	*Left in Domstraße.*
Am	Münsterwall geradeaus.	*Straight on at Münsterwall.*
	Marktplatz rechts.	*To the right in the market square.*

3 Directing someone; using ordinals (first, second etc.)

Nehmen Sie die	erste Straße rechts.		*Take the first street on the right.*
	zweite Straße links.		*Take the second road on the left*

Der Die Das	ist auf der	linken rechten	Seite.	*It's on the left-hand side.* *It's on the right-hand side.*

4 Making arrangements; accepting and declining

Hast du heute abend schon was vor?			*Have you got anything planned for this evening?*	
Hast du Lust,	ins Kino in die Disco	zu gehen?	*Do you fancy going to the*	cinema? disco?

Ich habe keine Lust.	*I don't feel like it.*
Ja, gerne.	*Yes, I'd like that.*

5 Modal verbs

Ich **muß** für die Schule arbeiten.	*I have to do some schoolwork.*
Man **muß** reservieren.	*You have to make a reservation.*
Hunde **müssen** an der Leine gehen.	*Dogs must be kept on the lead.*

Kann ich diese Reiseschecks einlösen?	*Can I cash these traveller's cheques?*
Man **kann** Motorboote mieten.	*You can hire motorboats.*
Können Sie mir sagen, … ?	*Can you tell me … ?*

Ich **will** früh ins Bett gehen.	*I want to go to bed early.*
Wir **können** soviel Lärm machen, wie wir **wollen**.	*We can make as much noise as we like.*

Ich **darf** nicht in der Woche ausgehen.	*I'm not allowed to go out in the week.*
Man **darf** fast überall radfahren.	*You're allowed to ride bikes almost everywhere.*
Nur Kinder **dürfen** die Wasserrutsche benutzen.	*Only children are allowed to use the waterslide.*

Ich **soll** für die Nachbarn babysitten.	*I'm meant to be babysitting for the neighbours.*
Der Film **soll** ganz gut sein.	*The film's supposed to be quite good.*

auf einen Blick

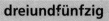

Aus dem Tagebuch eines Zweijährigen

Donnerstag:

8.10 Uhr   Kölnisch Wasser auf Teppich gespritzt. Riecht fein. Mama böse. Kölnisch Wasser ist verboten.

8.45 Uhr   Feuerzeug in Kaffee geworfen. Haue gekriegt.

9.00 Uhr   In Küche gewesen. Rausgeflogen. Küche ist verboten.

9.15 Uhr   In Papas Arbeitszimmer gewesen. Rausgeflogen. Arbeitszimmer auch verboten.

9.30 Uhr   Schrankschlüssel abgezogen. Damit gespielt. Mama wußte nicht, wo er war. Ich auch nicht. Mama geschimpft.

10.00 Uhr   Rotstift gefunden. Tapete bemalt. Ist verboten.

10.20 Uhr   Stricknadel aus Strickzeug gezogen und krumm gebogen. Zweite Stricknadel in Sofa gesteckt. Stricknadel sind verboten.

11.00 Uhr   Sollte Milch trinken. Wollte aber Wasser! Wutgebrüll ausgestoßen. Haue gekriegt.

11.10 Uhr   Hose naß gemacht. Haue gekriegt. Naßmachen verboten.

11.30 Uhr   Zigarette zerbrochen. Tabak drin. Schmeckt nicht gut.

11.45 Uhr   Tausendfüßler bis unter Mauer verfolgt. Dort Mauerassel gefunden. Sehr interessant, aber verboten.

12.15 Uhr   Dreck gegessen. Aparter Geschmack, aber verboten.

12.30 Uhr   Salat ausgespuckt. Ungenießbar. Ausspucken dennoch verboten.

13.15 Uhr   Mittagsruhe im Bett. Nicht geschlafen. Aufgestanden und auf Deckbett gesessen. Gefroren. Frieren ist verboten.

14.00 Uhr   Nachgedacht. Festgestellt, daß alles verboten ist. Wozu ist man überhaupt auf der Welt?

Die schönsten Geschichten von Helmut Holthaus, © Verlag Josef Knecht, Frankfurt/M

Stadtklima

Städte haben ihr eigenes Klima, ein Klima, das ganz anders ist als das von dem Gebiet um die Stadt herum. An Sonnentagen nehmen Gebäude und Straßen in den Städten sehr viel Strahlungsenergie auf und geben die Wärme erst in den Nachtstunden wieder langsam ab. Weil in den Städten die Kanalisation fast den ganzen Regen aufnimmt, verdunstet dort auch weniger Wasser als auf dem Land, wo es auf Felder, Wiesen und Wälder regnet. Deshalb ist auch der Kühleffekt des Regens in den Städten nicht so groß wie auf dem Land. Außerdem steigt die Temperatur in den Städten durch die Heizungen der Häuser, durch Fabriken und Automotore. Städte sind Wärmeinseln, die ein bis drei Grad wärmer sind als das Umland.

Das typische Stadtklima hat aber auch eine andere Ursache: Der Wind wird in den Städten durch die Gebäude und Hochhäuser gebremst. Folge: Die Hitze staut sich, Staub und Abgase konzentrieren sich in den Straßen. In der Großstadt gibt es rund zehnmal mehr Aerosole als auf dem Land. Aerosole verursachen Kondensation und damit auch mehr Regen als auf dem Land.

Gegen das ungesunde Stadtklima helfen vor allem Parks und Grünzonen, die als ‚grüne Lungen' die Luft reinigen und frische Winde ungebremst hindurchlassen.

© Bildagentur Schuster/Bramaz / Robert Harding Picture Library

Hohe elektrische Ladungen beim Gewitter über einer deutschen Stadt lösen extrem starke Blitze aus.

🎞 Bist du weggefahren?

Diese sechs Jugendlichen beschreiben, was sie in den Ferien gemacht haben. Hör gut zu. Welche Antwort geben sie auf folgende Fragen? ●●●●●●●●●●●●●●●●●●●●●●●●

Was hast du gemacht?

Wie bist du gefahren?

Mit wem bist du gefahren?

Wie war das Wetter?

Elisabeth

Miriam

Hasan

Karen

Markus

Anke

Ich war im Skiurlaub.
Ich war im Campingurlaub.
Ich bin nach Spanien geflogen.
Ich bin ans Meer gefahren.
Ich habe in einem Hotel gewohnt.
Wir haben in einer Jugendherberge übernachtet.

Mit dem Reisebus.
Mit dem Auto.
Mit dem Rad.
Mit dem Zug.
Mit dem Flugzeug.

Mit meinen Cousinen.
Mit Freunden.
Alleine.
Mit der Schule.
Mit meinen Eltern.
Mit Freunden und den Eltern.

Das Wetter war warm.
Es hat geregnet, und es war kalt.
Das Wetter war kalt.
Es war sehr heiß.
Es war heiß und sonnig.
Es lag viel Schnee, und es war sonnig.

Stimmt es oder nicht?

1 Elisabeth ist mit ihrer Familie weggefahren.
2 Karen ist mit dem Wagen ans Meer gefahren.
3 Miriam hatte schlechtes Wetter.
4 Anke ist alleine ins Ausland gereist.
5 Markus ist mit dem Zug gefahren.
6 Hasan hatte für seine Schulreise gutes Wetter.
7 Miriam und ihre Cousinen haben in einem Hotel gewohnt.
8 Karen und ihre Eltern hatten an der See schönes Wetter.

 Partnerarbeit. Mein letzter Urlaub

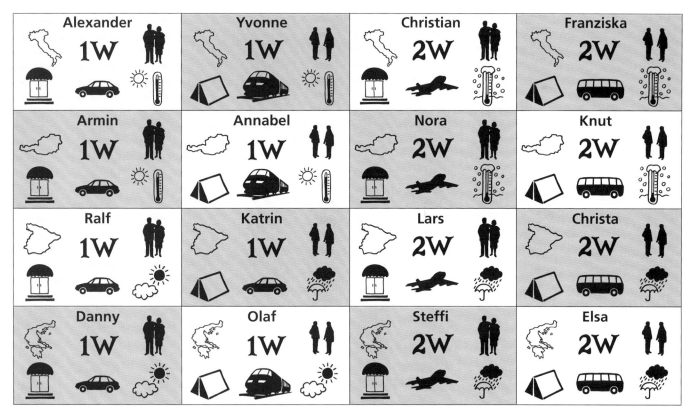

Schlüssel

Stell dir vor, du bist eine von diesen Personen. Dein(e) Partner(in) muß
Fragen stellen, um herauszufinden, wer du bist.

Beispiele

A – Ich bin in Urlaub gefahren. Wer bin ich?
B – Bist du nach Italien gefahren?
A – Nein.
B – Bist du nach Österreich gefahren?
A – Ja.
B – Wie lange warst du weg?
A – Eine Woche.
B – Bist du mit den Eltern verreist?
A – Ja.
B – Bist du Armin?
A – Ja, richtig. Jetzt bist du dran.

B – Ich bin in Urlaub gefahren. Wer bin ich?
A – Wo bist du hingefahren?
B – Nach Griechenland.
A – Wo hast du gewohnt?
B – In einem Hotel.
A – Wie bist du gefahren?
B – Mit dem Auto.
A – Du bist also Danny.
B – Ja, stimmt.

Klassenfahrt

Hör gut zu und lies den Text. Sieh dir die Bilder an.
Wie ist die richtige Reihenfolge?

Beispiel: **C, …**

Montag, den 20.5.

Wir haben uns um neun Uhr bei der Schule getroffen. Der Bus ist etwas verspätet gekommen. Jeder hat einen Platz bekommen, und der Bus ist losgefahren. Um elf Uhr sind wir in Malente angekommen. Wir sind alle aus dem Bus gestiegen. Wir haben unser Gepäck auf unsere Zimmer gebracht und sind dann zum Essen gegangen. Einige Schüler sind ins Dorf gegangen, andere sind schwimmen gegangen. Wir haben uns Postkarten gekauft.

Dienstag, den 21.5.

Wir sind alle zur Anlegestelle gewandert. Wir sind an Bord des Passagierschiffs «Malente» gegangen. Auf dem Schiff hat es uns sehr gefallen. Danach haben viele eine halbe Stunde Minigolf gespielt. Am Nachmittag haben einige einen Stadtbummel gemacht. Die anderen sind zum Sportzentrum gegangen. Am Abend sind wir in die Sporthalle gegangen. Einige haben Fußball gespielt.

Mittwoch, den 22.5.

Wir haben uns Fahrräder geliehen. Wir sind damit in den Wald gefahren. Dort haben wir uns gesonnt. Am Nachmittag haben wir ein Schloß besichtigt. Am Abend haben einige ferngesehen. Auf Zimmer 42 hat man Karten gespielt. Herr Gerecht ist um Mitternacht gekommen.

Donnerstag, den 23.5.

Nach dem Frühstück haben wir eine Glasbläserei besucht. Andreas hat eine Vase zerbrochen. Wir haben einige Einkäufe in der Stadt gemacht. Am Nachmittag haben wir alle kleine Tretboote gemietet. Wir haben Kuchen und Cola gekauft. Wir haben ganz lustig gefeiert.

Freitag, den 24.5.

Wir haben unsere Koffer nach unten getragen. Wir haben uns auf unsere Koffer gesetzt und auf den Bus gewartet. Der Bus ist pünktlich gekommen, und wir sind alle eingestiegen. Im Bus haben wir gesungen und Witze erzählt.

Etwas fehlt

Sieh dir Seite 58 nochmal an. Schreib die Sätze auf und füll die Lücken aus.

1 Der [Bus] ist etwas verspätet ....

2 Wir haben uns [Postkarten] ....

3 Wir haben unser [Gepäck] auf unsere Zimmer ....

4 Wir haben [Minigolf] ....

5 Am Abend haben wir in der Sporthalle [Fußball] ....

6 Wir sind in den [Wald] ....

7 Wir haben [Karten] ....

8 Wir sind alle in den [Bus] ....

9 Wir haben ein [Schloss] ....

10 Wir haben [Kuchen] und [Cola] ....

Einige Meinungen zur Klassenfahrt

Heike
Im großen und ganzen hat es mir gut gefallen. Abends war es manchmal ein bißchen langweilig.

Es war toll. Das Schloß und die Tretboote haben mir am besten gefallen. Das Wetter war auch gut. Wir haben Glück gehabt.

Jürgen
Am besten hat mir die Radtour im Wald gefallen, glaub' ich. Aber es war alles gut. Das Essen war auch nicht schlecht.

Martina
Da bin ich nicht einverstanden. Das Essen fand' ich mies. Aber sonst hat es Spaß gemacht. Das Schloß und der Stadtbummel haben mir besonders gut gefallen.

Tim
Ja, man hat die Woche wirklich gut geplant, find' ich. Wir haben nicht zuviel unternommen. Wir haben genug Freizeit gehabt. Mir hat das gut gefallen.

Wer war mit allem zufrieden?
Was hat ihnen besonders gut gefallen?
Was haben sie kritisiert?

Werner

Steffi und Freunde

Ich sag's euch, das Hotel war toll! Und die drei Swimmingpools – Mensch, die waren stark! Drei Wochen, und ich habe keine einzige Wolke gesehen. Fünf Tuben Sonnencreme hab' ich gebraucht!

Wir haben auch echt fantastische Ferien gehabt, nicht?

Ach ja, mit dem Wohnwagen. Und ihr beide habt Jugendherbergen besucht, oder? ... Und was war so gut daran?

Daß DU nicht da warst!!!

Tip des Tages

Was hat	dir euch	am besten gefallen?	
Mir Uns	hat	das Schloß die Radfahrt	am besten gefallen.
Das Essen Der Stadtbummel	hat	mir uns	am besten gefallen.
Mir		haben die Tretboote und der Hafen	

🔲 Fahrt nach Bayern und Österreich

Letzten Oktober hat eine Jugendgruppe aus Köln eine Fahrt nach Bayern und Österreich gemacht. 27 Jugendliche sind gefahren. Unten ist das Programm.
Sieh dir das Programm an, und hör gut zu. Sabine beschreibt verschiedene Zeitpunkte. Wann war das? An welchem Tag und um wieviel Uhr?

Beispiel
1 *Das war am Montag gegen siebzehn Uhr.*

Mo. 10.10.	Treffpunkt: vorm Jugendklub	06.30 Uhr
	Abfahrt (Busfirma Koch)	07.00 Uhr
	Mittagspause: Autobahnrastplatz	c 12.00 Uhr
	Weiterfahrt	c 14.00 Uhr
	Ankunft in München (Jugendherberge)	c 17.00 Uhr
	Abendessen	19.00 Uhr
	Licht aus	22.00 Uhr
Di. 11.10.	Aufstehen	06.30 Uhr
	Frühstück	07.30 Uhr
	Stadtbummel durch München	09.00 Uhr
	Picknick im Englischen Garten	13.00 Uhr
	Deutsches Museum	14.30 Uhr
	Abendessen in der Jugendherberge	18.00 Uhr
	Disco im Freizeitheim	19.00 Uhr
Mi. 12.10.	Frühstück	08.00 Uhr
	Busfahrt nach Salzburg	09.00 Uhr

München

Salzburg

🔲 Lebenslauf

Hör zu und lies das Gedicht.

Als ich ein Jahr alt war,
Bin ich in den Park gegangen.
Mir haben die Enten am besten gefallen.

Als ich fünf Jahre alt war,
Bin ich zur Schule gegangen.
Mir hat die Pause am besten gefallen.

Als ich neun Jahre alt war,
Bin ich ins Ausland gereist.
Mir hat das Flugzeug am besten gefallen.

Als ich dreizehn Jahre alt war,
Bin ich nach Spanien gefahren.
Mir haben die Mädchen am besten gefallen.

Und wenn ich siebzehn bin, oder zwanzig,
Und gehe allein in die Welt hinaus …
Was wird mir dann am allerbesten gefallen?

Auf in den Urlaub!

Ein Spiel für zwei, drei oder vier Personen. Werft abwechselnd einen Würfel.

1 ANFANG!

2 Du hast die Autobahn genommen 3 Schritte vor

3

4 Kein Verkehr 2 Schritte vor

5

6

7 Du hast einen Unfall gehabt. Würfel eine 6, damit du weiterkommst

8 Du hast dein Portemonnaie verloren. 2 Schritte zurück

9

10 Du hast eine Panne gehabt 1 Schritt zurück

11

12 Du hast einen Schnellzug genommen 4 Schritte vor.

13

14

15 Du hast dich in der Stadt verlaufen. 2 Schritte zurück.

16

17 Du hast Glück mit der Ampel gehabt. 1 Schritt vor.

18

19 Du bist bei Rot über die Straße gegangen 3 Schritte zurück

20

21

22 Du hast einen Intercity-Zug genommen. Geh direkt zum Hauptbahnhof.

HAUPTBAHNHOF DB

23

24

25

26 Du hast deine Landkarte vergessen. 5 Schritte zurück.

27 Dein Benzintank ist leer. Einmal aussetzen

28

29

30 Verkehrsstau. Würfel eine 6, damit du weiterkommst.

31 Du hast eine Geldstrafe von einem Polizisten bekommen. Einmal aussetzen.

HOTEL 34 ZIEL!

32

33 Du hast dein ganzes Gepäck verloren. Geh zum Anfang zurück.

Schreib mal wieder

Schreib eine Antwort auf diese Fragen von deinem Brieffreund/deiner Brieffreundin.

Wann bist Du zum letzten Mal weggefahren? Wo warst Du und mit wem? Wie war das Wetter? Was hast Du da alles gemacht? Und was hat Dir am besten gefallen?

Erlebnisse am Bosporus!

Klassenfahrt in die Türkei

Letztes Jahr sind 30 Schüler, Türken und Deutsche, von einer Hauptschule in Hannover in die Türkei gefahren. Eine Klassenfahrt in die Heimat der türkischen Schüler. Sie sind zuerst nach Mudanya gefahren, einer kleinen Stadt in der Nähe von Bursa.

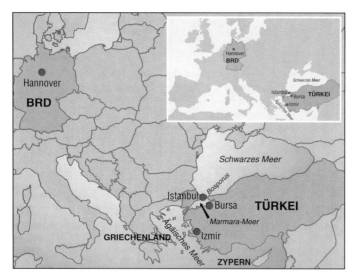

Die Fähre von Izmir nach Istanbul. Zwanzig Stunden dauerte die Fahrt! Wir haben z. T. auf dem Fußboden geschlafen…

Dort haben sie das türkische Gymnasium besucht und mit den Schülern getanzt. Dann sind sie weiter nach Izmir gefahren. Zwei Millionen Menschen leben hier, viele von ihnen in Slumvierteln, zum Teil ohne Licht und fließendes Wasser. Faszinierend war das Leben im Basar. Dort haben sie viele Einkäufe gemacht. Dann sind sie mit dem Schiff nach Istanbul gefahren. Istanbul bietet viel Interessantes: große Moscheen, einen großen Basar, gebratene Fische auf der Straße und ein totales Verkehrschaos. Die vierzehn Tage sind schnell zu Ende gegangen.

In der Schule in Mudanya: Mit Volkstänzen, Blumen, Volksliedern, Anstecknadeln wurden wir hier herzlich empfangen! Der Direktor gab extra einen Tag schulfrei.

Einer der Höhepunkte: Ein Fußballspiel zwischen Gästen und Gastgebern! Türkische Schüler sind ausgezeichnete Fußballer. Natürlich haben sie gesiegt…

Türkische Schüler mit ihrem Lehrer. Er ist absolute Respektsperson! Der Unterricht besteht oft aus langen Vorträgen. Die Schüler haben viel auswendig zu lernen. In der Grundschule wird übrigens Schuluniform getragen. Die Mädchen haben schwarze Kittelchen mit weißem Kragen an. In der Mittelschule tragen die Jungen Jackett und Schlips. Auch im Sommer! Die Klassen haben zum Teil über 50 Schüler…

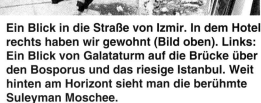

Ein Blick in die Straße von Izmir. In dem Hotel rechts haben wir gewohnt (Bild oben). Links: Ein Blick von Galataturm auf die Brücke über den Bosporus und das riesige Istanbul. Weit hinten am Horizont sieht man die berühmte Suleyman Moschee.

Ausflug nach Iznik, mit Mittagessen im Freien. Besonders lecker: die gut gewürzten Fleischspieße mit Salat! Abschiedsfoto rechts: Kerstin (unten Mitte) hat mit den Türkinnen rasch Freundschaft geschlossen. Sprachprobleme gab es keine. Zur Not hat man sich mit Händen und Füßen verständigt.

Worum handelt es sich genau?

Lies die Ausschnitte. Worum handelt es sich jeweils?

Beispiel
Sie sind in die Türkei gefahren.
Antwort: 30 Schüler aus Hannover.

1 Das ist eine kleine Stadt in der Nähe von Bursa.
2 Dort gibt es oft kein Licht oder fließendes Wasser.
3 Hier haben die Schüler viele Einkäufe gemacht.
4 Sie hat 20 Stunden gedauert.
5 Sie haben im Fußballspiel gesiegt.
6 Er besteht oft aus langen Vorträgen.
7 Sie müssen Jackett und Schlipps tragen.
8 Sie haben zum Teil über 50 Schüler.

Notizen

Mach Notizen über die folgenden Themen: das Wetter; die Schule; das Essen; die Städte; die Kommunikation zwischen den Deutschen und den Türken

Tip des Tages

Sie sind	in die Türkei mit dem Schiff	gefahren.
Sie haben	viele Einkäufe eine Klassenfahrt	gemacht.
	ein Gymnasium mit den Schülern	besucht. getanzt.

© treff

Text: Uta Kugel, Fotos: Schüler und Lehrer der Hauptschule Ahlem

Dies und **das**

‚Pilos Puntos' in Südamerika

Seit einigen Jahren ist die Rockgruppe ‚Pilos Puntos' die erfolgreichste Schüierband in Deutschland. Sie haben mit 10 Jahren angefangen, in der Gesamtschule Wuppertal-Ronsdorf eigene Lieder zu schreiben. Sie rocken deutsch. Das ist für viele Leute neu.

Wuppertal, den 2. Oktober

Lieber Stefan,

Ich bin ganz begeistert. Unsere Band hat gerade eine Einladung aus Südamerika bekommen.

Sicher hast Du schon viel von den Anden gehört. Aber weißt Du auch, daß es hier den höchstgelegenen See der Welt gibt, auf dem Schiffe verkehren? Ja, der Titicacasee liegt in 4000 Metern Höhe auf dem Staatsgebiet von Peru und Bolivien. Die beiden Seiten des Sees sind mehr als 170 Kilometer voneinander entfernt. Deshalb kann man von der einen Seite das gegenüberliegende Ufer nicht sehen.

Gruß
Christian

La Paz, den 10. März

Lieber Stefan,

Wir sind gut in La Paz angekommen, der Hauptstadt Boliviens. Wir sind von Frankfurt geflogen, und der Flug war sehr lang. Wir sind in Caracas, Bogotá und Lima zwischengelandet. In La Paz haben wir uns erst an die dünne Luft gewöhnen müssen, denn La Paz liegt 4000 Meter hoch.

Für unsere Konzerte hat man uns Sauerstoffgeräte gegeben, aber die haben wir zum Glück nicht gebraucht. Wir haben auch ohne diese Hilfe gut gesungen und Musik gemacht. Die Fans waren begeistert, denn es gibt hier nur selten Rock-Konzerte von ausländischen Gruppen.

Gruß
Christian

Da bin ich mit ein paar Fans!

Sao Paulo, den 18. März

Lieber Stefan,

Von La Paz sind wir nach Santiago de Chile geflogen und haben dort Konzerte auf den Plätzen der Stadt gegeben. Mit chilenischen Bands haben wir sogar eine ‚Rock-Nacht' veranstaltet.

Jetzt sind wir in Sao Paulo. Das ist die größte Stadt Brasiliens. Zuerst hatten wir Angst, alleine durch die Straßen der Stadt zu gehen. Es gibt viele Menschen ohne Wohnung, sie heißen ‚Straßenkinder' und sind sehr arm. Die Reichen leben in modernen Hochhäusern.

In unserem Club (dem ‚SESC POMPEIA') haben wir sechs Konzerte gegeben. Unsere brasilianischen Fans waren enorm heiß und haben uns Fußballhemden der brasilianischen Clubs gegeben. Die haben wir auf der Bühne getragen. Alle waren begeistert.
Bald bin ich wieder zu Hause.

Gruß
Christian

Bildgeschichte

Nach den Ferien. Holger and Navina treffen sich in der Stadt.

1 Hallo! Wie war denn dein Urlaub?

Gut. Aber es hat ziemlich viel geregnet, und der Ort hat mir nicht sehr gefallen.

2 Und du? Bist du weggefahren?

Nein. Ich bin zu Hause geblieben. Aber ich bin zum Konzert von Feuerwerk gegangen. Die haben einen tollen Sänger, find' ich.

Ein paar Tage später.

3 Ja. Aber **du** singst auch gut, sehr gut.

Danke.

4 Nee, das klappt gar nicht. Versuchen wir's nochmal.

5 Was machst du denn da? Hast du seit dem letzten Mal nicht geübt?

Tja, weißt du, ich war im Urlaub. Ich hab' keine Zeit gehabt.

6 Guck mal. Hier hast du dich verspielt. Du hast ein D gespielt. Es soll ein E-Moll sein.

Weiß er denn überhaupt, was ein E-Moll ist?

7 OK, das genügt.

8 So schlimm ist es nicht. Du kannst in der Woche üben, dann wird es nächstes Mal besser klappen.

Das Wetter gestern

Wie war das Wetter? Schreib Sätze.

In Paris In Pisa In Athen	war es	neblig. sonnig. wolkig.
In New York In London	hat es	geschneit. geregnet.

 ### Fragen

Welche Antwort paßt am besten?

1 Wie bist du gefahren?
2 Wohin bist du gefahren?
3 Mit wem bist du gefahren?
4 Wie lange warst du weg?
5 Wie war das Wetter?

A Mit meinen Freunden.
B Mit der Bahn.
C Ganz schön.
D Zwei Wochen.
E Nach Italien.

 ### Sinn oder Unsinn?

Lies die Sätze. Macht das Sinn, oder ist das Unsinn? Wie ist es richtig?

1 Ich bin mit dem Fahrrad von Deutschland nach Amerika gefahren.
2 Ich bin mit der Fähre von Großbritannien nach Frankreich geflogen.
3 Mir hat am besten das schlechte Essen gefallen.
4 Ich bin mit dem Wagen in Urlaub gefahren.
5 Unser Campingurlaub war toll! Das Wetter war nicht heiß, aber das Hotel war prima.
6 Ich habe gestern abend über vier Stunden ferngesehen.

 ### So ein Urlaub!

Schreib eine Postkarte aus dem Urlaub. Alles geht schief! Das Wetter, das Essen – alles!

Ferienumfrage

Die Klasse 10a hat eine Umfrage über die Ferien gemacht.
Sieh dir die Resultate an, dann beantworte die Fragen.

Beispiel
1E

Wo bist du hingefahren?	Deutschland 14			Ausland 16	
Wie bist du gefahren?	Wagen 21	Bus 1	Bahn 1	Flugzeug 5	Schiff 2
Mit wem?	alleine 3	mit Eltern 19		mit Verwandten 3	mit Freunden 5
Wie lange warst du weg?	ein paar Tage 6	1 Woche 5		2 Wochen 13	länger 6
Was für ein Urlaub war das?	Camping 5	Hotel 13		Ferienhaus 8	anderes 4
Wie war das Wetter?	schön 12		gemischt 14		schlecht 4
Wie war der Urlaub?	toll 11	ziemlich gut 11		nicht schlecht 5	enttäuschend 3

1 Wie viele Schüler sind mit ihren Eltern in den Urlaub gefahren?
2 Wie sind die meisten von ihnen gefahren?
3 Wie viele sind länger als zwei Wochen weggeblieben?
4 Wie viele waren mit ihrem Urlaub sehr zufrieden?
5 Wie viele Schüler sind mit dem Zug in den Urlaub gefahren?

6 Was für Wetter haben die meisten von ihnen gehabt?
7 Wie viele sind nur ein paar Tage lang weggefahren?
8 Wie vielen hat der Urlaub gar nicht gefallen?
9 Wie viele sind in ein anderes Land gefahren?
10 Wie viele sind geflogen?

 Brief ans Hotel

Füll die Lücken aus..

Hotel	Dank
Eltern	Ihnen
war	Grüßen
hatten	geehrter
verloren	
schwarzen	

Sehr ... **1** ... Herr Busch,

Ich ... **2** ... zwischen dem 12ten und dem 26ten Juli mit meinen ... **3** ... in Ihrem Hotel. Ich hatte das Zimmer 12, und meine Eltern ... **4** ... das Zimmer 10. Während des Urlaubs habe ich meinen Fotoapparat ... **5** ... . Es ist eine Canon EOS mit einem ... **6** ... Kasten. Ich glaube, ich habe ihn entweder im ... **7** ... oder im Garten verloren. Hat ihn jemand bei ... **8** ... abgegeben?
Vielen ... **9** ... im voraus.
Mit freundlichen ... **10** ...
Annika Röhl

sb ▶ Selbstbedienung

 Ein glückliches Ende

Finde das richtige Ende für jeden Satz.   Beispiel: **1**H

1 Ich bin um sechs Uhr …
2 Franz ist mit dem Bus …
3 Ich bin schwimmen …
4 Wir haben unsere Freunde …
5 Ich habe den ganzen Nachmittag …
6 Ulrike ist den ganzen Tag …
7 Ich habe den Zug …
8 Ich habe mein Portemonnaie …

A … zu Hause gefunden.
B … zu Hause geblieben.
C … nach München gefahren.
D … nach Erfurt genommen.
E … gegangen.
F … in der Stadt gesehen.
G … Tennis gespielt.
H … aufgestanden.

 Kurz gesagt

Kerstin hat diesen Brief an ihre Freundin geschrieben. Lies den Brief, dann mach eine Kurzfassung von dem, was sie sagt, in <u>nicht mehr als 40 Worten</u>. Beginn so:

*   Kerstin ist mit ihren Eltern ans Mittelmeer gefahren …*

> den 3. August
>
> Liebe Sabine,
>
>   Wir sind schon seit fünf Tagen am Mittelmeer, und ich habe keine Minute gehabt, um Dir zu schreiben – wir haben so viel gemacht! Den ersten Tag haben wir natürlich am Strand verbracht. Wir haben wirklich Glück mit dem Wetter – keine einzige Wolke am Himmel, und die See ist soooo warm, ich bin fast die ganze Zeit im Wasser geblieben! Am zweiten Tag sind wir mit dem Boot nach Portofino gefahren – einer schönen, kleinen Hafenstadt nicht weit von hier. Am Abend haben wir in einem tollen Restaurant Pizza gegessen. An einem Tag sind wir nach Pisa gefahren. Das hat mir sehr gut gefallen. Ich habe eine Menge Postkarten gekauft. Ich werde Dir alles darüber erzählen, wenn ich wieder zu Hause bin.
>
>   Schöne Grüße,
>   Deine Kerstin

 Rätsel

Vier junge Leute – Sebastian, Ingrid, Michael und Gisela – waren im Urlaub. Benutze folgende Angaben, um folgende Fragen zu beantworten:

● Wohin ist jeder gefahren?
● Mit wem?
● Wo haben sie gewohnt?

(Am besten machst du eine Tabelle und füllst die Details darin aus.)

Zwei von ihnen sind ans Meer gefahren.

Zwei von ihnen haben auf einem Campingplatz gewohnt.

Zwei von ihnen sind mit ihren Eltern weggefahren.

Sebastian hat in Bayern gutes Wetter gehabt.

Das Hotel hat Ingrids Eltern nicht sehr gut gefallen.

Michael ist nicht nach Bayern gefahren.

Sebastians Verwandte haben ein Ferienhaus gemietet.

Gisela ist mit Freunden weggefahren.

Der Urlaub in Bayern hat Gisela ganz gut gefallen.

1 Talking about the weather

Wie war das Wetter?				What was the weather like?		
Das Wetter Es	war	sehr	kalt. heiß. sonnig.	The weather was It was It was	very	cold. hot. sunny.
Wir hatten	gutes schlechtes		Wetter.	We had good weather. We had bad weather.		
Es hat	geregnet. geschneit.			It rained. It snowed.		

2 The perfect tense with sein

Ich bin	alleine	gereist.	I travelled on my own.
Du bist	mit dem Zug	gefahren, oder?	You went by train, didn't you?
Er ist	nach Spanien	geflogen.	He flew to Spain.
Sie ist	zu Hause	geblieben.	She stayed at home.
Wir sind	ins Dorf	gegangen.	We went to the village.
Ihr seid	im Fluß	geschwommen, oder?	You swam in the river, didn't you?
Sie sind	um neun Uhr	gekommen.	You came at nine o'clock.
Sie sind	alle aus dem Bus	gestiegen.	They all got out of the coach.

3 Asking questions in the past tense

Was hast du in den Ferien gemacht?	What did you do in the holidays?
Bist du weggefahren?	Did you go away?
Wie bist du gefahren?	How did you travel?
Mit wem bist du verreist?	Who did you go away with?
Wie lange warst du da?	How long were you there?

4 Prepositions with the accusative and dative

Accusative

Wir sind	in den Wald in die Sporthalle ins Dorf	gegangen.	We went into the forest. We went to the gym. We went into the village.
Sie haben	auf den Bus	gewartet.	They waited for the bus.
Sie sind	an die See ans Meer	gefahren.	They went to the sea. They went to the sea.

Dative

Wir waren	im Campingurlaub. in der Stadt. im Dorf.		We went on a camping holiday. We were in town. We were in the village.
Wir hatten viel Spaß		am Campingplatz. an der See. auf dem Schiff.	We had good fun at the campsite. We had good fun at the sea. We had good fun on the boat.

5 gefallen + the dative

Was hat		dir euch	am besten gefallen?	What did you (singular) like best? What did you (plural) like best?
Mir Uns	hat	das Schloß die Radtour	am besten gefallen.	I liked the castle best. We liked the bike ride best.
Das Essen Der Stadtbummel Istanbul	hat	ihm ihr ihnen	am besten gefallen.	He liked the food best. She liked the stroll round town best. They liked Istanbul best.
Mir	haben	die Mädchen	am besten gefallen.	I liked the girls best.

Im Kaufhaus

Sieh dir die Artikel unten an. Wie heißen sie?

A · B · C · D · E · F · G · H · I · J · P · K · L · M · N · O

**Welcher Stock?**

Sieh dir den Wegweiser an und hör gut zu. Wo ist der Aufzug? Welcher Stock ist das?

dritter Stock	im dritten Stock
zweiter Stock	im zweiten Stock
erster Stock	im ersten Stock
Erdgeschoß	im Erdgeschoß
Untergeschoß	im Untergeschoß

eine Lampe · ein Buch
ein Regenmantel · ein Teppich
eine Armbanduhr
ein Trainingsanzug
ein Lippenstift · ein Bett
ein Glas · ein Tennisschläger
ein Rock · ein Plüschtier
ein Fotoapparat · eine CD
ein Topf · eine Lederjacke

WEGWEISER

3. Stock
Haushaltswaren
Geschenkartikel
Porzellan – Glas

2. Stock
Spielwaren
Heimwerker
Elektro – Lampen

1. Stock
Kinderwäsche – Babyartikel
Herrenartikel
Sportartikel

Erdgeschoß
Lederwaren
Mode
Betten – Teppiche – Gardinen

Untergeschoß
Kosmetik – Strümpfe
Damenwäsche
Photo – CDs – Kassetten
Schreibwaren – Bücher
Uhren – Schmuck

Partnerarbeit. Entschuldigung

Sieh dir den Wegweiser und die Bilder an. Wo findet man diese Artikel?
A – Entschuldigung. Wo finde ich hier Lampen?
B – Im zweiten Stock. Bei Elektro – Lampen.
A – Danke schön.

**Kann ich Ihnen helfen?**

Hör gut zu und sieh dir den Wegweiser an. Wo finden die Dialoge statt?
Beispiel: 1 *im Untergeschoß*

Tip des Tages

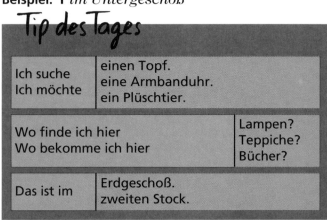

Ich suche
Ich möchte	einen Topf.
eine Armbanduhr.
ein Plüschtier.
Wo finde ich hier
Wo bekomme ich hier	Lampen?
Teppiche?
Bücher?
Das ist im	Erdgeschoß.
zweiten Stock.

Welches Geschäft ist das?

Lies die Definitionen. Wie heißt das Geschäft? Schlag die unbekannten Wörter in der Wörterliste nach.

1 Hier kann man Kartoffeln kaufen.
2 Dieses Geschäft verkauft Kuchen.
3 In diesem Geschäft kann man Romane kaufen.
4 Man kann hier Brötchen kaufen.
5 In diesem Geschäft verkauft man Stiefel.

Schreib Definitionen für die anderen Geschäfte.

DAS LEBENSMITTELGESCHÄFT
DIE BUCHHANDLUNG
Die Bäckerei
DIE APOTHEKE
Das Modegeschäft
DAS Schuhgeschäft
DIE KONDITOREI
DAS OBST- UND GEMÜSEGESCHÄFT
DIE METZGEREI
Die Drogerie

 ## Was kostet das?

Sieh dir die Bilder an und hör gut zu. Was kosten die Artikel? Schreib die Preise auf.

das Computerspiel

die Stereoanlage

die CD

die Lederjacke

ein Paar Turnschuhe

die Jeans

der Füller

das T-Shirt

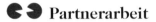 **Partnerarbeit**

Sag deinem Partner/ deiner Partnerin, wieviel du ausgegeben hast. Er/Sie muß raten, was du gekauft hast.

Beispiel

A – Ich habe 450 DM ausgegeben.
B – Hast du eine Stereoanlage gekauft?
A – Nein.
B – Hast du eine Lederjacke gekauft?
A – Ja.
B – Eine Lederjacke und ein Paar Turnschuhe?
A – Richtig.

Einkaufsorgie!

Du bist einkaufen gegangen. Beschreib, was du gekauft hast. Der Preis spielt keine Rolle!

Zuerst bin ich	in die Konditorei ins Sportgeschäft	gegangen. Da habe ich ... gekauft.
Dann bin ich	in die Buchhandlung ins Schuhgeschäft	gegangen und habe ... gekauft.
Danach bin ich	ins Musikgeschäft ins Modegeschäft	gegangen und habe ... gekauft.
Zum Schluß bin ich	ins Kino in die Disko	gegangen und ... .

TRINITY GRAMMAR SCHOOL

Was darf es sein?

Sieh dir die Bilder an und hör gut zu.
Was kaufen die Leute?
Schreib die Antworten auf.

Beispiel
1 *500g Käse (Gouda) und …*

ein Glas Honig

ein Stück Seife

eine Flasche Bier

500 Gramm Käse

ein Kilo Kartoffeln

eine Schachtel Pralinen

zehn Eier

eine Tube Mayonnaise

eine Flasche Shampoo

100 Gramm Mettwurst

eine Packung Chips

einen Becher Margarine

eine Packung Kaffee

eine Packung Apfelsaft

eine Dose Tomaten

eine Packung Kekse

ein Glas Marmelade

eine Packung Kaugummi

einen Schokoriegel

eine Dose Cola

eine Tafel Schokolade

eine Tüte Bonbons

einen Liter Milch

eine Dose Tomatensuppe

ein Pfund Butter

eine Tube Tomatenpüree

Partnerarbeit. Bitte schön?

Mach Dialoge mit deinem Partner/deiner Partnerin.

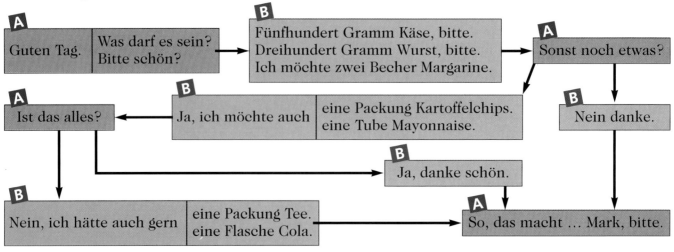

A Guten Tag. | Was darf es sein? Bitte schön?

B Fünfhundert Gramm Käse, bitte. Dreihundert Gramm Wurst, bitte. Ich möchte zwei Becher Margarine.

A Sonst noch etwas?

A Ist das alles?

B Ja, ich möchte auch | eine Packung Kartoffelchips. eine Tube Mayonnaise.

B Nein danke.

B Ja, danke schön.

B Nein, ich hätte auch gern | eine Packung Tee. eine Flasche Cola.

A So, das macht … Mark, bitte.

Ferienjobs

Lies die Texte und beantworte die Fragen.

Claudia hängt Blusen und Hosen auf Kleiderständer, schreibt Preise auf Etiketten und berät Kunden. Seit fünf Wochen jobbt sie in der Modeabteilung eines Warenhauses. ‚Ich arbeite von 9.30 Uhr bis 18.30 Uhr. Zwischendurch haben wir lange Pausen. Dennoch ist der Job sehr anstrengend.' Verkäuferin ist nicht ihr Berufsziel. Jetzt macht ihr der Job aber Spaß. ‚Ich habe sehr nette Kolleginnen. Und ich habe am Wochenende noch genug Zeit, um schwimmen zu gehen und mich zu erholen. Außerdem kann ich das Geld gut gebrauchen: zum Beispiel für meinen Führerschein oder für neue Kleider.'

Markus macht Popcorn. Kein Freibad und Ferienspaß für ihn! Stattdessen steht er in einem bunt bemalten Wagen und füllt Popcorn in Tüten oder verkauft Zuckerwatte.

Manchmal elf Stunden am Tag. Jeden Morgen muß er früh aufstehen. Denn er wohnt in Bad Münstereifel, und sein Arbeitsplatz, der Erlebnispark Phantasialand, ist dreißig Kilometer entfernt. Sein Freund Peter nimmt ihn im Auto mit. Um neun Uhr öffnet der Park. Bei gutem Wetter bleiben einige Gäste bis zur letzten Minute. Wenn die beiden nach Hause kommen, sind sie meistens todmüde.

Markus gefällt die Arbeit. Viele Besucher fragen ihn auch nach einzelnen Attraktionen des Parks. Dann gibt der Sechzehnjährige freundlich und selbstsicher Auskunft. ‚Das ist mein erster Ferienjob. Ich habe ein teures Hobby: Computer. Das Geld, das ich verdiene, spare ich dafür.'

Was stimmt?

1 Wo arbeitet Claudia?
   a In einem Modegeschäft.
   b In einem Warenhaus.
   c In einem Sportgeschäft.
2 Wie gefällt ihr der Job?
   a Gut.
   b Nicht sehr gut.
   c Gar nicht.
3 Wann geht sie schwimmen?
   a In der Mittagspause.
   b Abends nach der Arbeit.
   c Am Wochenende.
4 Wo arbeitet Markus?
   a In einem Freizeitpark.
   b In der Stadtmitte.
   c Im Freibad.

5 Wie kommt er zur Arbeit?
   a Mit dem Wagen.
   b Mit dem Popcorn-Wagen.
   c Zu Fuß.
6 Was macht er mit dem Geld?
   a Er geht mit seinen Freunden aus.
   b Er kauft Süßigkeiten.
   c Er spart es.
7 Wer hat den längsten Arbeitstag?
   a Claudia.
   b Markus.
8 Wer findet die Arbeit anstrengend?
   a Nur Claudia.
   b Nur Markus.
   c Claudia und Markus.

Einkaufsliste der Zukunft

Stell dir vor, wie das Essen in hundert oder hundertfünfzig Jahren sein wird. Schreib eine Einkaufsliste!

Ich esse gern …

*Was essen und trinken die Leute?
Hör gut zu und sieh dir die Bilder
an. Was paßt wozu?*

> Ich esse vielleicht …

> Zum Frühstück esse ich …

> Ich esse gern …

> Ich trinke ziemlich viel …

> Mittags esse ich …

> Abends trinke ich …

An der Wurstbude

Hör gut zu. Was bestellen die Leute. Schreib die Antworten auf.

Beispiel

1

Essen	Getränke	Preis
2 x Bockwurst + Senf	……	
2 x Pommes	……	…… DM

Partnerarbeit

A – Ja, bitte?
B – Zweimal Bockwurst und zweimal Pommes, klein.
A – Mit Ketchup?
B – Nein, Senf.
A – Was zu trinken?
B – Eine Cola und ein Glas Apfelsaft, auch klein.
A – Bitte sehr. Das macht zusammen 14,20 DM.

Stracciatella

Heute ist es heiß,
und ich hol' mir ein Eis,
dreißig Pfennig hab' ich schon gespart.
Sehe alle Sorten, und ich frage mich,
was ich wohl am liebsten mag.

Pistazie, Banane,
Mandel, Kiwi, Schokolade?
Zitrone, Orange,
Mokka, Nuß oder Erdbeer?!?
Stracciatella, Stracciatella.

Vor der Theke wird mir angst und bange,
die Entscheidung fällt mir schwer.
Und der Eisverkäufer lacht schon über mich:
Nun, mein Kleiner, bitte sehr?!?

Brombeer, Spaghetti,
Joghurt, Pflaume, Johannisbeer?
Melone, Rhabarber,
Mandel, Zimt oder Waldmeister?!?

Stracciatella, Stracciatella!!!!!

(Pünktchen Pünktchen: Kids rocken für Kids)

In der Kantine

Diese fünf Leute arbeiten in einem Kaufhaus. Das Kaufhaus hat eine Kantine, und jeden Tag gibt es mehrere Gerichte. Aber manchmal mögen die Leute das Essen nicht, und dann bringen sie Butterbrote mit. An welchen Tagen haben diese Leute nicht in der Kantine gegessen?

Fisch und Eier kann ich nicht ausstehen.

Ich mag Bohnen nicht und italienische Gerichte find' ich furchtbar.

Ich bin allergisch gegen Wurst und Blumenkohl.

Ich esse nie Äpfel und nie Salat.

Ich hab' was gegen Bratkartoffeln und Rosenkohl.

	Mittagstisch vom 11.02 bis 15.02
Montag	1 Spaghetti «Bolognaise» und Dessert 2 Schaschlik auf Reis mit Bohnen und scharfer Soße
Dienstag	1 Zwei Spiegeleier mit Speck und Bratkartoffeln 2 Rindfleisch gekocht mit Meerrettichsoße, Rosenkohl und Kartoffeln
Mittwoch	1 Erbseneintopf mit Bockwurst 2 «Zigeunersteak» mit Buttersoße, Kroketten und Blumenkohl
Donnerstag	1 Fünf Kartoffelpuffer mit Apfelmus 2 Hühnerfrikassee mit Reis, Salat und Dessert
Freitag	1 «Strammer Max» Würfelschinken mit Brot und Spiegelei 2 Paniertes Schollenfilet mit Kartoffelsalat und Dessert

Partnerarbeit. Was magst du nicht?

*Sieh dir **Tip des Tages** unten an, dann stell und beantworte Fragen.*

Beispiel
- Was magst du nicht?
- Ich mag Fisch überhaupt nicht. Ich trinke keinen Kaffee.

Was hast du gestern gegessen und getrunken?

Schreib das auf!
Zum Frühstück habe ich ......
gegessen und ...... getrunken.
In der Pause habe ich ......
Zu Mittag ......
Um 5 Uhr ......
Zum Abendbrot ......
Später ......
Zum Schluß ......

Tip des Tages

Was magst du nicht?	Ich mag Eier nicht.
Was ißt oder trinkst du nicht?	Ich trinke keinen Tee.
Was kannst du nicht ausstehen?	Ich kann Bier nicht ausstehen.
Was ißt du nie?	Ich esse nie Käse.
Bist du allergisch gegen etwas?	Ich bin allergisch gegen Nüsse.

Gespräch am Tisch

Lies die Sätze und hör gut zu. Wie ist die richtige Reihenfolge?

A Ist noch ein Stück Kuchen da?

B Noch was zu trinken?

C Kann ich bitte das Brot haben?

D Noch etwas Käse?

E Würdest du mir bitte die Sahne geben?

F Wo ist der Zucker?

Steffi und Freunde

Aber Steffi, es geht doch einfach nicht anders. Du mußt dir doch mal überlegen, was du später machen willst. Du kannst nicht immer bloß sagen: ,Daran will ich jetzt noch nicht denken'!

Komm, nimm doch ein kleines Stückchen Rindfleisch, Steffi.

Nein, danke.

Aber du wirst zum Schluß noch Mangelerscheinungen bekommen. Komm doch …

M U U H !!

Das war unnötig, Steffi!

Was machen sie, meinst du? Werden die wohl erschossen oder durch elektrischen Strom getötet, oder schneiden sie …

Steffi, GENUG! Du verdirbst deiner Mutter den Appetit!

Ja, wieso denn? Es geht doch einfach nicht anders. Überlegt euch doch mal, was ihr da eßt – ein totes Tier.

Also, daran wollen wir jetzt nicht denken! Kapiert?

Machen wir einen Kompromiß. Ihr denkt nicht an die toten Tiere und ich nicht an meine Zukunft. OK?

Was kochen wir?

Du hast folgendes zu Hause im Küchenschrank oder im Kühlschrank.
Lies die drei Rezepte. Welches Gericht kannst du zubereiten, ohne Einkäufe zu machen? Was mußt du kaufen, wenn du die anderen Gerichte kochen willst?

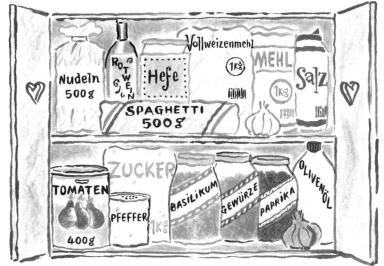

Pizza

250g Vollweizenmehl	150g Goudakäse
½ Teelöffel Salz	50g Pilze
1 Teelöffel Hefe	20g Oliven
1 Teelöffel Zucker	Gewürze
1 große Zwiebel	Schwarzer Pfeffer
1 Knoblauchzehe	400g Dose Tomaten
1 Eßlöffel Tomatenpuree	1 Eßlöffel Olivenöl

Gulasch mit Nudeln

350g Rindfleisch	300g Dose Tomaten
2 große Zwiebeln	100ml Quark
1 Knoblauchzehe	1 Paprika
1 Eßlöffel Olivenöl	Salz
1 Eßlöffel Mehl	Pfeffer
1 Eßlöffel Paprika	200g Nudeln

Spaghetti Bolognese

100g Hackfleisch	2 Eßlöffel Tomatenpuree
50g Speck	1 Eßlöffel Olivenöl
1 kleine Zwiebel	Salz
1 Knoblauchzehe	Pfeffer
200g Dose Tomaten	1 Teelöffel Basilikum
4 Eßlöffel Rotwein	225g Spaghetti

Schreib mal wieder

Schreib eine Antwort auf diesen Brief.

Bist Du neulich einkaufen gegangen? Was hast Du gekauft? Hilfst Du auch manchmal mit den Alltagseinkäufen? Was ißt Du gern? Was ist Dein Lieblingsgericht? Ich koche sehr gern. Du auch? Wie schmeckt das Essen in der Schulkantine? Bei uns gibt's ja keine. Eine letzte Frage: Wie oft geht Ihr ins Restaurant?

●● ▶ Partnerarbeit

A – Haben wir Zucker?
B – Ja, im Schrank.
A – Und Oliven?
B – Ja, im Kühlschrank …

Dies und das

Rotfuchs

Wieviel Zucker?

So, das wissen wir nun: Zucker macht weder frei noch stark, sondern im
Übermaß gegessen – eher dick und ruiniert die Zähne.
Wie viele Stücke Zucker sind wohl in diesen Lebensmitteln versteckt? Rate mal!
Laß auch ruhig mal deine Familie oder Freunde raten. Mal sehen, wer besser ist.
(Die richtige Lösung findest du unten.)

Eine Flasche Cola
(0,33 l) **versteckt**
5 Würfelzucker
12 Würfelzucker

Eine Tüte
Gummibonbons
(200 g) **versteckt**
20 Würfelzucker
49 Würfelzucker

Eine Tafel
Schokolade
(100 g) **versteckt**
17 Würfelzucker
35 Würfelzucker

In 2 Kugeln Eis
verstecken
6 Würfelzucker
46 Würfelzucker

Eine Flasche
Tomatenketchup
(300 ml)
versteckt
20 Würfelzucker
49 Würfelzucker

Ein Glas Honig
(500 g) **versteckt**
56 Würfelzucker
126 Würfelzucker

Ein Glas
Erdbeerkonfitüre
(500 g) **versteckt**
96 Würfelzucker
135 Würfelzucker

Lösung: Honig 126, Gummibonbons 49, Erdbeerkonfitüre 96, Schokolade 96, Eis 6, Cola 12, Tomatenketchup 23.

Bundeszentrale für gesundheitliche Aufklärung

Bildgeschichte

Wie ist es richtig?

Setz die Hälften zusammen. Ist es ‚der', ‚die' oder ‚das'?

der   die   das

Beispiel

der Tennis schläger

Lippen Foto Damen Tennis wäsche mantel schläger

Trainings Leder Regen anzug jacke apparat stift

Dialog im Kaufhaus

Wie ist die richtige Reihenfolge? Schreib den Dialog auf.

– Welche?
– Nichts zu danken.
– Die kostet 500 DM.
– Guten Tag. Kann ich Ihnen helfen?
– Die Lederjacke dort drüben.
– Oh, das ist ein bißchen zu teuer, danke schön.
– Ja, guten Tag. Was kostet die Jacke?

Stimmt das?

Beispiel

Eine <u>Tube</u> Chips stimmt nicht. Man sagt: eine Packung Chips.

1 eine Tube Chips
2 ein Becher Shampoo
3 ein Glas Schokolade
4 ein Stück Seife
5 eine Flasche Käse
6 eine Schachtel Pralinen
7 eine Packung Mayonnaise
8 eine Tüte Bonbons
9 ein Liter Kartoffeln
10 eine Flasche Cola

Imbiß

Du stehst vor einer Imbißstube und willst dir was kaufen. Was kosten folgende Dinge?

Imbiß am Bahnhofsplatz
Prima Preise und Produkte
Schnell ein bißchen mehr für Ihr Geld!

		DM
½ Hähnchen		5,90
Bratwurst	100g	3,20
Currywurst	100g	3,50
Zigeunerwurst	100g	3,50
Pommes frites	Portion	2,80
Frühlingsrolle	Stück	3,50
Hamburger	Stück	4,00
Cheeseburger	Stück	4,30
Hawaiiburger	Stück	4,50
Erbsen- o. Linseneintopf	Portion	4,90
Schweineschinkenschnitzel	Stück	7,90
Frikadelle warm oder kalt	Stück	3,00
Gr. Portion frischer gemischter Salat mit Spezialdressing	Portion	3,50
Cola, Fanta, Sprite (Riesenbecher)	0,33l	2,40

Wegweiser durch die Haupthalle

Du bist im Flughafen Tegel in Berlin und stehst vor diesem Schild in der Haupthalle. Du möchtest einige Sachen kaufen, dir etwas ansehen oder etwas tun. Sieh dir die Bilder an. Wohin gehst du?

Beispiel
A15

Berliner Flughafen-Gesellschaft mbH

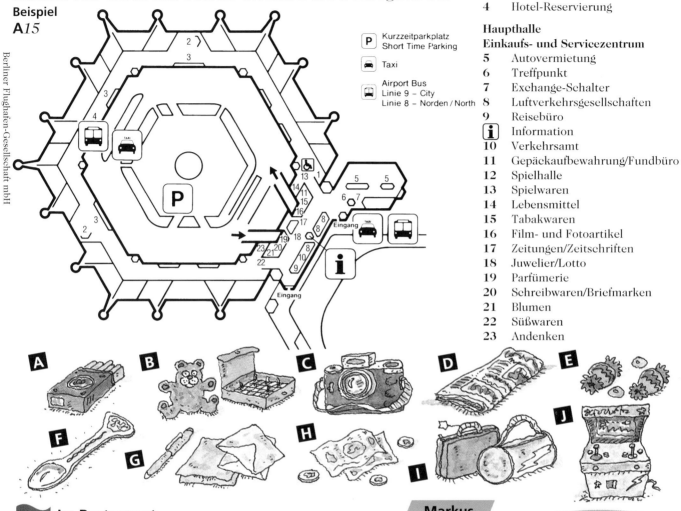

P Kurzzeitparkplatz
Short Time Parking

🚗 Taxi

🚌 Airport Bus
Linie 9 – City
Linie 8 – Norden / North

Schlüssel

Flugsteigring
1 Polizeiwache
2 Snackbars
3 Luftverkehrsgesellschaften
4 Hotel-Reservierung

Haupthalle
Einkaufs- und Servicezentrum
5 Autovermietung
6 Treffpunkt
7 Exchange-Schalter
8 Luftverkehrsgesellschaften
9 Reisebüro
i Information
10 Verkehrsamt
11 Gepäckaufbewahrung/Fundbüro
12 Spielhalle
13 Spielwaren
14 Lebensmittel
15 Tabakwaren
16 Film- und Fotoartikel
17 Zeitungen/Zeitschriften
18 Juwelier/Lotto
19 Parfümerie
20 Schreibwaren/Briefmarken
21 Blumen
22 Süßwaren
23 Andenken

Im Restaurant

Ihr habt zu fünf in einem Restaurant gegessen. Hier ist die Rechnung. Vier Personen sagen, was sie gegessen und getrunken haben. Nicole (die sehr hungrig war!) sagt nichts. Was hat Nicole gegessen und getrunken?

```
Rechnung
 Tisch 4    5 Personen      Datum: 20.04
 Anzahl
    3    Pizza                    5,00    15,00
    4    Hamburger                6,00    24,00
    4    Portion Pommes frites    2,50    10,00
    2    Eisbecher                7,00    14,00
    1    Kaffee                   3,50     3,50
    2    Tee mit Zitrone          3,00     6,00
    1    Mineralwasser            2,50     2,50
    2    Orangensaft              4,00     8,00
    3    Salat                    4,50    13,50

                            Endsumme     98,50

 Bedienung und Mehrwertsteuer sind im Preis enthalten.
```

Markus
Ich habe Pizza mit Salat gegessen und Mineralwasser getrunken.

Sophie
Und ich habe Hamburger mit Pommes gegessen und Orangensaft getrunken.

Danny
Ich habe auch Hamburger mit Pommes gegessen und noch einen Salat dazu. Ich habe Tee mit Zitrone getrunken.

Oliver
Ich habe Pizza gegessen. Zum Nachtisch habe ich einen Eisbecher gegessen. Ich habe einen Kaffee getrunken.

Nicole
?

So ein Durcheinander

Hier ist ein Rezept. Kannst du die richtige Reihenfolge finden?

Kartoffelsalat

 **A** Man vermischt alle diese Zutaten gut miteinander.

 **F** Dann schneidet man ein Viertelpfund Speck in kleine Würfel und brät ihn an.

 **B** Nach dem Pellen schneidet man sie in feine Scheiben.

 **G** Zum Würzen verwendet man Essig, Öl, Dill, Salz und Zucker.

 **C** Am besten serviert man den Salat in einer Schale mit Petersilie darauf.

 **H** Zuerst kocht man die Kartoffeln 20 bis 25 Minuten in kochendem Wasser.

 **D** Dann pellt man sie.

 **I** Nun schneidet man eine Zwiebel in sehr kleine Würfel.

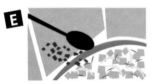 **E** Man vermischt den Speck (ohne Fett) mit dem Salat.

 **J** Nach dem Kochen gießt man sie ab und läßt sie dann 10 Minuten abkühlen.

 Was könnte denn das sein?

Lies die Definitionen und schreib das richtige Wort auf.

Beispiel

Man wäscht sich damit = Seife

1 Man ißt sie oft mit Salat.
2 Man wäscht sich das Haar damit.
3 Es ist golden, und man ißt ihn manchmal zum Frühstück auf Toast mit Butter.
4 Die Deutschen essen das oft auf Brot zum Abendessen.
5 Man ißt Cornflakes dazu.
6 Man kauft oft eine Tafel davon.
7 Viele Leute tun einen Löffel in den Kaffee, damit der Kaffee süß schmeckt.
8 Er ist ziemlich fett, aber er enthält viel Protein und ist gut für die Zähne und Knochen.

Kannst du noch weitere Definitionen schreiben?

 **Detektiv**

Du hast den ganzen Tag Herrn und Frau Dächtig gefolgt. Der Plan zeigt, wohin sie gegangen sind. Schreib deinen Bericht. Vergiß nicht zu sagen, was sie getan haben.

Beispiel

Um sieben Uhr dreißig sind Herr und Frau Dächtig aus dem Haus gegangen …

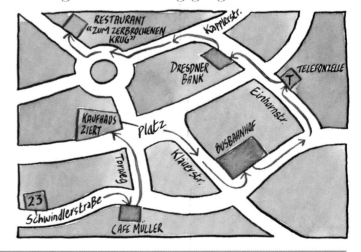

1 Modal verbs

Kann ich	Ihnen helfen?	Can I help you?
	mir diese CD anhören?	Can I listen to this CD?
	bitte das Brot haben?	Can I have the bread please?

Eier kann ich nicht ausstehen.	I can't stand eggs.
Könnte ich diese Schuhe anprobieren?	Could I try these shoes on?
Ich möchte eine Packung Tee.	I'd like a packet of tea.
Warum mußt du so gemein sein?	Why do you have to be so nasty?
Daran will ich jetzt noch nicht denken.	I don't want to think about that yet.

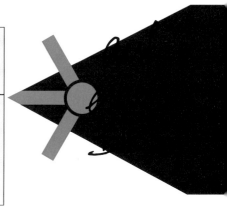

2 Likes and dislikes

Ich esse gern Fisch.	I like fish.
Was ißt du gern?	What do you like eating?
Trinkst du gern Mineralwasser?	Do you like mineral water?
Was ist dein Lieblingsgericht?	What is your favourite dish?

3 Weights and measures

ein(en) Liter Milch	a litre of milk
500 Gramm Wurst	500g of sausage
ein Pfund Butter	a pound (500g) of butter
ein Kilo Kartoffeln	a kilo of potatoes
eine Tafel Schokolade	a bar of chocolate
ein(en) Schokoriegel	a chocolate bar
eine Packung Kaffee	a packet of coffee
eine Dose Tomaten	a tin of tomatoes
eine Flasche Rotwein	a bottle of red wine
ein Glas Marmelade	a jar of jam
ein(en) Becher Margarine	a tub of margarine
eine Tüte Bonbons	a bag of sweets
eine Schachtel Pralinen	a box of chocolates

4 The perfect tense with sein and haben

Ich bin einkaufen gegangen.	I went shopping.
Ich habe Turnschuhe gekauft.	I bought some trainers.
Was hast du gekauft?	What did you buy?
Wieviel hast du ausgegeben?	How much did you spend?
Er ist in ein Restaurant gegangen.	He went to a restaurant.
Was hat es gekostet?	What did it cost?

Feste und

Weihnachten

In Deutschland ist der Nikolaustag am 6. Dezember. Die Kinder stellen einen Schuh vor die Tür, und am nächsten Morgen ist er gefüllt mit Süßigkeiten.

In den Wochen vor Weihnachten steht ein Adventskranz mit vier Kerzen auf dem Tisch. Jeden Sonntag zündet man eine Kerze an – am vierten Advent brennen dann alle vier Kerzen.

Meistens kauft man eine oder zwei Wochen vor Heiligabend einen Weihnachtsbaum. Den behängt man mit Kugeln, Kerzen und vielen kleinen Dingen. Die Kerzen werden erst am 24.12. angezündet.

Am 24. Dezember ist dann endlich Heilig Abend. Man beschert – das heißt, verteilt die Geschenke – am Abend des 24. Manche Familien gehen vor oder nach der Bescherung in die Kirche.

Sylvester und Neujahr

Sylvester ist der 31. Dezember. Die meisten Leute feiern mit der Familie und Freunden. Um Mitternacht trinkt man ein Glas Sekt und wünscht sich ‚ein gutes Neues Jahr'. Dann geht man auf die Straße und macht ein Feuerwerk mit Knallern und Raketen.

Ostern

Die Vorbereitungen für Ostern fangen schon früh an. Man bläst Eier aus, dann malt man sie in fröhlichen Farben an und hängt sie an einem Faden am Osterstrauß auf. Hartgekochte Eier werden auch bunt gefärbt und zusammen mit den Schokoladeneiern und den Schokoladenosterhasen in das Osternest gelegt. In Familien mit Kindern werden die Eier am Ostersonntag im Garten versteckt, und die Kinder müssen danach suchen.

Der Freitag vor Ostern ist der Karfreitag, und der Sonntag in der Woche davor heißt Palmsonntag. Wer am Palmsonntag als letzter aufsteht, ist der Palmesel an diesem Tag.

Bräuche

Karneval, Fasching, Fasnacht

Überall heißt das etwas anderes, aber die Stimmung ist immer dieselbe. Es gibt Kostümfeste und Faschingsbälle; man trägt traditionelle Kostüme und Masken; es gibt Umzüge durch die Straßen; es wird getanzt und gesungen. Kurzum – es wird gefeiert!

Überall beginnt die Karnevalszeit um 11 Uhr am 11. November. In Köln feiert man Karneval besonders am Rosenmontag (im Februar). Alle Leute im Umzug tragen bunte Kostüme und werfen den Zuschauern Blumen und Bonbons zu.

In der (deutschen) Schweiz und in Österreich sagt man nicht Karneval, sondern Fasnacht. Man feiert Fasnacht am Montag nach Aschermittwoch.

Das Oktoberfest

In München feiert man Ende September/Anfang Oktober das sogenannte Oktoberfest. Viele Touristen fahren dahin, und es wird viel Bier getrunken. Zu dieser Zeit gibt es in vielen Städten am Rhein auch Weinfeste.

Der erste Schultag

Der erste Schultag ist ein großes Ereignis für die Schulanfänger. An diesem Tag bekommen sie eine Schultüte, die mit Süßigkeiten und ein paar kleinen Geschenken gefüllt ist.

Mit der Schultüte im Arm versammeln sich alle Erstklässler mit ihren Eltern in der Aula, wo sie vom Rektor der Schule mit einer Rede begrüßt werden. Es folgt dann ein kleines Unterhaltungsprogramm. Die älteren Schüler spielen und tanzen oder singen etwas vor.

6 An die Arbeit

Was hältst du von der Schule?

Lies folgende Texte und hör zu.
Was halten die Jugendlichen von der Schule?
Dann mach die Übungen A bis C unten.

Levent
Ich gehe gern in die Schule. Es macht mir echt Spaß, und ich komme gut mit den Lehrern und mit meinen Klassenkameraden aus. Wir verstehen uns alle sehr gut.

Jens
Die Lehrer sind OK, aber ich gehe nicht gern in die Schule. Einige Klassenkameraden wollen überhaupt nichts lernen. Im Unterricht ist es oft zu laut. Ich habe keine Lieblingsfächer.

Sarinda
In der Schule haben wir immer sehr viel auf, aber das mag ich gern. Die meisten Lehrer sind nett, und ich habe viele Freunde. Meine Lieblingsfächer sind Erdkunde und Musik. Ich interessiere mich nicht so sehr für Englisch, aber ich habe eine englische Brieffreundin.

Katja
Meine Klassenkameraden sind alle noch so kindisch und haben andere Interessen als ich. Ich melde mich nicht sehr oft. Es gefällt mir überhaupt nicht in dieser Schule.

Claudia
Mir geht's gut in der Schule. Die Lehrer gefallen mir gut, und mein Klassenlehrer ist besonders nett. Er kümmert sich um alle, und auch in der Freizeit unternimmt er was mit uns. Glücklicherweise ist die Schule auch für Rollstuhlfahrer geeignet.

Lutz
Wir sind meistens sehr glücklich in unserer Klasse. Wir kennen uns seit vier Jahren. Wir verstehen uns gut, und es gibt überhaupt keinen Streit in der Klasse. Unsere Klassenlehrerin ist sehr jung, und sie unterrichtet gern. Darum haben wir auch Spaß an ihrem Unterricht.

Saadet
Ich gehe nicht gerne zur Schule. Mit meinen Klassenkameraden komme ich nicht so gut aus. Meine Lieblingsfächer sind Sport und Deutsch, aber ich langweile mich in den meisten Fächern.

Michael
Die Schule macht mir viel Spaß. Meine Lieblingsfächer sind Physik und Mathe. Ich gehe aber in sechs Wochen von der Schule ab. Ich freue mich schon auf meine Lehrstelle als Mechaniker.

A Positiv oder negativ?

Lies die Bemerkungen oben. Ist das positiv oder negativ?
Schreib die Namen auf und kreuz die Tabelle in deinem Heft an.

	Name	positiv (für die Schule)	negativ (gegen die Schule)
1	Levent	✗	
2	Sarinda		
3	Jens		

B Wer spricht?

Hör zu, und sieh dir die Texte oben an.
Wer ist das? **Beispiel: 1** *Michael*

C Stimmt das?

Lies folgende Sätze und schreib ‚richtig' oder ‚falsch'.

1 Jens geht gern in die Schule, aber die meisten Lehrer nerven ihn.
2 Saadet findet die meisten Fächer interessant.
3 Die Schule gefällt Levent.
4 Michael langweilt sich im Unterricht.
5 Katja meldet sich selten, und findet die anderen Schüler blöd.
6 Lutz geht sehr gern in die Schule.
7 Er versteht sich gut mit seinen Klassenkameraden.
8 Claudias Klassenlehrer ist ihr Lieblingslehrer.
9 Er kümmert sich nur um Rollstuhlfahrer.
10 Sarinda interessiert sich nicht besonders für Erdkunde und Musik.

Tip des Tages

Ich langweile Ich interessiere Ich verstehe Ich freue	mich	im Unterricht. für Deutsch. gut mit meinen Lehrern. auf meine Lehrstelle.	Mein(e) Lehrer(in) kümmert Katja meldet	sich	um alle. selten.
			Meine Klassenkameraden melden	sich	nicht oft.
			Wir verstehen	uns	gut.

💬 Partnerarbeit. Schülerrätsel

Anne oder Andreas
(15) GS 9.K
❤ D + G ✔✔

Britta oder Bernd
(16) R 10.K
❤ M + P ✔

Christa oder Christoph
(15) GS 9.K
❤ E + F ✔✔

Dagmar oder Dieter
(16) R 10.K
❤ M + P ✗

Elsa oder Ergun
(15) G 9.K
❤ E + F ✗

Fatma oder Frank
(16) R 9.K
❤ E + F ✗

Gülborg oder Georg
(15) G 9.K
❤ E + F ✔✔

Hannelore oder Hans
(16) G 10.K
❤ D + G ✔

Iris oder Ivan
(15) GS 9.K
❤ D + G ✗

Jutta oder Jörg
(16) G 10.K
❤ M + P ✔

Katja oder Knut
(15) GS 9.K
❤ D + G ✔

Laura oder Lutz
(16) R 10.K
❤ M + P ✔✔

Schlüssel

(15) (16) Alter	❤ Lieblingsfächer	✔✔ geht gern in die Schule
9.K/10.K neunte/zehnte Klasse	D/G (Deutsch, Geschichte,	✔ findet die Schule OK
GS/R/G Schultyp (Gesamtschule,	M/P Mathe, Physik	✗ geht nicht gern zur
Realschule, Gymnasium)	E/F Englisch, Französisch)	Schule

Wähl ein Kästchen – das ist dein Brieffreund oder deine Brieffreundin. Dein(e) Partner(in) muß Fragen stellen, um den Namen deines Brieffreunds/deiner Brieffreundin herauszufinden.

Hier sind die Fragen:

1 Hast du einen Brieffreund oder eine Brieffreundin gewählt?
2 Wie alt ist er/sie?
3 In welche Klasse geht er/sie?
4 Besucht er/sie eine Gesamtschule, eine Realschule oder ein Gymnasium?
5 Was sind seine/ihre Lieblingsfächer?
6 Geht er/sie gern zur Schule?

Beispiel
A – Ich habe gewählt.
B – Hast du einen Brieffreund oder eine Brieffreundin gewählt?
A – Eine Brieffreundin.
B – Wie alt ist sie?
A – Fünfzehn.
B – In welche Klasse geht sie?
A – Sie geht in die neunte Klasse.
B – Besucht sie eine Gesamtschule, eine Realschule oder ein Gymnasium?
A – Eine Gesamtschule.
B – Was sind ihre Lieblingsfächer?
A – Deutsch und Geschichte.
B – Wie findet sie die Schule?
A – Sie geht gern zur Schule.
B – Heißt deine Brieffreundin Anne?
A – Richtig!

Arme Jutta!

Sieh dir Juttas Zeugnis an. Ist das ein gutes Zeugnis?

Verstehst du das deutsche System?

Lies den Text.

In Deutschland gibt es sehr wenige Prüfungen. Es gibt aber viele Klassenarbeiten. Diese Tests müssen die Schüler sehr oft schreiben. Wenn sie eine Klassenarbeit schreiben, bekommen sie eine Note (oder eine Zensur) zwischen Eins und Sechs. Was bedeuten diese Noten?

Eins ist die beste Note.

Zwei ist auch gut.

Drei ist OK.

Vier ist genug, aber nicht gut.

Fünf ist sehr schwach.

Sechs ist überhaupt nicht gut genug.

Wenn man Eins bis Vier bekommt, gibt es keine Probleme. Wenn man aber zu viele Fünfen und Sechsen in seinem Zeugnis bekommt, ist es schlimm. Vielleicht muß man dann sitzenbleiben.

‚Versetzung gefährdet' bedeutet: ‚Vielleicht kommt diese Schülerin nicht in die nächste Klasse. Sie muß die zehnte Klasse wiederholen, weil ihre Noten so schlecht sind'. Arme Jutta!

ZEUGNIS

Zeugnis für *Jutta Kartus*
Klasse *10a*

Betragen *sehr lobenswert*
Fleiß *mäßig*

Religionslehre	—	Geschichte	5
Deutsch	4	Erdkunde	3
Latein	—	Sozialkunde	3
Englisch	4	Kunst	—
Französisch	—	Musik	1
Mathematik	2	Sport	3
Naturwissenschaften		Technik	5
Physik	4		
Chemie	3		
Biologie	—		

Bemerkungen: *Versetzung gefährdet*

Die Schülerin war von *99* Unterrichtstagen *23* Tage abwesend

München, den *5. Februar*

Direktorat *Schmidt*   Klassleitung *Oethamp*

München, den *17/2*   *M. Kartus*
         Unterschrift eines Erziehungsberechtigten

Notenstufen: 1 = sehr gut   2 = gut   3 = befriedigend
                4 = ausreichend   5 = mangelhaft   6 = ungenügend

Beantworte folgende Fragen:

1 Wo wohnt Jutta?

2 In welchem Fach hatte sie ihre beste Note?

3 In welchen Fächern hatte sie ihre schlechteste Note?

4 Wie viele Fremdsprachen studiert sie?

5 Wie benimmt sie sich in der Schule?

🔊 Sitzenbleiben

Was für ein Gefühl ist es, wenn man sitzenbleibt? Hör gut zu und lies folgende Meinungen von zwei Sitzenbleibern und einem Lehrer. Sind sie dafür oder dagegen?

Vielleicht war ich faul in der Klasse. Ich war auch oft krank, aber ich finde das Sitzenbleiben ganz doof und unfair. Alle meine Freunde sind in der nächsten Klasse – ich bin älter als meine Klassenkameraden, und ich habe andere Interessen als sie. Das finde ich furchtbar!

Maria

Ich finde, daß es eine gute Idee ist. Ich wollte nicht sitzenbleiben, aber ich hatte Schwierigkeiten in Deutsch, Englisch und Biologie. Jetzt verstehe ich alles besser, weil ich das ganze Jahr dieselbe Klasse wiederholt habe.

Stefan

Es ist doch Unsinn, alle Fächer zu wiederholen. Das ist ein blödes System. Für alle Sitzenbleiber ist das ein furchtbarer Schock. Ich meine, man sollte das Sitzenbleiben abschaffen.

Klaus Schiller, Lehrer

Kannst du diese Sätze vervollständigen?

Stefan hat ein … wiederholt und hat bessere … bekommen.

Das … gefällt Maria nicht.

Es ist schwer, wenn alle deine … in die nächste … kommen, und du nicht.

Wie ist das System in deiner Schule?

Was für Noten bekommst du? Was ist gut und was ist schlecht?

Gibt es Sitzenbleiben? Was passiert, wenn man schlechte Noten bekommt?

Tip des Tages

Sie kommt nicht in **die** nächste Klasse.
Verstehst du **das** deutsche System?

Alle meine Freunde sind in **der** nächsten Klasse.
So ist es in **dem** deutschen System.

▶️ Welcher Stundenplan ist das?

Hör gut zu. Vier Austauschpartner besprechen ihre Stundenpläne mit ihren Gastgebern. Aber welcher Stundenplan ist das?

A

Zeit	Montag	Dienstag	Mittwoch	Donnerstag	Freitag
1 7.30-8.15	Deutsch	Bio	Englisch	Kunst	Mathe
2 8.20-9.05	Erdkunde	Geschi	Franz	Kunst	Erdkunde
3 9.20-10.05	Englisch	Technik	Mathe	Mathe	Deutsch
4 10.10-10.55	Mathe	Physik	Sozialkunde	Sport	Chemie
5 11.05-11.50	Franz	–	–	Sport	Geschi
6 11.55-12.40	Musik	–	Deutsch	Physik	Bio

B

Zeit	Montag	Dienstag	Mittwoch	Donnerstag	Freitag
1 7.30-8.15	Chemie	Deutsch	Mathe	Geschichte	Chemie
2 8.20-9.05	Erdkunde	Mathe	Musik	Sozialkunde	Physik
3 9.20-10.05	Englisch	Franz	Kunst	Technik	Erdkunde
4 10.10-10.55	Deutsch				Deutsch
5 11.05-11.50	Physik	Geschichte	Englisch	Biologie	Franz
6 11.55-12.40	Sport		Deutsch		Mathe

C

Zeit	Montag	Dienstag	Mittwoch	Donnerstag	Freitag
1 7.30-8.15	Gesch.	Franz.	Phys.	Erd.	Dt.
2 8.20-9.05	Tech.	Dt.	Gesch.	Eng.	Ma.
3 9.20-10.05	Tech.	Eng.	Dt.	Bio.	Mus.
4 10.10-10.55	Ma.	Ma.	～	Dt.	Erd.
5 11.05-11.50	Bio.	Phys.	Ch.	Kunst	Franz.
6 11.55-12.40	Sport	～	Ma.	Kunst	Sozi.

D

Zeit	Montag	Dienstag	Mittwoch	Donnerstag	Freitag
1 7.30-8.15	Kunst	Phys.	Ges.	Dt.	Fr.
2 8.20-9.05	Kunst	Maschinen-schreiben	Dt.	Ma.	Ma.
3 9.20-10.05	Fr.	Eng.	Ma.	Ges.	Bio.
4 10.10-10.55	Dt.	Technik	／	Mus.	Phys.
5 11.05-11.50	Eng.	Dt.	Kunst	Sport	Eng.
6 11.55-12.40	Ma.	Sozi.	Kunst	／	／

Steffi und Freunde

Bitte, was heißt das?

Das heißt, daß du deutlicher schreiben mußt.

Ja, David?

Man hat mich zum Lehrerzimmer geschickt, weil ich geraucht habe.

Blablablablabalbla.........

Ich habe nichts dagegen, daß die Lehrer eine doppelte Moral haben. Was ich nicht einsehe, ist, daß wir nicht auch eine haben dürfen.

Traumlehrer

Das Jugendmagazin »treff« hat eine Umfrage über Lehrer unter 100 Schülern und Schülerinnen in Bonn gemacht.

Die Frage: Kannst du deinen Traumlehrer oder deine Traumlehrerin beschreiben? Hier sind einige typische Antworten.

Der Traumlehrer/Die Traumlehrerin sollte ...

- viel Humor haben
- geduldig sein, wenn wir etwas nicht verstehen
- jede Frage so beantworten, daß es alle verstehen
- sein Fach so unterrichten, daß es die meisten Schüler interessant oder nicht zu schwierig finden
- nicht zu streng sein
- nett und verständnisvoll sein
- verstehen, daß wir mit ihm/ihr auch über unsere Probleme reden wollen
- alle Schüler wie normale Menschen und nicht wie Babys behandeln

- keine Lieblinge in der Klasse haben
- nicht zum Polizisten werden
- lustig sein, auch wenn wir was Ernstes machen
- nicht parteiisch sein
- Strafen nur verteilen, wenn es wirklich nötig ist
- gerechte Noten geben
- Ausflüge organisieren, wenn es zum Unterricht paßt
- Respekt vor uns haben, auch wenn er/sie Strafen verteilen muß
- Schüler so behandeln, daß sie Respekt vor ihm/ihr haben

Was paßt wozu? Schreib die Bemerkungen in die passenden Spalten.

Humor:
Interessanter Unterricht:
Gutes Verhältnis zu den Schülern:
Fairplay und Gerechtigkeit:

Was scheint ihnen am wichtigsten zu sein? Humor? Unterricht? Verhältnis zu den Schülern oder Fairplay und Gerechtigkeit?

Schreib mal wieder

Schreib eine Antwort auf diese Fragen.

> Gehst Du gern zur Schule? Warum (nicht)? Was für eine Schule besuchst Du, und in welche Klasse gehst Du? Was sind Deine Lieblingsfächer? Wie verstehst Du Dich mit Deinen Lehrern und mit Deinen Klassenkameraden? In welchen Fächern meldest Du Dich am meisten? Beschreib Deinen Traumlehrer oder Deine Traumlehrerin!

Tip des Tages

Ein guter Lehrer	sollte	geduldig sein, lustig sein, nicht launisch sein, nicht zu streng sein,	wenn	Schüler nicht verstehen. er/sie unterrichtet. es Probleme gibt. es nicht nötig ist.
Eine gute Lehrerin		verstehen, jede Frage so beantworten, Schüler so behandeln,	daß	wir über unsere Probleme reden wollen. es alle verstehen. sie Respekt vor ihm/ihr haben.

Mein Job

*Hör zu, und sieh dir die Listen unten an. Was
wird in jedem Interview gesagt?
Schreib 1 A3, B6 usw.*

A Was für einen Job machst du?

1 Ich helfe bei einer Frau in der Nachbarschaft.
2 Ich arbeite in einem Café.
3 Ich arbeite in einer Boutique.
4 Ich habe einen Job als Babysitterin.
5 Ich gebe Nachhilfeunterricht.
6 Ich repariere Cassettenrekorder und CD-Spieler.
7 Ich trage Zeitungen aus.

B Wann arbeitest du?

1 Ich arbeite jeden Mittag direkt nach der Schule.
2 Ich arbeite nachmittags von drei bis sechs Uhr.
3 Ich arbeite abends für zwei oder drei Stunden.
4 Ich arbeite an drei Tagen.
5 Ich arbeite nur ab und zu – wenn es was zu reparieren gibt.
6 Samstags arbeite ich mindestens fünf Stunden.
7 Alle zwei Tage gehe ich etwa eine Stunde einkaufen.

C Wieviel Geld verdienst du?

1 Ich kriege pro Stunde 8 DM.
2 Ich bekomme pro Stunde 15 DM.
3 Ich bekomme 9,50 DM die Stunde.
4 Ich kriege 12,50 DM die Stunde.
5 Ich bekomme zwischen 30 DM und 50 DM für eine Reparatur.
6 Ich verdiene 80 DM die Woche.
7 Ich bekomme die Stunde 7 DM.

D Wie findest du deinen Job?

1 Die Arbeit macht schon Spaß.
2 Die Arbeit gefällt mir nicht so gut, weil sie langweilig ist.
3 Manchmal nervt mich die Arbeit, aber ich kriege eine Menge Geld dafür.
4 Es macht mir sehr viel Spaß.
5 Mir macht das sehr viel Spaß, weil es immer was anderes ist.
6 Ich habe keine Schwierigkeiten mit dem Job.
7 Ich arbeite nicht so gern im Café.

E Wofür gibst du dein Geld aus?

1 Das meiste Geld gebe ich für Kino, Discos und Konzerte aus.
2 Im Moment spare ich für die Ferien.
3 Ich kaufe mir die allerneuesten CDs.
4 Ich gebe für das Reiten das meiste Geld aus.
5 Ich gebe mein Geld meistens für Kleidung, CDs und Make-up aus.
6 Ich möchte mir mein eigenes Auto kaufen.
7 Ich kaufe mir unheimlich viele Comics – ich habe eine richtige Sammlung davon.

Ich möchte …

Ich möchte …	Ich möchte nicht …
viel Geld verdienen.	arbeitslos sein.
was Interessantes machen.	in einer Fabrik arbeiten.
draußen arbeiten.	schmutzige Arbeit machen.
viele Leute kennenlernen.	langweilige Arbeit machen.
Tiere pflegen.	Schichtarbeit machen.
in einem Team arbeiten.	alleine arbeiten müssen.
reisen.	gefährliche Arbeit machen.
lange Ferien und kurze Arbeitstage haben.	schlecht bezahlt werden.
mit Kindern oder jungen Leuten arbeiten.	immer unterwegs sein.
	in einem Büro arbeiten.

Hör jetzt zu. Einige Leute sagen, was sie an einem Beruf gut oder schlecht finden würden. Was möchten sie machen? Was möchten sie nicht machen? Schreib zwei Listen.

Beispiel

Möchte …
1 viel Geld verdienen
  reisen

Möchte nicht …
  draußen arbeiten
  in einem Büro arbeiten

Was könnten sie werden?
Mach Vorschläge – welche Berufe oder Jobs passen am besten?

Beispiel

Möchte …
1 viel Geld verdienen
  reisen
  nicht in einem Büro arbeiten
  nicht draußen arbeiten
Er/Sie könnte Steward(eß) werden.

Partnerarbeit

Sag deinem Partner/deiner Partnerin, was du an einem Job gut oder schlecht findest. Er/Sie muß dir einen passenden Job finden. Euer Dialog kann auch lustig sein!

Beispiel

A – Ich möchte viel Geld verdienen und draußen arbeiten. Ich möchte nicht alleine arbeiten.

B – Du könntest Fußballer/Fußballerin werden.

A – Was!?! Du spinnst! Ich hasse Fußball!

Tip des Tages

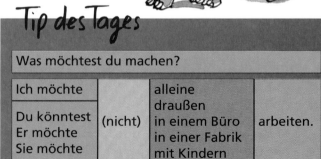

Was möchtest du machen?			
Ich möchte		alleine	
Du könntest	(nicht)	draußen	arbeiten.
Er möchte		in einem Büro	
Sie möchte		in einer Fabrik	
		mit Kindern	

Am liebsten wär' ich …

Hast du dir mal überlegt, was du später werden möchtest?
Fernfahrer oder Tierärztin, Physiker oder Fußballstar, Reiseleiterin oder Astronautin?
Lies folgende Steckbriefe aus einem Jugendmagazin.

Ich möchte gern Astronaut werden oder Pilot in einem Düsenflugzeug. Astronaut find' ich toll, weil man dann Experimente mit der Schwerelosigkeit macht. Kapitän auf einem großen Schiff wäre auch nicht schlecht. Hauptsache, ich bewege mich!
Stefan M.

Ich möchte gern an einer Grundschule Lehrerin werden, weil ich Kinder sehr gerne mag. Und weil ich auch gut mit Kindern umgehen kann. Ich möchte auch gern Kindern viel beibringen und ihnen die Angst vor der Schule nehmen.
Sandra B.

Ich möchte gerne Erfolg als Rocksängerin haben. Ich würde auch sehr gerne in einer Band spielen. Heiraten möchte ich auch gerne.
Merle T.

Ich möchte Floristin werden, weil ich Blumen gern habe und weil ich gern Gestecke mache. Ich pflanze auch gerne Blumen, und ich möchte alles über Pflanzen und Blumen lernen, wenn es geht.
Christina K.

Ich möchte in Australien Fernfahrer werden oder auch in Deutschland, weil ich dann international immer unterwegs sein kann. Und weil ich auch nach Schweden oder nach Afrika fahren kann. Mein Vater ist auch Fernfahrer, und ich darf in den Ferien manchmal mitfahren.
Sven K.

Ich würde gern Reiseleiterin werden, weil man da in viele Länder kommt und Gruppen betreuen kann. Ich finde es toll, in so vielen großen Städten zu sein. Mal in Paris, London, Rio, New York und San Franzisko. Und dann vielleicht noch in schönen Hotels: das wäre ein tolles Leben. Aber wenn ich 25 bin, würde ich auch gerne Kinder haben. Das wäre dann natürlich nicht so gut mit der Reiseleiterin.
Nicole M.

Ich will einmal Fußballer werden und sehr berühmt sein. Ich will in Bayern, Neapel, Barcelona spielen. Auch in der Nationalelf. Warum? Weil ich dann im Fernsehen zu sehen bin. Geld kriege ich dann auch genug und Ruhm.
Gerd T.

Ich möchte gern Tierärztin werden, weil ich dann Tieren helfen kann. Und weil ich Tiere sehr mag.
Kathrin A.

Ich möchte gerne Krankenpfleger werden. Ich will lernen, Leuten zu helfen. Ich weiß, daß es ein schwerer Beruf ist, aber ich will ihn trotzdem ergreifen, weil ich Menschen mag.
Franz Ö.

Wer ist das?
Schreib die Namen auf.
Er/Sie will …

A … viel reisen.
B … mit Kindern arbeiten.
C … mit Tieren zu tun haben.
D … im Beruf mit Pflanzen zu tun haben.
E … Profisportler werden.
F … Menschen helfen.
G … viel Geld verdienen.
H … heiraten und Kinder haben.
I … Popsängerin werden.

Schreib mal wieder
Schreib eine Antwort auf diese Fragen.

Hast Du einen Job? Was für einen? Gefällt er Dir? Wann arbeitest Du? Was machst Du mit dem Geld? Weißt Du, was Du werden willst? Möchtest Du lieber alleine oder mit anderen Leuten arbeiten, draußen oder drinnen? Was ist für Dich das Wichtigste an einem Job?

Tip des Tages

Was möchtest du werden?			Warum?		
Ich möchte gern	Fernfahrer Lehrerin Reiseleiterin Florist Ingenieur	werden. sein.	Weil	ich	gern Experimente **mache**. in viele Länder reisen **möchte**. Kinder sehr **mag**. mit Blumen sehr gerne **arbeite**. viel Geld verdienen **will**.

Mein Beruf

Hör zu, und lies die Texte.
Wer ist das? Die Briefträgerin?
Der Klempner?

Grafikdesignerin

Kellner

Fleischer

Bauarbeiterin

Zahnarzt

Mechaniker

Bäckerin

Briefträgerin

Soldat

Tischlerin

Lehrerin

Klempner

Sekretärin

Verkäufer

1 Ich arbeite in einer modernen Werkstatt, aber nicht alle Autos, die ich reparieren muß, sind modern!

2 Die Arbeit ist anstrengend, aber es macht im Sommer besonders Spaß, wenn die Sonne scheint und man draußen ist.

3 Oft haben die Patienten Angst, wenn sie zu mir kommen. Die Kinder brauchen aber keine Angst zu haben, weil sie meistens sehr gesunde Zähne haben.

4 Ich finde es schön, wenn man draußen arbeiten kann. Mir gefällt es nur nicht, wenn das Wetter sehr schlecht ist.

5 Ich bin seit sechs Monaten bei der Bundeswehr. Das ist eigentlich kein Beruf, weil es in Deutschland leider Wehrdienstpflicht gibt.

6 Es ist erstaunlich, daß so viele junge Leute diesen Beruf ergreifen wollen. Den ganzen Tag Wasserrohre löten kann ganz schön anstrengend sein.

7 Das ist ja kein Beruf für einen Vegetarier!

8 Es gefällt mir sehr in der Bäckerei, auch wenn ich früh aufstehen muß.

9 Ich komme mit den Kollegen im Büro wirklich gut aus. Das Tippen ist vielleicht langweilig, aber ich spreche gern mit verschiedenen Leuten am Telefon.

10 Ich arbeite gern mit Holz, und ich stelle besonders gern Tische, Stühle und Möbelstücke her.

11 Ich finde es nur anstrengend, wenn viele Kunden zur gleichen Zeit hier ins Kaufhaus kommen.

12 Das Hin- und Herlaufen von Tisch zu Tisch ist natürlich anstrengend, aber die Atmosphäre im Restaurant ist toll!

13 Ich arbeite gern auf der Realschule hier, weil ich finde, daß die meisten Schüler gern lernen, fleißig und interessiert sind.

14 Ich mache im Moment eine Ausbildung bei einer Grafikfirma in Berlin. Ich finde diesen Beruf sehr kreativ.

Umfrage

Was hältst du von diesen Berufen? Welchen Beruf möchtest du ergreifen, wenn du einen wählen müßtest? Und deine Klassenkameraden? Welcher Beruf ist am populärsten?

Tip des Tages

Das ist **ein** schwer**er** Beruf.
Das ist **eine** gute Idee.
Das wäre **ein** tolles Leben.

Er muß dir **einen** passend**en** Job finden.
Ich arbeite in **einer** modern**en** Werkstatt.
Ich möchte auf **einem** großen Boot arbeiten.

Telefonieren

Persönliche Anrufe

A Hallo? Becker. → **B** Hallo, hier ist …(Name)… . | Ist Thomas da? Kann ich mit Brigitte sprechen?

A Ja, einen Moment, bitte. | Ich rufe / Ich hole | ihn. / sie.

A Nein, er/sie ist im Moment nicht hier. Soll ich etwas ausrichten, oder möchtest du es später noch einmal versuchen?

B Gut, danke.

B Nein, danke. Ich rufe | später / morgen | wieder an.

B Oh ja, bitte. Sagen Sie ihm/ihr, daß …(Name)… angerufen hat.

A Gerne. Auf Wiederhören.

B Auf Wiederhören.

Formelle Anrufe

A Hallo? Becker. → **B** Hallo, hier ist …(Name)… . Kann ich bitte mit Herrn/Frau … sprechen?

A Ja, einen Moment, bitte. Ich verbinde. Bleiben Sie bitte dran.

A Nein, er/sie ist im Moment nicht hier. Soll ich etwas ausrichten?

A Tut mir leid, er/sie spricht gerade. Wollen Sie warten oder es später wieder versuchen?

B Gut, danke.

B Oh ja, bitte. Sagen Sie ihm/ihr, daß …(Name)… angerufen hat.

B Danke, ich warte.

B Nein, danke. Ich rufe | später / morgen | wieder an.

A Kann er/sie zurückrufen?

B Ja, bitte. Meine Nummer ist…

B Nein, das geht leider nicht. Ich rufe wieder an.

A Gerne. / Danke. | Auf Wiederhören.

B Auf Wiederhören.

Falsch verbunden

A Hallo? Becker. → **B** Hallo, hier ist …(Name)… . | Ist Thomas da? Kann ich mit Brigitte sprechen?

A Hier gibt es keinen Thomas/keine Brigitte. Ich glaube, Sie sind falsch verbunden. Ich glaube, Sie haben die falsche Nummer gewählt. Oh, da sind Sie hier falsch.

A Nein, hier ist die …. . Nein, wir haben … .

B Ist da nicht die Nummer … ?

B Oh, Entschuldigung. → **A** Das macht nichts. Kein Problem. | Auf Wiederhören. → **B** Auf Wiederhören.

Dies und das

Putzen im Ausland

Ich mache im nächsten Jahr meinen Realschulabschluß. Bevor ich eine Ausbildung anfange, würde ich gerne für ein Jahr als Au-pair-Mädchen in die USA gehen. Wie sieht denn so ein Au-pair-Aufenthalt aus, und wie komme ich an eine Stelle ran?

Nicole (16), Mannheim

MARCO-TIP

Ein Au-pair-Aufenthalt ist nicht das reine Zuckerschlecken: In der Regel erwartet Deine Gastfamilie von Dir, daß Du den ganzen Tag im Haushalt mithilfst – das ganze fünfeinhalb Tage pro Woche. Für Dich springt dabei ein Taschengeld von 100 Dollar die Woche raus, Zimmer und Verpflegung sind frei. Die Gastfamilie sorgt auch für Deine Krankenversicherung. Außerdem stehen Dir zwei Wochen bezahlter Urlaub zu. Achtung: Für einen Au-pair-Aufenthalt in den USA mußt Du mindestens 18 Jahre alt sein.

Infos darüber gibt's bei der Zentralstelle für Arbeitsvermittlung, Feuerbachstraße 42-46 in 60325 Frankfurt.

SV – Schülervertretung

In Deutschland wählt jede Klasse einen Klassensprecher und hat regelmäßig eine SV-Stunde. In der SV-Stunde leitet der Klassensprecher die Diskussion. Die Klasse diskutiert Hausaufgaben, Schularbeiten, Noten, Probleme im Unterricht oder plant Diskoabende und Klassenfahrten. Alle zwei Monate treffen sich alle Klassensprecher mit den Lehrern, um wichtige Schulprobleme zu diskutieren. Die Schulvertretung hat viele Rechte. Sie kann der Schulleitung Vorschläge machen, und sie muß gehört werden, wenn es um Strafen geht.

Humor

Bildgeschichte

Welches Fach?

Sieh dir die Fotos an und schreib die Schulfächer auf.

Wähl drei Fächer und schreib deine Meinung dazu.
Vorsicht! Das Verb kommt ans Ende des Satzes.

Beispiel
Ich interessiere mich für Sport, weil der Lehrer so enthusiastisch ist.

Ich interessiere mich für … , weil der Lehrer/der Unterricht …
Ich finde, daß … ganz … ist, weil …
Erdkunde gefällt mir (nicht), weil …

Passende Berufe

Finde die passenden Paare heraus, und schreib Sätze mit ‚möchte' oder ‚möchte nicht', ‚will' oder ‚will nicht'.

Beispiel
Knut will **K**och werden, aber **K**arin will nicht **K**öchin werden.

Karin	Jens	Franz	Thomas
Sonia	Asla	Kai	Gerd
Beate	Knut	Ali	Ralf
Jutta	Tania	Bernd	Fatima
Gabi	Kerstin	Sven	Renate

Architektin
Journalist
Tierärztin
Briefträger
Friseur
Koch
Journalistin
Tierarzt
Grafikdesignerin
Klempner
Architekt
Frisörin
Klempnerin
Stewardeß
Köchin
Grafikdesigner
Reiseleiter
Briefträgerin
Steward
Reiseleiterin

Was paßt nicht?

Wähl auf jeder Liste das Wort, das nicht paßt.

	a	b	c	d
1	Englisch	Erdkunde	Lehrer	Musik
2	Stundenplan	Job	Zeugnis	Klassenarbeit
3	Klasse	Gesamtschule	Gymnasium	Realschule
4	interessant	mangelhaft	ausreichend	ungenügend
5	Frisörin	Tischlerin	Sekretärin	Ingenieur
6	Apotheke	Buchhandlung	Biologie	Konditorei
7	Kartoffeln	Käse	Kuchen	Kühlschrank
8	sonnig	vierzig	windig	neblig

Selbstbedienung ◄ sb

 ## Ende gut alles gut

Finde die passenden Satzteile heraus.

1 Ich interessiere
2 Findest du nicht, daß es
3 Deutsch ist mein Lieblingsfach, weil
4 Verstehst du
5 Wofür interessierst du
6 Ich langweile mich
7 Die meisten Lehrer kümmern
8 Die meisten Schüler
9 Ich finde,
10 Wir verstehen uns

A daß das Sitzenbleiben unfair ist.
B im Unterricht.
C mich für Erdkunde.
D melden sich im Unterricht.
E sich um uns.
F gut.
G dich gut mit deinen Klassenkameraden?
H es Spaß macht.
I dich?
J zu laut im Unterricht ist?

 ## Stellenmarkt

Stellenangebote	**Stellengesuche**	**Unterricht**	**Ferienarbeit**
Suche Jg. Babysitter für meinen Sohn, 4 Mon. alt Tel. 306078	Frau sucht Büro- oder Hausarbeit, Tel 31 58 87	Lehrerin gibt Nachhilfe in Deutsch für Grund- und Hauptschüler Tel 741634	Dolmetschstudentin Franz., Span., Engl., sucht Ferienarbeit f. Juli Tel 64 68 35

Sieh dir die elf Kleinanzeigen unten an. In welche Spalten in der Zeitung kommen sie? Schreib die Nummern auf.

Beispiel
1 *Stellenangebote*

1 APARTHOTEL SCHÖNWALD SEEFELD, TIROL sucht ab sofort Serviererin bis ca 20. September Tel 12 23 47

2 Realschülerin sucht Ausbildungsstelle als Frisörin Telefon 57 27 88

3 Koch- und Kellnerlehrling Stelle frei Tel. 56 23 47

4 Gymnasiastin, 13 Kl., gibt Nachhilfe in Engl., Dtsch., Latein. Tel. 72 49 50

5 Salzburger Sportstudent su. Ferienarbeit Juli/August. Tel 68 23 21

6 Suche Privatlehrer für Flötenunterricht in Wedel. Tel. 88 65 51 ab 19 Uhr zu erreichen

7 Sind Sie zur Zeit arbeitslos? Wir suchen dringend TAXIFAHRER. Anfänger werden in unserem Betrieb ausgebildet. Bitte rufen Sie uns unter 46 35 29 von 14-19 Uhr an. TAXI-WEINGÄRTNER

8 Gartenarbeit: Wer hilft mir einmal im Monat, den Garten gepflegt zu halten? Stunde 15 DM für diese leichte Arbeit Tel: 44 45 33

9 Abiturientin erteilt Schularbeitenhilfe und Nachhilfe in Mathematik. Tel. 72 44 26

10 Aushilfsfahrlehrer in Pinneberg gesucht. Telefon 72 37 81

11 Übernehme Schreibarbeiten. Tel. 72 43 78

Stell dir vor, du bist Arbeitgeber oder du suchst einen Job. Schreib noch eine Kleinanzeige für die Zeitung.

 ## Kann man? Muß man?

Wähl einige Berufe, und schreib, was man da machen kann oder muß.

Wenn man … ist,	muß kann	man …en.

Beispiel
Wenn man Bauarbeiter ist, muß man oft draußen arbeiten.
Wenn man Fußballer ist, kann man viel Geld verdienen.

sb ▶ *Selbstbedienung*

 Weil, wenn, daß

Lies folgende Satzpaare, dann schreib sie mit ‚weil‘, ‚wenn‘ oder ‚daß‘ richtig auf.

1 Ich langweile mich im Unterricht.
   Ich finde alle Fächer schwer und langweilig.
2 Ich bin ganz sicher.
   Die meisten Lehrer kümmern sich um ihre Schüler.
3 Was passiert?
   Man bekommt schlechte Noten im Zeugnis.
4 Claudia meldet sich oft in Französisch.
   Es ist ihr Lieblingsfach.

Beispiel
1 *Ich langweile mich im Unterricht, weil ich alle Fächer schwer und langweilig finde.*

5 Es stimmt.
   Es gibt zuviel Streit in der Klasse.
6 Ich könnte ohne Problem Fernfahrer werden.
   Ich arbeite ganz gerne allein.
7 Ein Lehrer muß geduldig sein.
   Seine Schüler sind nicht so fleißig.

 Brief an ...

Stell dir vor, du hast diesen Brief an deine britische Gastfamilie geschrieben.

> Ulm, den 25. Oktober
>
> Hallo Freunde!
> Wie geht's Euch? Mir geht's eigentlich ganz gut im Moment, weil wir Schulferien haben! Das heißt, daß ich mir viel Geld in meinem Job verdienen kann. Nicht daß die Schule mir mißfällt – im Gegenteil, ich finde die meisten Lehrer super, und der Unterricht macht meistens Spaß. Meine Lieblingsfächer sind Englisch (natürlich!) und Erdkunde. Vielleicht möchte ich später Reiseleiterin werden, wer weiß?! Ich besuche nämlich die Heinrich-Heine-Gesamtschule, die am Stadtrand liegt. Wie gesagt, komme ich mit den meisten Lehrern gut aus, und ich verstehe mich gut mit meinen Klassenkameraden. Es gefällt mir nur nicht so sehr, wenn es im Unterricht zu laut ist. In der Klasse haben wir nämlich vier Sitzenbleiber. Die Armen! Das finde ich furchtbar, daß man ein ganzes Jahr wiederholen muß. Trotzdem nervt es, wenn diese Sitzenbleiber den Unterricht immer wieder stören.
> Ich habe einen tollen Job. Abends und am Wochenende arbeite ich in einem Café in der Stadtmitte. Es kommen jede Menge junge Leute ins Café, auch meine Freunde. Im Moment darf ich auch nachmittags im Café arbeiten, weil wir Ferien haben. Toll, nicht? Ich kriege 10 DM die Stunde und arbeite bis zu acht Stunden pro Tag. Das finde ich nicht schlecht. Ich spare das meiste Geld, weil ich mir ein eigenes Auto kaufen möchte – vielleicht nächstes Jahr, wenn ich den Führerschein bekomme ... hoffentlich!
> Viele liebe Grüße
> Eure
> Christa

A Beantworte folgende Fragen

1 Warum gehst du im Moment nicht zur Schule?
2 Was für eine Schule besuchst du?
3 Wie findest du die Schule?
4 Was für einen Beruf könntest du vielleicht haben?
5 Wann gibt es Probleme bei dir in der Schule?
6 In Großbritannien gibt es kein Sitzenbleiben. Was meinst du dazu? Bist du dafür oder dagegen? Warum?
7 Wie verdienst du dir Geld?
8 Findest du, daß du schlecht bezahlt wirst?

B Worüber spricht Christa, wenn sie folgendes sagt?

Was wird hier diskutiert?
Beispiel: 1 *die Schule*

1 ‚Ich interessiere mich für die meisten Fächer.‘
2 ‚Das ist ein blödes System!‘
3 ‚Wir verstehen uns gut.‘
4 ‚Es ist gar nicht anstrengend und ich bekomme viel Geld.‘
5 ‚Vielleicht kaufe ich es mir nächstes Jahr.‘

C Jetzt bist du dran

Beantworte diesen Brief oder schreib einen ähnlichen Brief an deinen Brieffreund/deine Brieffreundin in Deutschland. Beschreib, was du im Moment machst, und sag, was du davon hältst.

1   Reflexive verbs

Ich verstehe mich gut mit meinen Lehrern.	*I get on well with my teachers.*
Ich langweile mich im Unterricht.	*I'm bored in lessons.*
Ich interessiere mich für Deutsch.	*I'm interested in German.*
Wofür interessierst du dich?	*What are you interested in?*
Freust du dich darauf?	*Are you looking forward to it?*
Er kümmert sich um alle.	*He puts himself out for everyone.*
Sie versteht sich gut mit ihnen.	*She gets on well with them.*
Wir verstehen uns gut.	*We get on well together.*
Langweilt ihr euch in den Ferien?	*Do you get bored in the holidays?*
Meine Klassenkameraden melden sich nicht oft.	*The people in my class don't put their hands up very often.*

2   Modal verbs + infinitives: would like, could, should.

Was möchtest du machen?	*What would you like to do?*
Ich möchte (nicht) draußen arbeiten.	*I would (not) like to work outside.*
Ich könnte viel Geld verdienen.	*I could earn lots of money.*
Du könntest Lehrer werden.	*You could become a teacher.*
Ein Lehrer sollte nicht zu streng sein.	*A teacher shouldn't be too strict.*

3   Wenn, daß and weil: sending the verb to the end of the clause

Ein Lehrer sollte nur Strafen verteilen, wenn es wirklich nötig ist.	*A teacher should only give out punishments when it's really necessary.*
Ich weiß, daß es ein schwerer Beruf ist.	*I know (that) it's a difficult job.*
Ich möchte Lehrerin werden, weil ich Kinder gern mag.	*I'd like to be a teacher because I like children.*
Wenn's so weitergeht, bleibst du bestimmt sitzen.	*If this carries on, you'll definitely have to stay down.*

4   Wenn, daß and weil + modal verb + infinitive

Es ist schön, wenn man draußen arbeiten kann.	*It's nice when/if you can work outside.*
Ein Lehrer sollte verstehen, daß Schüler über ihre Probleme reden wollen.	*A teacher ought to understand that students want to talk about their problems.*
Es ist erstaunlich, daß so viele junge Leute diesen Beruf ergreifen wollen.	*It's astonishing that so many young people want to do this job.*
Es gefällt mir, auch wenn ich früh aufstehen muß.	*I like it, even if I have to get up early.*

5   Agreement of adjectives

Sie kommt nicht in <u>die</u> nächst<u>e</u> Klasse.	*She's not going up into the next class.*
Verstehst du <u>das</u> deutsch<u>e</u> System?	*Do you understand the German system?*
Alle meine Freunde sind in <u>der</u> nächst<u>en</u> Klasse.	*All my friends are in the next class.*
So ist es in <u>dem</u> deutsch<u>en</u> System.	*That's what it's like in the German system.*
Das ist <u>ein</u> schwer<u>er</u> Beruf.	*That's a hard job.*
Das ist <u>eine</u> gut<u>e</u> Idee.	*That's a good idea.*
Das wäre <u>ein</u> toll<u>es</u> Leben.	*That would be a fantastic life.*
Er muß dir <u>einen</u> passend<u>en</u> Job finden.	*He has to find a suitable job for you.*
Ich arbeite in <u>einer</u> modern<u>en</u> Werkstatt.	*I work in a modern workshop.*
Ich möchte auf <u>einem</u> groß<u>en</u> Schiff arbeiten.	*I'd like to work on a big ship.*

In der Gegend

Martin

Ich wohne in einem Vorort von Köln. Es gefällt mir hier ganz gut, nur ist für uns das Haus ein bißchen zu klein.

Cyndi

Ich lebe in einem kleinen Dorf auf dem Land. Ich wohne gern dort – mir gefällt's gut, besonders die Ruhe und die Tiere.

Ich wohne mitten im Stadtzentrum. Im großen und ganzen gefällt's mir ziemlich gut – da ist immer viel los.

Inka

Ich wohne in einem kleinen Dorf, und ich hasse es. Es gibt nichts für junge Leute dort.

Uta

Katja

Ich wohne in einem Vorort. Hier draußen bei uns läuft überhaupt nichts. Und es kostet auch viel Geld, wenn ich in die Stadt fahren muß.

Axel

Ich wohne im Stadtzentrum in einem Hochhaus, aber mir gefällt das überhaupt nicht. Es ist zu laut und schmutzig. Ich würde lieber auf dem Land wohnen.

Ich wohne auf dem Land, und mir gefällt es dort gut. Ich habe seit kurzem ein Mofa, und es ist wirklich überhaupt kein Problem, meine Freunde zu treffen.

Knut

Ich wohne ganz gern hier in der Stadt. Alle meine Freunde wohnen direkt in der Nähe, und es ist nie ein Problem, wenn ich jemanden sehen will.

Lars

🎧 Wo ich wohne

A Diese jungen Leute sagen, wo sie wohnen. Wie gefällt es ihnen jeweils dort? Gut, ziemlich gut, oder gar nicht?

B Hör gut zu. Wer spricht?

Beispiel

1 Inka

◖◗ Partnerarbeit. Die Clique

Sieh dir diese Tabelle an. Sie zeigt, wo neun junge Leute wohnen und wie es ihnen dort gefällt.

Vorname	Haus	Wohnung	Stadtmitte	Vorort	Land	Wohnst du gern dort? ja	nein
Helga	●		●			●	
Karl	●			●			●
Kerstin	●				●	●	
Peter		●	●				●
Rüdiger	●		●				●
Heike		●		●		●	
Gabi	●			●		●	
Jochen	●				●		●
Annette		●	●			●	

Partner(in) A ist eine von diesen Personen. Partner(in) B stellt Fragen, um herauszufinden, wer er/sie ist.

Beispiel

A – Wohnst du in einem Haus oder in einer Wohnung?

B – In einem Haus.

A – Wohnst du in der Stadtmitte?

B – Ja.

A – Gefällt es dir dort?

B – Ja, sehr.

A – Du bist Helga.

B – Ja, richtig. Jetzt bist du dran.

◖◗ Partnerarbeit. Richtig oder falsch?

Erfinde einen Satz über eine von diesen Personen. Dein(e) Partner(in) muß sagen, ob er stimmt, oder nicht.

Beispiel

A – Peter wohnt gern in der Stadtmitte.

B – Das stimmt nicht. Er wohnt nicht gern dort.

Wo würdest du am liebsten leben?

Welcher Text paßt zu welchem Bild?

Beispiel

Renate – F

Renate

Am liebsten würde ich auf einer einsamen Insel leben, irgendwo im Pazifik, wo es das ganze Jahr über viel wärmer ist und es keine Umweltverschmutzung gibt.

Brigitte

Der ideale Ort zum Leben ist für mich New York, im 50. Stock eines Wolkenkratzers. Ich könnte vierundzwanzig Stunden am Tag den Autos und Menschen zuschauen. Es wäre vielleicht lauter und schmutziger als hier, aber es wäre auch aufregender und lebendiger.

Dieter

Ich würde sehr gerne in einem Skigebiet hoch oben auf einem Berg wohnen. Ich fahre leidenschaftlich gern Ski! Es wäre natürlich kälter als hier, aber dafür viel gesünder.

Wolf

Mein Traum-Zuhause wäre mitten auf dem Land. Ich würde gerne in einem kleinen Steinhäuschen auf einem Hügel wohnen, mit einem Fluß in der Nähe. Das Leben wäre ruhiger und einfacher als hier.

Karin

Ich wollte schon immer in Afrika leben. Ich liebe wilde Tiere! Das Leben wäre einfacher und auch billiger, aber vielleicht auch ein bißchen gefährlicher.

Frank

Mein Traum ist es, auf einer Weltraumstation zu leben. Das Leben wäre weniger hektisch als hier, alles wäre schwerelos, und die Umwelt wäre sauberer.

Dorothea

Ich würde wirklich am liebsten unter Wasser leben. Ich bin eine richtige Wasserratte und tauche wahnsinnig gern! Es wäre interessanter und aufregender und auch viel ruhiger als normal.

Werner

Wenn es möglich wäre, würde ich gerne mit allen meinen Freunden zusammen wohnen. Es wäre auch egal wo – wir könnten uns gegenseitig helfen, und wir könnten oft zusammen etwas unternehmen. Es wäre lustiger als alleine zu wohnen.

Tina

Mein idealer Ort zum Leben wäre in einem Baumhaus in einer großen alten Eiche am Waldrand. Ich könnte die Tiere beobachten. Es wäre friedlicher, aber auch weniger komfortabel als da, wo ich jetzt wohne.

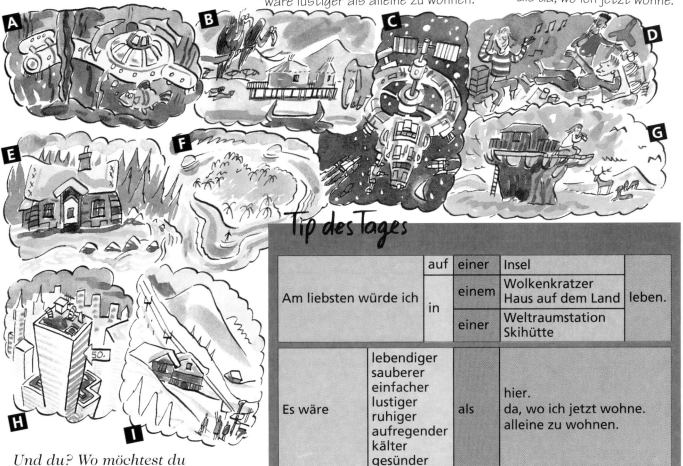

Und du? Wo möchtest du leben? Warum?

Tip des Tages

		auf	einer	Insel	
Am liebsten würde ich	in		einem	Wolkenkratzer Haus auf dem Land	leben.
			einer	Weltraumstation Skihütte	

Es wäre	lebendiger sauberer einfacher lustiger ruhiger aufregender kälter gesünder	als	hier. da, wo ich jetzt wohne. alleine zu wohnen.

Der Junge aus dem Paradies

Lies den Text und beantworte die Fragen.

Orion ist ein amerikanischer Junge, 11 Jahre alt. Er lebt mit seinen Eltern in Costa Rica, in Mittelamerika. Dort lebt er mitten im Urwald – weit weg von Straßen und Städten, aber nahe am weißen Sandstrand mit Palmen und blauem Himmel, mitten im Paradies. Hier ist eine Reportage:

Orion erzählt mir von seinem Leben: ‚Jeden Mittag trinken wir das Wasser von Kokosnüssen, das hat so viele Vitamine.' Orions sechsjähriger Bruder Saty setzt sich zu uns und sagt: ‚Heute war es einfach, die Kokosnüsse von den Palmen zu holen, weil kaum Wind war. Aber manchmal muß man sich wie ein Affe an den Baum anklammern, so stark schwingt die Palme.'

Ich sehe die 10 bis 15 Meter hohen Palmen und frage erstaunt: ‚Wo habt ihr das gelernt?' Orion lächelt: ‚Das ist einfach. Wir leben hier schon zehn Jahre, und die Kinder von hier haben uns das gezeigt. Wir sind Freunde.'

Seine Eltern, die Hards, die hier leben, sind reiche Leute. Doch eines Tages hatten sie genug vom Luxusleben. Sie verkauften alles in den USA und kauften diesen Dschungel hier in Costa Rica.

250 Hektar Dschungel gehören den Hards. Was macht man damit? Orion erklärt: ‚Wir bewohnen einen halben Hektar. Dort steht das Buschhaus, da ist der Garten, und da sind die Felder. Den Rest haben wir zu einem Nationalpark gemacht.'

Jetzt ist noch Brain, Orions neunjähriger Bruder, zu uns gekommen. Er sagt: ‚Die Arbeit auf dem Feld ist viel einfacher als im Dschungel. Im Dschungel fressen dich die Moskitos fast auf.' Und Orion fügt hinzu: ‚Früher hat man hier kilometerlange Regenwälder abgeholzt, um immer mehr Weideland für Rinder zu machen. Dann war der Rindfleischboom zu Ende. Meine Eltern und wir, wir forsten hier alles auf. Wir pflanzen Bäume, wo früher Weidenland für Rinder war. Im letzten Jahr haben wir 800 Orchideen und 300 Bäume gepflanzt.'

Natürlich sprechen Orion und seine Brüder Spanisch, die Landessprache. Brain erzählt: ‚Jeden Tag, außer Samstag und Sonntag, gehen wir zur Schule. Der Weg zur Schule ist wie eine Art Überlebenstraining.' Und Saty erklärt: ‚Zuerst laufen wir 15 Minuten am Meer entlang. Dann fahren wir mit dem Kanu über den Fluß. Da sehen wir auch manchmal einen Alligator. Wenn wir auf der anderen Seite des Flusses ankommen, wandern wir noch 15 Minuten in das Dorf, wo die Schule steht.'

Die Schule beginnt täglich um 10.30 Uhr und endet gegen 15.00 Uhr. In der Schule gibt es auch eine Küche. Fast jeden Tag gibt es Bohnen und Reis, manchmal Hühnchen, Fisch, Eier oder Gemüse. Hausaufgaben gibt es nicht, dafür gibt es aber andere Aktivitäten: Die Dorfstraße reinigen, Sportnachmittage, einen Garten im Dorf pflegen oder praktischen Unterricht, zum Beispiel einen Gemüsegarten anlegen.

Sonntags gehen Orion und seine Brüder den ganzen Tag durch den Dschungel. Sie beobachten die Affen, Vögel und Schlangen. Sie kennen jede Stelle im Regenwald. Und sie wissen, was nicht alle Erwachsenen wissen – daß man die Natur schützen muß und nicht zerstören darf.

© *Treff*

1 Wie alt sind Orion und seine zwei Brüder?
2 Wo haben sie gelernt, die Kokosnüsse von den Palmen zu holen?
3 Warum sind ihre Eltern nach Costa Rica gekommen?
4 Was haben sie mit ihren halben Hektar Dschungel gemacht?
5 Was machen sie mit dem Weideland?
6 Wie lange ungefähr ist Orions Schulweg?

7 Wann ist für ihn die Schule aus?
8 Was für Aktivitäten machen die Schüler statt Hausaufgaben?
9 Was machen Orion und seine Brüder sonntags?
10 Was hältst du von ihrem Leben dort? Möchtest du auch so leben? Warum (oder warum nicht)?

Früher lebte ich ...

Hör gut zu, lies die Texte und beantworte die Fragen.

Beispiel
1 Henrike

Max Vor fünf Jahren wohnten wir in einer kleinen Wohnung in der Stadtmitte von München. Jetzt wohnen wir in einem kleinen Haus am Stadtrand. Wir haben jetzt einen Garten. Es ist hier viel ruhiger, und die Nachbarn sind auch viel freundlicher. Aber es ist nicht viel los hier, und man muß mit dem Bus oder der Straßenbahn in die Stadt fahren.

Henrike Wir lebten früher auf dem Land, so etwa 20 Kilometer von Salzburg entfernt. Mein Vater bekam aber einen neuen Arbeitsplatz, und wir mußten nach Wien umziehen. Hier ist immer was los, aber es gibt viele Menschen und Autos und Lärm.

Ruth Ich wohne jetzt in einem Dorf, aber vorher lebte ich in Berlin. Hier ist wirklich nichts los, und ich würde lieber wieder in Berlin wohnen.

Moni Als wir in Luxemburg lebten, ging ich abends gewöhnlich mit meinen Freunden aus. Wir gingen in Cafés oder spazierten einfach ein bißchen herum. Seit wir in Stuttgart wohnen, lassen mir meine Eltern weniger Freiheit. Ich muß jetzt viel früher nach Hause kommen und darf auch nicht mehr so oft ausgehen.

Patrick Als ich klein war, lebte ich in Griechenland. Meine Eltern waren Lehrer an einer deutschen Schule. Das Wetter und das Essen waren fantastisch, aber ich sah meine Cousinen und Großeltern fast nie. Letztes Jahr beschlossen wir, wieder nach Deutschland zu ziehen. Wir wohnen jetzt in einem Dorf.

Viktor Wir lebten früher auf einem Bauernhof in der Schweiz. Aber vor zwei Jahren starb mein Vater, und jetzt leben wir in einem Wohnblock in Berlin. Ich war es gewöhnt, viel Platz und ein eigenes Zimmer zu haben. Das hat sich jetzt alles geändert. Jetzt muß ich mein Zimmer mit meinem Bruder teilen, und wir haben natürlich keinen Garten.

Hatice Früher lebten wir in Frankfurt. Wir zogen aufs Land, um nicht so weit weg von meinen Großeltern zu sein. Sie sind schon ziemlich alt. In Frankfurt war immer eine Menge los. Hier ist es sehr langweilig, aber dafür sicherer und billiger.

1 Wer lebte früher auf dem Land und wohnt jetzt in der Hauptstadt von Österreich?
2 Wer lebte früher in einer Großstadt und wohnt jetzt auf dem Land?
3 Wer wohnte früher im Stadtzentrum und wohnt jetzt in einem Vorort?
4 Wer lebte früher auf dem Land aber hat jetzt doch keinen Garten?
5 Wer lebte früher in einer Wohnung aber wohnt jetzt in einem Haus?
6 Wer wohnte früher in der Hauptstadt von Deutschland und wohnt jetzt in einem Dorf?
7 Wer lebte früher nicht in Deutschland aber wohnt jetzt in einer deutschen Großstadt?
8 Wer lebte früher nicht in Deutschland aber wohnt jetzt in einem deutschen Dorf?

Schreib mal wieder!

Schreib eine Antwort auf diese Fragen von deinem Brieffreund/deiner Brieffreundin.

> Ich habe Deine Adresse, aber ich kann mir nicht richtig vorstellen, wo Du wohnst. Kannst Du es mir beschreiben? Gefällt es dir da? Wo lebtest Du vorher? Oder lebst Du schon immer dort?
>
> Ich möchte so gerne mitten in einer Großstadt wohnen! Und Du? Was wäre Dein idealer Wohnort?

Tip des Tages

Ich	wohnte lebte	früher	in	der Hauptstadt. in der Stadtmitte.	
Wir	wohnten lebten	vorher		einem	Haus. Dorf.

Jetzt	wohne lebe	ich	in	einer Wohnung. der Nähe von München.	
	wohnen leben	wir	auf	dem Land.	
			am	Stadtrand.	

🔵🔵 Partnerarbeit. Damals und jetzt

Hier sind zwei Bilder. Das erste Bild zeigt eine typische deutsche Stadt im Jahre 1900. Im zweiten Bild sieht man dieselbe Stadt heute. Beschreib die Unterschiede.

Beispiel
A – Im Jahre 1900 gab es viele Bäume.
B – Heutzutage gibt es einen Parkplatz.

1900

Heutzutage

Im Jahre 1900 gab es …	Kutschen und Pferde. Autos viele Bäume. viele Blumen. Häuser. moderne Fenster. Parabolantennen. Straßenlampen.	eine Buchhandlung. eine Schule. eine Konditorei. eine Pizzeria. eine Bäckerei. eine Telefonzelle.
Heutzutage gibt es …	einen Gasthof. einen Supermarkt. einen Parkplatz. einen Wohnblock. einen Brunnen. einen Container für Altglas. einen Park.	ein Computergeschäft. ein Fastfood Restaurant. ein Rathaus. ein Kino. ein Theater.

Früher war es …	→	ruhiger. schöner. lauter. häßlicher. langweiliger. interessanter. hektischer.
Jetzt ist es …	→	

Pro und contra

Lies diese Meinungen. Worüber sprechen die Leute jeweils?

Beispiel

1 Private Fahrzeuge

1 Es ist praktisch, daß man zu jeder Zeit überall hinfahren kann.
2 Maschinen verrichten schmutzige und gefährliche Arbeit.
3 Das Fernsehen bringt Nachrichten und Unterhaltung ins Wohnzimmer.
4 Die Elektrizität bewirkt, daß wir zu jeder Zeit Licht im Zimmer haben und daß Telefon, Computer und Heizung funktionieren.
5 Fertiggerichte sind schnell und sehr praktisch für ältere und berufstätige Menschen.
6 Die moderne Medizin hilft, das Leben zu verlängern und die Lebensqualität zu verbessern.
7 Es ist fantastisch, daß wir jetzt soviel mehr über den Weltraum wissen.

Was meinst du zu den einzelnen Themen?

Es gibt jeweils ein Argument ‚für' (1–7) und ein Argument ‚gegen' (A–G). Finde die zwei Meinungen zu jedem Thema.

Beispiel

1B

A Sie sind teuer und voll von Farb- und Konservierungsstoffen, und die Leute nehmen sich oft nur fünf Minuten, um sie zu essen.
B Autos und Motorräder verschmutzen die Luft.
C Es gibt mehr Arbeitslosigkeit.
D Es entstehen komplizierte ethische Fragen.
E Die Leute sind passiv geworden – sie sehen stundenlang fern.
F Die Raumfahrt ist eine reine Geldverschwendung, wenn es auf der Erde noch soviel Armut gibt.
G In der Herstellung werden viele fossile Brennstoffe, zum Beispiel Kohle und Öl verbraucht.

Steffi und Freunde

Was tust du persönlich für die Umwelt?

Diese Frage haben wir acht jungen Leuten gestellt. Lies ihre Antworten und füll die Lücken mit den Wörtern unten aus. Hör dann zu. Hattest du recht?

Sabine

In der Nähe meiner Wohnung gibt es eine _____ für Glasflaschen. Jedes Wochenende gebe ich dort einen Korb leerer _____ ab.

Inge

In unserem Ort stehen zwei _____. Dort kann man das _____ hinbringen.

Frank

Bei uns haben wir gelbe Säcke für _____ und _____ und eine normale Mülltonne für den anderen Müll.

Dieter

Ich fahre mit dem _____ zur Arbeit und mit dem _____ in die Stadt. Das Auto benutze ich nur, wenn es unbedingt sein muß.

Katja

Ich benutze keine _____ mit Treibgas. Um meine Haare zu frisieren, verwende ich _____.

Dominik

Umweltprobleme sollten die _____ lösen. Wir können nichts dafür. Ich persönlich tue nichts _____ für die Umwelt.

Philip

Wir haben unser Haus auf _____ umgestellt. Mit Öl oder _____ heizen wir überhaupt nicht mehr.

Rebecca

Ich kaufe Produkte mit möglichst wenig _____, oder ich lasse die Verpackung im _____.

Altpapier	Besonderes
Dosen	Fahrrad
Flaschen	Gas
Gel	Geschäft
Papiercontainer	Plastik
Politiker	Sammelstelle
Spraydosen	Sonnenenergie
Verpackung	Zug

Schreib jetzt deine eigene Antwort auf die Frage.

Tip des Tages

Ich	sortiere meinen Müll. fahre mit dem Rad.	
	kaufe	umweltfreundliche Produkte. Pfandflaschen. Produkte mit möglichst wenig Verpackung.
	verwende recycelte Schreibwaren. spare Wasser beim Duschen. rauche nicht. benutze keine Spraydosen mit Treibgas.	

Umweltfreundlich

Sieh dir die Fotos an. Warum ist das umweltfreundlich?

Beispiel
Foto Nummer eins. Eine Fußgängerzone ist umweltfreundlich, weil das für Fußgänger sicherer ist.

eine
Fußgängerzone

ein Radweg

ein Windgenerator

eine Straßenbahn

eine verkehrsberuhigte
Zone

ein Reformhaus

ein
Recyclingcontainer

eine Busspur

das ist für Fußgänger
sicherer

Energie wird gespart

Staus werden
verhindert

fossile Brennstoffe
werden gespart

Produkte werden
ohne Chemikalien
produziert

es ist nicht so
gefährlich

der Verkehr in der
Stadtmitte wird
reduziert

das Tempo des
Verkehrs wird
reduziert

Die größte Gefahr

Diese sechs Jugendlichen sagen, welches Umweltproblem sie am schlimmsten finden. Mit wem stimmst du überein?

Die größte
Gefahr für die
Welt ist das
Problem mit dem
Atommüll.

Axel

Es gibt
viele Probleme,
aber am
schlimmsten ist die
Zerstörung des
Regenwaldes.

Konrad

Es gibt
viele Arten von
Verschmutzung, aber
die schlimmste ist die
Ölverschmutzung.

Angelika

Gefährdete
Tiere sind meiner
Meinung nach das
größte Problem.

Miriam

Was mich
am meisten
ärgert, ist der
Treibhauseffekt.

Ralf

Die größte
Gefahr, denke ich,
ist der saure
Regen.

Jutta

Mach jetzt eine Umfrage in der Klasse. Die Frage: Was ist für dich die größte Gefahr für die Welt? Vergleich, wenn möglich, deine Ergebnisse mit denen von anderen Klassen.

Tip des Tages

Die größte Gefahr		die Ölverschmutzung.
Das schlimmste Problem	ist	der Treibhauseffekt.
Am schlimmsten		das Problem mit dem Atommüll.

Dies und das

Der ‚Seebus'

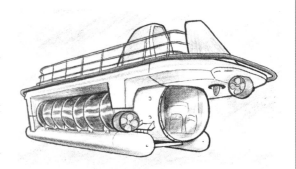

Hier ist der erste Unterseebus für Touristen in Europa. Er ist 20 Meter lang und kann 45 Passagiere 40 Meter unter dem Meeresspiegel transportieren.

Er verschmutzt nicht, denn seine Motoren sind elektrisch. Vorne ist er völlig aus Plexiglas und bietet eine schöne Aussicht.

Wenn du mit diesem ‚Seebus' fahren willst, mußt du nach Monaco fahren! Es kostet ungefähr 100 Mark für 45 Minuten. Gute Reise!

Achtung, Helme auf!

Was passiert, wenn Kometen aus dem Weltraum fallen?

Größe des Himmelskörpers	Was passiert?	Wie oft?	Gefahren auf der Erde
Bis 10 Zentimeter	Verbrennt in der Atmosphäre	Tausende im Jahr	Keine
10 Zentimeter bis 1 Meter	Zerfällt in kleine Stücke und verbrennt	Etwa 10 im Jahr	Sehr wenig
1 bis 10 Meter	Berührt den Boden in Stücken	Einmal im Jahr	Lokale Schäden
10 bis 100 Meter	Macht einen großen Krater	Alle 500 Jahre	Schäden über eine ganze Region
100 Meter bis 1 Kilometer	Macht einen Krater größer als 1 Km	Alle 5 000 bis 10 000 Jahre	Schäden über einen ganzen Kontinent
Mehr als 1 Kilometer (wie Toutatis)	Macht einen Krater 15 mal so groß wie er selbst	Alle paar Millionen Jahre	Ende einer Zivilisation?

Wie orientiert man sich ohne einen Kompaß?

- Halt deine Armbanduhr vor dir.
- Richte den Stundenzeiger auf die Sonne.
- Die Linie, die den Winkel zwischen dem Stundenzeiger und 12 Uhr in zwei Hälften teilt, zeigt auf den Süden.

Bildgeschichte

sb *Selbstbedienung*

 Ich wohne in einem Hochhaus

Sieh dir die Symbole an und lies die Texte. Wer sagt das?

Beispiel
Moni B

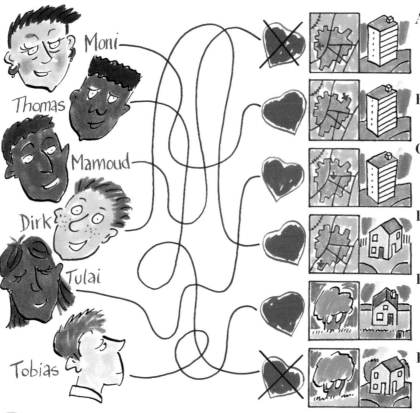

A Ich wohne in einem Vorort in einem Hochhaus. Hier draußen gibt's nichts für Jugendliche. Es gefällt mir nicht.

B Ich wohne in einem Hochhaus am Stadtrand. Mir gefällt's gut da.

C Ich wohne in einem Hochhaus in der Stadtmitte. Mir gefällt's da ganz gut. Es ist immer viel los.

D Ich wohne in einem kleinen Haus in einem Dorf. Es gefällt mir sehr gut. Es ist sehr ruhig da.

E Ich wohne in einem großen Haus auf dem Land. Es gefällt mir überhaupt nicht. Es ist zu langweilig.

F Ich wohne in einem Vorort. Wir leben in einem Einfamilienhaus. Es gefällt mir gut. Meine Freunde wohnen alle in der Nähe.

Meiner Meinung nach

Vervollständige die Sätze – du hast die Wahl!

Ich bin ein Jahr älter als ...
Ich finde Deutsch interessanter als ...
Mein Lieblingsradiosender ist ...
Mein bester Freund/Meine beste Freundin ist
   ...er als ich.
Die langweiligste Person, die ich kenne, ist ...
Der häßlichste Wagen ist ein ...

Die schlechteste Gruppe ist ...
Die schönste Sängerin ist ...
Der dümmste Prominente im Fernsehen ist ...
Der größte Sportler ist ...
Die größte Sportlerin ist ...
Das schwierigste Fach ist ...

Oma und Opa

Schreib den Text auf und wähl jeweils das richtige Verb.
Beispiel
*Als meine Großeltern klein **waren**, ...*

Als meine Großeltern klein **war/waren**, **gab/gaben** es kein Fernsehen. Sie **lebte/lebten** auf dem Land. Meine Großmutter **hatte/hatten** sieben Geschwister, und mein Großvater sechs! Jetzt **wohnten/wohnen** sie in einem Vorort von Marburg. Es **gefällt/gefallen** ihnen gut da. 1935 **war/waren** das Leben viel ruhiger, aber sie **ist/sind** beide sehr glücklich, daß es jetzt Fernsehen **gibt/gab**.

Vier Freundinnen

Jutta ist größer als Petra.
Petra ist kleiner als Eva.
Angela ist größer als Eva.
Jutta ist nicht am größten.

Jutta ist älter als Angela.
Angela ist jünger als Eva.
Petra ist am jüngsten.
Jutta ist nicht am ältesten.

Wer ist am größten?

Wer ist am ältesten?

Wo wohnst du?

Stell dir vor, du lebst hier.　　　*Früher lebtest du hier.*　　　*Du möchtest aber hier wohnen.*

Wie beantwortest du diese Fragen?

> Wo wohnst du?

> Wo wohntest du früher?

> Wo möchtest du am liebsten wohnen?

 ## Es ist schwer, unweltfreundlich zu sein!

Bring die Satzhälften zusammen und schreib sie richtig auf.

Autos verschmutzen die Luft, aber …　　　　　　　　ich esse wahnsinnig gern Fastfood.
Man sollte Altpapier nicht wegwerfen, aber …　　　ich fahre nicht gern rad.
Ich weiß, daß es nicht sehr gesund ist, aber …　　　ich bringe die leeren Flaschen nicht immer dahin.
Rauchen ist umweltfeindlich, aber …　　　　　　　manchmal vergesse ich, das Licht auszumachen.
Ich versuche, keine Energie zu verschwenden, aber …　ich tue persönlich sehr wenig dafür.
Es gibt einen Altglascontainer nicht weit von uns, aber … es macht mir Spaß.
Ich weiß, was man für die Umwelt tun sollte, aber …　es gibt keinen Container in der Nähe.

sb ▶ Selbstbedienung

⚑ Probleme

Welches Beispiel paßt zu welchem Problem?

1 Es gibt nicht genügend öffentliche Verkehrsmittel.
2 Es gibt keine Unterhaltung für junge Leute.
3 Umweltverschmutzung ist ein großes Problem.
4 Viele Tierarten sind gefährdet.
5 Es gibt sehr beschränkte Wohnmöglichkeiten.

Denk dir jetzt weitere Beispiele aus.

Beispiele

A Wir leben in einem sehr kleinen Haus.
B Koalabären sterben allmählich aus.
C Es gibt nur einen einzigen Bus am Tag.
D Die Autos verpesten die Luft.
E Es gibt keine einzige Disco im Dorf.

⚑ Hallo Michael!

Lies den Brief und beantworte die Fragen.

Hallo Michael!

Wie geht's? Hoffentlich gut. Du wolltest wissen, ob wir schon immer in Bonn wohnen. Nein! Früher lebten wir in einem großen Bauernhaus auf dem Land in der Nähe von München. Das Haus gehörte meinen Großeltern. Vor zehn Jahren bekam meine Mutter einen neuen Arbeitsplatz als Reporterin für den Westdeutschen Rundfunk. Deshalb mußten wir nach Bonn umziehen. Hier gefällt's mir ganz gut. Unser Haus ist zwar ziemlich klein, und wir haben fast keinen Garten, aber es ist immer unheimlich viel los. Hoffentlich kommst du uns mal besuchen.

Viele Grüße!

Dein Raphael

1 Wo wohnt Raphael jetzt?
2 Wo wohnte er früher?
3 Bei wem lebte seine Familie früher?
4 Warum mußte er nach Bonn umziehen?
5 Wie gefällt's ihm in Bonn? Warum?

⚑ Eine andere Perspektive

Stell dir vor, du stellst diesen Tieren die Frage:
‚Was ist für dich die größte Umweltgefahr?'
Erfinde ihre Antworten!

ein Floh

ein Thunfisch

ein Schimpanse

ein Igel

ein Panda

eine Möwe

1 Saying where you live

Ich	wohne lebe	auf dem Land. im Stadtzentrum. am Stadtrand.	I live in the country. I live in the town centre. We live on the outskirts of town.
Wir	wohnen leben	in der Nähe von München. in einem Einfamilienhaus.	We live near Munich. We live in a detached house.

2 Saying where you would most like to live and why (comparative adjectives)

Am liebsten würde ich	auf einer	Insel	leben.	I would most like to live on an island
	in einem	Haus auf dem Land		I would most like to live in a house in the country.
	in einer	Weltraumstation		I would most like to live in a space station.

Es wäre	ruhiger aufregender	als	da, wo ich jetzt wohne. hier.	It would be quieter than where I live now. It would be more exciting than here.

3 Saying where you used to live

Ich	wohnte lebte	früher vorher	in		der Hauptstadt.	Before, I used to live in the capital.
Wir	wohnten lebten			einem	Dorf. Vorort.	Before, I used to live in a village. Before, we used to live in a suburb.
				einer Wohnung.		Before, we used to live in a flat.

4 Describing how things used to be

(Im Jahre) 1900 Früher	gab es	eine Schule. ein Theater.	In 1900 there was a school. There used to be a theatre.
In Frankfurt	war	immer eine Menge los.	In Frankfurt there was always lots going on.
Meine Eltern	waren	Lehrer.	My parents were (used to be) teachers.

5 *Als* (when) with the past tense

Als	ich	klein war,	lebte ich in Griechenland.	When I was small I lived in Greece.
		in Hamburg wohnte,	hatten wir keinen Garten.	When I lived in Hamburg we had no garden.
	wir	in Luxemburg lebten,	ging ich abends gewöhnlich aus.	When we lived in Luxemburg, I usually went out in the evening.

6 Superlatives

Die größte Gefahr Das schlimmste Problem Am schlimmsten	ist	die Ölverschmutzung. der Atommüll. der Treibhauseffekt. die Zerstörung des Regenwaldes.	The greatest danger is oil pollution. The worst problem is atomic waste. The worst problem is the greenhouse effect. The most dreadful thing of all is the destruction of the rain forests.
Karin ist am größten.			Karin is the tallest.

7 The passive

Energie	wird	gespart.	It saves energy (literally: energy is saved).
Der Verkehr		reduziert.	It reduces the traffic (literally: the traffic is reduced).
Staus	werden	verhindert.	It avoids traffic jams (literally: traffic jams are avoided).
Fossile Brennstoffe		gespart.	It saves fossil fuels (literally: fossil fuels are saved).

TRINITY GRAMMAR SCHOOL

GREENPEACE

Greenpeace ist die wichtigste Umweltorganisation der Welt. Sie wurde 1971 in Vancouver, Kanada von kanadischen und amerikanischen Pazifisten gegründet, die gegen amerikanische Atomversuche in Alaska protestierten. Heute ist der Sitz der Organisation in Amsterdam. *Greenpeace* hat Büros in über 30 Ländern, fast eine Million Angestellte und einige Schiffe. In Deutschland, wo die öffentliche Meinung sehr sensibel auf Umweltfragen reagiert, sind die *Greenpeace*-Aktivisten besonders engagiert.

Symbol für engagierten Umweltschutz: Die Schiffe mit dem Greenpeace-Regenbogen

Maike Hülsmann

Die Öko-Warrior

Immer wieder machen die Aktionen von *Greenpeace*-Mitarbeitern Schlagzeilen in der Presse. Hier stellen wir euch zwei deutsche Umwelt-Aktivisten vor:

Maike Hülsmann (29) ist eines von acht Mitgliedern der ,Action Crew'. Täglich riskiert sie ihr Leben für die Umwelt. Und das für 4 500 Mark im Monat. Oft bekommt sie bei ihren Aktionen auch blaue Flecken. Als Maike einmal norwegische Walfänger dabei störte, einen Wal zu töten, wurden diese Männer so wütend, daß sie Maike verprügelten. Maike durfte sich nicht wehren, denn Gewalt ist bei *Greenpeace* verboten. Als ein großer Ölkonzern die Bohrinsel ,Brent Spar' auf hoher See versenken wollte, war Maike auch aktiv. Sie kletterte einfach hinauf und verhinderte so, daß die Giftinsel versenkt wurde. Von Beruf ist Maike Maschinenbauerin. Kein Wunder also, daß sie auch eine sehr gute Handwerkerin ist.

,Die Maike ersetzt zwei Kerle,' sagt Peter Küster, 48, der auch zur ,Action Crew' gehört. Er arbeitete früher als Kapitän für die chemische Industrie und fuhr Chemietanker durch die ganze Welt. Eines Tages sagte seine Frau: ,Du hast einen Sohn. Denkst du nie an seine Zukunft?' Danach ging er zu *Greenpeace* und wurde zum Umwelt-Aktivisten. Seine früheren Arbeitgeber in der chemischen Industrie sind heute seine Feinde. ,Ich weiß genau, was auf diesen Tankern los ist. Oft wird das Gift auf hoher See einfach ins Meer geschüttet,' sagt Peter. Genau wie Maike sitzt er bei *Greenpeace*-Aktionen viele Stunden im Schlauchboot. Das ist ein harter Job: ,Eisiger Wind, nasse Klamotten und wenn du Pech hast, bekommst du eine auf die Nase,' sagt Peter ohne Illusionen. Doch für die Umwelt lohnt es sich, meint er.

© POP/Rocky, Medien Verlagsgesellschaft mbH & Co.

Peter Küster: Früher fuhr er selbst Chemietanker, heute kämpft er gegen sie

Mutige Aktion: Peter & Co. legen einen Gift-Tanker an die Kette

Hast du Probleme?

*Alle haben Probleme – auch
Jugendliche! Was für welche?
Sieh dir die Bilder und Texte an.
Was paßt wozu? Wer sagt was?*
Beispiel
1 Fatma

Dirk

Sabine

Kasimir

Kirsten

Fatma

Thomas

Jutta

Ralf

1   Meine Eltern verstehen mich nicht.
2   Mein Freund hat eine andere.
3   Ich bin immer gleich sauer. Alles nervt mich.
4   Was meine Eltern verlangen, schaffe ich nie.
    Ich tue mein Bestes in der Schule, aber das
    hilft nichts.
5   Der Streß in der Schule ist zuviel für mich.

6   Bei Mädchen krieg' ich keinen Ton raus. Ich
    bin einfach zu scheu.
7   In unserer Clique bin ich immer das fünfte
    Rad am Wagen. Meine Freunde machen nie
    das, was mich interessiert.
8   Ich habe Probleme mit meiner Freundin.

Jetzt hör zu. Wer spricht jeweils? Was sagen die acht Jugendlichen noch über ihre Probleme?

Ich hab' alles satt!

*Sieh dir die Texte an. Ein Junge und ein Mädchen sprechen über ihre Probleme.
In welche Kategorie paßt jedes Problem: Schule, Geld, Familie oder Freunde?*

Ich habe Probleme mit meinem Freund.

Meine ältere Schwester ist immer so gemein zu mir.

Ich hab' alles satt! Meine Freundin hat einen anderen.

Mein bester Freund will nichts mehr mit mir zu tun haben. Ich versteh' es einfach nicht.

Meine beste Freundin nimmt Drogen. Ich habe wirklich Angst!

Ich finde, ich muß zuviel im Haushalt helfen, und mein Bruder macht nie was.

Ich hab' in einer Disco ein tolles Mädchen kennengelernt, aber ich weiß nicht, wo sie wohnt.

Ich hasse die Schule. Die Arbeit kann ich nicht ausstehen.

Mein Vater sagt, ich muß einen Job finden, aber ich will nicht. Ich brauche das Geld auch nicht.

Ich hab' keinen Job, und ich bekomme fast kein Taschengeld von meinen Eltern.

Unsere Deutschlehrerin interessiert sich nur für die guten Schüler. Das nervt mich!

*Was meinst du? Welche von diesen Problemen
haben viele Leute?*

*Welche Probleme sind sehr ernst?
Welche sind hauptsächlich Teenagerprobleme?*

▢ **Verstehst du dich gut mit deiner Familie?**

Lies die Texte, hör zu, dann wähl a, b oder c.

1 Stefan ...
a hat keinen Kontakt mehr zu seinen Eltern.
b versteht sich gut mit seinem Bruder.
c kommt mit seinen Eltern sehr gut aus.

3 Cornelia ...
a hat viel gemeinsam mit ihrer Kusine.
b findet ihre Kusine doof.
c hat keine Kusine.

5 Sven hat ein enges Verhältnis zu seiner Tante, weil ...
a er sich nicht gut mit seinen Eltern versteht.
b sie klug und interessant ist.
c sie so alt ist.

2 Andrea ...
a hat viel Kontakt zu ihren Eltern.
b versteht sich nicht mit ihren Eltern.
c kommt mit der ganzen Familie gut aus.

4 Emin ...
a versteht sich überhaupt nicht mit seinen Eltern.
b will wieder bei seinen Eltern wohnen.
c kommt mit seinem Bruder und auch mit seinen Eltern gut aus.

6 Comischa ...
a findet ihre kleine Schwester dumm.
b kommt mit ihrer kleinen Schwester gut aus.
c spielt viel mit ihrer Schwester.

7 Britta ...
a kommt mit ihrem kleinen Bruder gut aus.
b versteht sich gut mit ihrer kleinen Schwester.
c findet ihren älteren Bruder ganz toll.

◖◗ **Welche Probleme kommen am häufigsten vor?**

Arbeitet in Gruppen. Wählt 5-8 Kategorien, zum Beispiel: Geld, Kleider, Freunde, Eltern usw. und macht eine Tabelle. Dann macht eine Umfrage in der Klasse. Stellt die Frage: ‚Welche Probleme kommen bei dir am häufigsten vor?' Entscheidet, wie ihr die Ergebnisse am besten präsentieren könnt.

Tip des Tages

Ich	habe	Probleme	mit	Geld.
				der Schule.
	verstehe mich gut verstehe mich nicht gut			meinem Bruder. meinem Freund. meiner Schwester. meiner Kusine. meinen Freunden. meinen Eltern.

Er	kommt	mit	seinem	Bruder Vater	sehr gut ganz gut nicht gut	aus.
			seiner	Tante Mutter		
Sie			ihrem	Onkel		
			ihrer	Schwester		

Charakterquiz

Was für ein Mensch bist du? Sieh dir die fünf Kästchen A bis E an. In jedem Kästchen sind drei Situationen zu finden. Welche Situation stört dich am meisten?

A
1 Wenn du vergißt, etwas Wichtiges in den Urlaub mitzunehmen.
2 Wenn du eine halbe Stunde zu spät zu einer Verabredung kommst.
3 Wenn du bei Freunden Kaffee auf den Teppich gießt.

B
1 Wenn du in den falschen Bus steigst und deine Freunde eine halbe Stunde auf dich warten müssen.
2 Wenn du eine Mark in einem Automaten verlierst.
3 Wenn dein Freund/deine Freundin etwas Wichtiges für eine Party vergißt.

C
1 Wenn du zu deinem Geburtstag ein Geschenk bekommst, das dir nicht gefällt.
2 Wenn dir dein Freund/deine Freundin eine CD kaputt macht.
3 Wenn du nicht genug Geld dabei hast, um in einem Café zu bezahlen.

D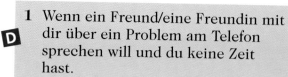
1 Wenn ein Freund/eine Freundin mit dir über ein Problem am Telefon sprechen will und du keine Zeit hast.
2 Wenn du vergißt, eine wichtige Nachricht weiterzugeben.
3 Wenn du zu spät zu einer Party kommst und es nichts mehr zu essen gibt.

E
1 Wenn du bei Freunden zum Essen eingeladen bist, aber keinen Hunger hast.
2 Wenn dir in der Stadt jemand den falschen Weg sagt und du folglich zehn Minuten verlierst.
3 Wenn etwas in deinem Schlafzimmer runterfällt und nicht mehr funktioniert.

Charakterquiz: Auswertung

Addiere die Punkte für die fünf Situationen, die du gewählt hast. Dann sieh dir die Endsumme an. Was für ein Mensch bist du?

ENDSUMME

SITUATION	PUNKTE	SITUATION	PUNKTE
A	1 5	**D**	1 10
	2 3		2 1
	3 10		3 5
B	1 1	**E**	1 1
	2 10		2 2
	3 5		3 3
C	1 10		
	2 5		
	3 1		

41-50 Du bist sehr materialistisch. Dinge sind dir viel wichtiger als Menschen. Du interessierst dich nicht sehr für die Gefühle von anderen Leuten.

31-40 Du bist ziemlich materialistisch. Du bist nicht sehr tolerant gegenüber anderen Leuten, wenn sie einen Fehler machen.

21-30 Du erwartest viel von anderen Leuten. Es ärgert dich, wenn jemand anders einen Fehler macht – aber bist du selber so perfekt?

11-20 Du denkst mehr an Menschen als Dinge. Insofern bist du sympathisch, aber du kannst auch manchmal ziemlich intolerant sein.

5-10 Recht sympathisch bist du. Die Gefühle von anderen Leuten sind dir wichtiger als deine eigenen Gefühle. Aber Vorsicht – die meisten Leute auf der Welt sind nicht so rücksichtsvoll wie du!

Lieschen

▭ Was geht dir auf die Nerven?

Sieh dir die Texte an. Acht Teenager beantworten hier die Frage: ‚Was geht dir auf die Nerven?'
Hör zu. Wer spricht jeweils?

Beispiel
1 Karin

Karin

Leute, die mich nicht ernst nehmen.

Jungen oder Mädchen, die einander nie treu sind.

Leute, die andauernd über Umweltprobleme reden.

Thomas

Meckernde Eltern, die ihre Kinder nie in Ruhe lassen.

Susanne

Ersun

Jugendliche, die todernst sind und keinen Spaß verstehen.

Bastian

Leute, die junge Leute immer wie Kinder behandeln.

Tanja

Lehrer, die uns zu viele Hausaufgaben geben.

Die Straßen und Autobahnen, die so stark befahren sind.

Halima

Peter

▭ Ich will nicht klagen

Hör zu und lies das Gedicht.

Leute, die nie Schlange stehen,
Nachbarn, die den Rasen mähen.

Lehrer, die nur Fünfen geben,
Schüler, die für die Schule leben.

Traurige Gesichter, die nie lachen,
Faule Freunde, die nichts machen.

Eltern, die keinen Spaß verstehen
Und zu früh nach Hause gehen.

Was mich nervt, ist leicht zu sagen,
Aber nicht so schlimm – ich will nicht klagen!

Tip des Tages

Was geht dir auf die Nerven?		
Leute,		mich nicht ernst nehmen.
Jugendliche,	die	keinen Spaß verstehen.
Eltern,		ihre Kinder nie in Ruhe lassen.
Lehrer,		uns zu viele Hausaufgaben geben.

Sorgenbriefe

Hier sind vier Sorgenbriefe und vier Titel, die durcheinander sind.
Welcher Titel paßt zu welchem Brief?

Auf einer Fete lernte ich ein hübsches Mädchen kennen. Sie gefiel mir sehr gut. Wir trafen uns fast jeden Tag, und nach einiger Zeit kannten wir uns schon sehr gut. Als wir bei einem Freund auf einer Fete eingeladen wurden, fragte ich sie, ob sie mit mir dort hingehen wollte. Aber sie sagte ‚nein‘, denn sie mochte zu der Zeit keinen Freund haben. An einem anderen Tag sah ich sie aber mit einem anderen Jungen, und sie küßten sich. Warum wollte sie dann nicht mit mir gehen, obwohl sie doch gesagt hat, sie findet mich toll?

Bernd (15) aus Seevetal.

Seit drei Monaten habe ich eine Freundin. Jetzt hat sie mir gesagt, daß ich mir neue Kleider kaufen soll, weil ich nicht genügend modische Sachen habe. Sie will mit mir Schluß machen, wenn ich das nicht tun will. Ich will mein Geld aber nicht für neue Klamotten ausgeben. Meine Eltern halten es auch nicht für nötig. Da ich aber meine Freundin liebe und sie nicht verlieren möchte, möchte ich wissen, was ich machen soll. Bitte helfen Sie mir!

Peter (16) aus Marburg.

Mein Problem klingt vielleicht lächerlich. Ich habe Mundgeruch, obwohl ich mir dreimal am Tag die Zähne putze. Dadurch habe ich auch schon viele Freundinnen verloren, weil ich mich nicht getraut habe, sie zu küssen. Merkt man überhaupt beim Küssen, ob der Partner Mundgeruch hat? Bitte raten Sie mir!

Karsten (15) aus Tübingen.

Keiner macht den Anfang!

Welchen Rat würdest du geben?

Hier sind Ratschläge für die Sorgenbriefe. Stell dir vor, du mußt einen Rat geben.
Wähl A, B oder C für jeden Sorgenbrief. Aber Vorsicht! Da sind keine richtigen Antworten. Das sind nur Meinungen. Was meinst du?

Bernds Problem

A Vergiß sie! Sie interessiert sich nicht für Dich. Am besten suchst Du Dir eine andere Freundin.

B Du solltest das Problem mit Deiner Freundin besprechen. Vielleicht hat sie das nur gemacht, um Dir etwas zu sagen!

C Deine Freundin weiß offenbar nicht, was sie fühlt. Sei nett zu ihr, lade sie wieder irgendwohin ein, dann hast Du vielleicht mehr Glück!

Peters Problem

A Wenn Deine Freundin Dich nicht so will, wie Du bist, kann sie Dich nicht sehr lieben. Vielleicht bist Du einfach nicht ihr Typ!

B Deiner Freundin ist Kleidung sehr wichtig. Wahrscheinlich sieht sie auch sehr gut aus. Könntest Du Dir nicht auch ab und zu ein modernes Kleidungsstück kaufen? Deine ganzen Ersparnisse würde es Dich doch nicht kosten!

C Was ist Dir wichtiger: Deine Kleider oder Deine Freundin? Trag, was ihr gefällt, und Du behältst sie. Oder bleib, wie Du bist, und Du verlierst sie sicher. Deine Wahl!

Karstens Problem

A Schlechten Atem bemerkt Deine Partnerin beim Küssen schon. Laß Dich so bald wie möglich vom Arzt und Zahnarzt untersuchen.

B Mundgeruch ist natürlich ein Problem, aber Du kannst etwas dagegen machen. Trink jeden Tag Salbeitee. Es gibt auch einen speziellen Kaugummi, der gegen Mundgeruch wirksam ist.

C Mach Dir keine Sorgen! Die nettesten Leute können Mundgeruch haben. Wenn Dich ein Mädchen deswegen nicht küssen will, ist sie sowieso nicht der Mühe wert.

Merkt der Partner beim Küssen, ob man Mundgeruch hat?

Meine Freundin küßte einen anderen

Wir kennen zwei Jungen, die gerne mit uns gehen wollen. Beide sind aber ein Jahr jünger als wir. Sehr schüchtern sind sie auch noch. Wir finden sie sehr süß, wollen aber nicht den Anfang machen. Was sollen wir tun? Sind sie vielleicht so schüchtern, weil sie jünger sind als wir? Vor drei Wochen haben wir eine Party veranstaltet. Aber es geschah nichts. Sie saßen nur blöd herum und schielten ab und zu mal verlegen rüber!

Claudia und Petra (16 und 15) aus Wuppertal.

Meine Freundin nörgelt an meinen Klamotten rum

Claudias und Petras Problem

A Die beiden sind zu jung für Euch. Wenn Ihr nicht ewig warten wollt, sucht lieber Jungen, die nicht so schüchtern sind.

B Ihr schreibt, daß Ihr diese Jungen ‚süß' findet. Vielleicht ist das nur so, weil sie so schüchtern sind. Seid Ihr sicher, daß Ihr sie noch so interessant findet, wenn Ihr Euch mal besser kennt? Vorsicht!

C Warum wollt Ihr nicht den Anfang machen? Weil Ihr Mädchen seid? Das ist doch kein Grund! Versucht's mal! Vielleicht wissen die gar nicht, daß Ihr sie so gern mögt!

Tip des Tages

Ich	lernte ein Mädchen kennen. sah sie mit einem anderen.
Sie	gefiel mir gut. wollte nicht mit mir gehen.
Wir	trafen uns jeden Tag. kannten uns sehr gut.
Sie	küßten sich. saßen nur blöd herum.

Klamotten-Einkauf

Worauf achten diese Teenager, wenn sie Klamotten kaufen? Auf den Preis? Auf den Stil? Auf die Marke? Lies die Texte.

Mir macht es Spaß, nach Hamburg zu fahren, um nach Klamotten zu gucken. Aber ich finde es ziemlich nervig, wenn die Verkäuferin auf mich zustürzt, bevor ich mich überhaupt umgucken kann. Wenn ich aber etwas Schönes gefunden habe, freue ich mich schon darauf, es direkt am Abend oder am nächsten Tag anzuziehen.
Catrin Bellmann, 17 Jahre

Ich gehe wahnsinnig gern einkaufen. Die Klamotten, die ich kaufe, müssen zu meinem Stil passen, von guter Qualität sein und auch nicht zu teuer sein. Nur leider ist es so, immer wenn ich mir etwas Besonderes kaufen möchte, habe ich kein Geld in der Tasche. Millionär müßte man sein!
Nina Löber, 16 Jahre

Da mir das Einkaufen Spaß macht, verbringe ich ab und zu ganze Tage in Hamburg. Dabei gehe ich neben ziemlich teuren Boutiquen auch in Second-Hand-Shops. Ich kleide mich gern modisch – aber nichts Ausgeflipptes.
Christian Lodert, 16 Jahre.

Wenn ich mir Klamotten kaufe, achte ich nie auf die Marke. Es sollten aber dann auch keine billigen Klamotten sein. Ich kaufe mir am liebsten locker sitzende Sachen, die vielleicht nicht mal mehr in Mode sind.
Alexander Sekulio, 16 Jahre

Ich kaufe eigentlich nie Klamotten, weil sie modern sind oder weil sie einen besonderen Namen haben. Wenn ich mir Klamotten kaufe, dann sind es solche, die mir gefallen – etwas Bequemes und nicht zu Teueres. Billige T-Shirts und Jeans zum Beispiel.
Yvonne Krieger, 16 Jahre

Beim Kauf von Klamotten kommt es darauf an, daß sie cool aussehen. Der Preis spielt dabei keine große Rolle.
Mark Ilsemann, 17 Jahre

Ich bevorzuge kleine Boutiquen, denn ich versuche schon möglichst modisch gekleidet zu sein. Ich will nicht genau so rumlaufen wie jeder andere – ich will die Klamotten als eine der ersten haben.
Franziska Kadee, 17 Jahre

Wie sagt man auf deutsch?

Finde das Deutsche in den Texten oben.

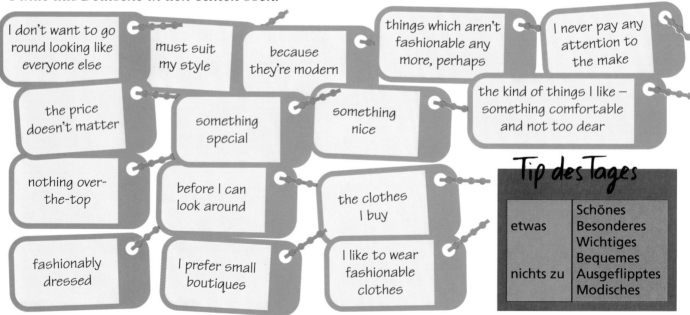

I don't want to go round looking like everyone else	must suit my style	because they're modern	things which aren't fashionable any more, perhaps	I never pay any attention to the make
the price doesn't matter	something special	something nice		the kind of things I like – something comfortable and not too dear
nothing over-the-top	before I can look around	the clothes I buy		
fashionably dressed	I prefer small boutiques	I like to wear fashionable clothes		

Tip des Tages

etwas	Schönes
	Besonderes
	Wichtiges
	Bequemes
nichts zu	Ausgeflipptes
	Modisches

●● Partnerarbeit. Ist die Mode wichtig?

Kleider, Mode und Image. Wie wichtig sind sie?
Was ist dir am wichtigsten?

Was hältst du von anderen, die Modesachen
wichtig finden?
Stellt einander die Fragen.

A
Wie wichtig ist dir dein Image? →

B
- Sehr wichtig.
- Ganz wichtig.
- Das ist mir egal.

A
→ Und die Mode? Was hältst du davon?

A
Was ist dir am wichtigsten, wenn du dir
Klamotten kaufst? Der Preis? Die Marke?
Der Stil? Oder was?

B
- Ich interessiere mich gar nicht für Kleidung.
- Toll! Ich kleide mich immer modisch.
- Das ist alles schön und gut, aber es kostet zuviel!

B
- Der Preis – zum Beispiel kaufe
  ich billige T-Shirts und Jeans.
- Ich achte immer auf die Marke.
  Ich will nämlich cool aussehen.
- Ich kaufe nur Klamotten, die
  mir gefallen und bequem sind.

A
Gibst du viel
Geld für
Klamotten aus?

B
- Ja, mein ganzes Geld. Mein
  Aussehen ist mir am wichtigsten.
- Ziemlich viel, aber nur, weil
  Klamotten so teuer sind.
- Nein, nicht viel. Ich trage lieber
  alte bequeme Klamotten.

B
- Ja, sicher. Ich finde, man sollte immer versuchen, sich schön
  und cool zu kleiden.
- Alles, was Image und Mode betrifft, ist lauter Quatsch! Die
  Mode geht mir auf die Nerven!
- Das ist mir egal. Andere Leute können tragen, was sie wollen.

A
Ist es dir auch wichtig, wie
andere Leute aussehen?

Stimmt das?

Lies die Meinungen.

Image ist wichtiger
für Mädchen als für Jungen.

Die
meisten
Teenager haben
Streit mit ihren
Eltern.

Teenager
haben Gefühle und
Probleme, aber keine
Rechte.

Die meisten
Lehrer wollen nichts über
andere Fächer hören – für sie
ist ihr Fach das wichtigste
in der ganzen Schule.

Jungen wollen nie
über ihre Probleme miteinander
reden – Mädchen sind offener und
sensibler als Jungen.

Die meisten Eltern
verstehen die Probleme nicht, die
viele Teenager haben.

Wie reagierst du darauf? Gib deine
Meinung!

Ja, das stimmt. Das meine ich auch.

Findest du? Ich nicht!

Es kann sein – das ist mir egal!

Meinst du wirklich?

Nein, das stimmt (überhaupt) nicht.

Lauter Quatsch!

Lieschen

VORHIN HAT PETER,
BLÖDE KUH ZU MIR
GESAGT!

GESTERN
HAT ER MIR SEINEN
KAUGUMMI AUF DEN
STUHL GEKLEBT!

UND VORGESTERN
HAT ER MEINE
MÜTZE IN DEN DRECK
GEWORFEN!

WAHRSCHEINLICH
IST ER IN MICH
VERLIEBT!

Das größte Problem für die Jugend von heute

Nicht nur Teenager haben Probleme – und nicht alle Probleme sind Teenagerprobleme. Lies die Meinungen von sechs Jugendlichen, die diese Frage beantworten:

‚Was ist das größte Problem für die Jugend von heute?‘
Welche Probleme erwähnen sie? Mach eine Liste davon.

Für mich ist das größte Problem die Angst vor der Atombombe. Sonst finde ich die Arbeitslosigkeit noch sehr schlimm. Außerdem ist die Umweltverschmutzung ein großes Problem, das uns alle angeht.

Emin (15)

Ich weiß nicht genau, aber ich glaube, AIDS ist das größte Problem, weil es so viele betrifft und man noch zu wenig darüber weiß. Und viele denken: AIDS ist ja schlimm, aber es betrifft mich nicht. Ich glaube, es ist gefährlich, AIDS zu ignorieren.

Marcel (16)

Die Unsicherheit, was in der Zukunft passiert. Damit sind die Arbeitslosigkeit und ein Atomkrieg gemeint. Ich habe auch Angst vor lebensgefährlichen Krankheiten wie Krebs.

Uda (17)

Drogen: Träume zerplatzen.

Ich denke, die größten Probleme sind Umweltverschmutzung und die Atomwaffen. Mit Drogen und AIDS muß jeder allein fertigwerden. Aber gegen die Bombe kann ich fast gar nichts tun.

Barbara (17)

Ich meine, die zwei größten Probleme für die Jugend sind die Arbeitslosigkeit und die Umweltzerstörung.

Holger (16)

Der Krieg macht mir am meisten Angst.

Olaf (18)

Mach eine Umfrage in deiner Klasse. Stell dieselbe Frage:
‚Was ist das größte Problem für die Jugend von heute?‘

Steffi und Freunde

Ja, aber, das ist das ganze Problem – die Leute sind einfach zu materialistisch..

Dann denken sie nicht genug an andere Leute, die dabei isoliert werden, und daraus ergeben sich dann eine ganze Menge andere Probleme – nämlich Drogen, Kriminalität, Alkoholismus blablablablabla ...

Weißt du, was ich im Moment für das größte Problem halte?

Nein, was?

Daß du vor zwei Stationen deine Haltestelle verpaßt hast.

Oh verdammt!!!

Die Arbeitslosigkeit

Denkst du an Arbeitslosigkeit?
Lies die Texte, und beantworte die Fragen.

Dann wähl zwei oder drei Sätze, die deine
Meinungen darüber ausdrücken.

Michaela

Ja, ich denke daran, wenn auch noch nicht so oft, da ich erst in zwei Jahren von der Schule abgehe. Aber bereits jetzt sind Klassenkameraden vor mir abgegangen, und ich hab' schon mitgekriegt, wie schwierig es war, eine Lehrstelle zu bekommen.

Jessica

Natürlich hat man Angst, wie ein Penner auf der Straße zu sitzen. Ich glaube nicht, daß ich schnell eine Arbeit finde. Dafür braucht man sehr gute Noten und viel Glück.

Julia

Als meine Mutter arbeitslos war, hatte ich Angst. Als sie dann wieder Arbeit hatte, habe ich nicht mehr daran gedacht.

Oft werden junge ausländische Arbeiter von arbeitslosen Jugendlichen verprügelt. Sie glauben, die Ausländer nehmen ihnen die Arbeitsplätze weg. Das stimmt aber nicht. Oft machen Gastarbeiter die Jobs, die die Deutschen nicht machen wollen.

Timo

Meiner Meinung nach kann jeder, der wirklich arbeiten will, eine Arbeitsstelle finden, auch wenn es nur als Kellner in einer Bar ist.

Petra

Ich finde es schlimm, daß es so viele Arbeitslose gibt. Ich glaube, das Computerzeitalter macht uns alle kaputt.

Marcel

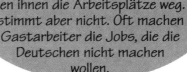

Wer hat das wohl gesagt?

Lies die Texte oben noch einmal, und lies diese
Bemerkungen. Wer hat das wohl gesagt?
Schreib die Namen auf.

1 Maschinen sind billiger als Arbeiter.

2 Als sie eine neue Stelle fand, dachte ich mir, dann brauche ich keine Angst mehr vor der Arbeitslosigkeit zu haben.

3 Im Moment habe ich keine große Angst davor, aber ich weiß, daß das schon ein Problem ist.

4 Ich mache mir Sorgen, daß es für mich in der Schule schief geht – nicht nur Glück braucht man, um eine Arbeit zu finden.

5 Man kann nicht darüber klagen, daß man keinen Job hat, wenn es noch Arbeitsplätze gibt, die man nicht machen will.

6 Es gibt doch genug Arbeit für alle, die wirklich arbeiten wollen.

Schreib mal wieder!

Stell dir vor, du hast folgenden Brief erhalten.
Lies den Brief und beantworte die Fragen, die
Dir Dein(e) Brieffreund(in) stellt.

Hallo!
„Hast Du Probleme?" hat man mich in einer Umfrage gefragt. Habe ich Probleme?!
Na und wie! Guck mal – ich lege Dir die Fragen bei:

Was für Probleme hast du in der Schule?
Und mit deinen Freunden?
Was geht dir zu Hause auf die Nerven?
Wie verstehst du dich mit deiner Familie?
Welche Leute nerven dich am meisten?
Was ist das größte Problem für die heutige Jugend?
Und das zweitgrößte?

Mein Problem sind Leute, die dumme Umfragen machen und mir doofe Fragen stellen! Wie würdest Du diese Fragen beantworten?
Hilfe!!
Schreib bald wieder!

Dies und das

Verrät die Hand deinen Charakter?

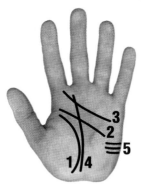

Was kann man aus einer Hand lesen? Viele Leute glauben, daß die Handlinien schon etwas über Charakter und Eigenarten eines Menschen aussagen. Hier stellen wir euch einen Schnellkurs über die Kunst des Handlesens vor.

In der linken Hand sind unsere Talente und Fähigkeiten festgelegt (bei Linkshändern sieht man sie in der rechten!). In der rechten steht geschrieben, was wir aus unseren Fähigkeiten gemacht haben.

Die Lebenslinie (1)
Es hat nichts damit zu tun, wie lange man lebt. Sie zeigt die Vitaltät und Lebenskraft eines Menschen an.

Die Kopflinie (2)
Eine starke Kopflinie bedeutet Verstand. Ist sie schwach, hat man es mit einem romantischen Typ zu tun. Wenn die Kopflinie über eine kurze Strecke mit der Lebenslinie verbunden ist, so ist das ein gutes Zeichen und verrät Besonnenheit.

Die Herzlinie (3)
Ist sie stark geschwungen, bedeutet das: warmherzig, gefühlvoll. Die gerade Herzlinie deutet auf einen Egoisten. Ist sie mehrfach unterbrochen, hat man es mit einem Typ zu tun, der gerne flirtet und es mit der Treue nicht so genau nimmt.

Die Schicksalslinie (4)
Muß nicht unbedingt bei jedem da sein. Fehlt sie, deutet das auf ein ruhiges Leben hin. Ist sie gerade und ununterbrochen, sagt sie ein Leben ohne Störungen voraus. Wellig bedeutet: Ein unbeständiges Leben.

Die Gefühlslinie (5)
Viele kurze waagerechte Linien an der Handseite sind ein Zeichen dafür, daß es ein Typ ist, der sich stark von Gefühlen leiten läßt.

Nun guckt euch eure eigenen Hände an und die Hände euerer Freunde. Stimmt das alles oder nicht?

Umgangssprache

Kannst du Umgangssprache? Mach diesen kleinen Test. Sieh dir die zwei Listen an. Links siehst du die ,normale' Sprache – wie man schreiben würde.
Rechts siehst du, was junge Leute dazu sagen würden, und wie das auf englisch heißt. Was paßt wozu?

Beispiel
1 schlafen – h pennen (to sleep, kip)

1 schlafen	a Da hab' ich keinen Bock d'rauf. *(I don't feel like it.)*
2 toll	b heulen *(to cry)*
3 Toilette	c doof *(stupid)*
4 furchtbar	d abhauen *(to go away, clear off)*
5 Ich habe keine Lust dazu.	e fies *(awful)*
6 verrückt	f Klo *(toilet, loo)*
7 weinen	g Klamotten *(clothes, gear)*
8 sprechen	h pennen *(to sleep, kip)*
9 weggehen	i bekloppt *(mad, loony)*
10 verstehen	j mitkriegen *(to understand)*
11 Kleidung	k quatschen *(to talk, chat)*
12 dumm	l dufte *(great)*

ROTFUCHS

Jan P. Schniebel © Rowohlt Taschenbuch Verlag GmbH, Reinbek bei Hamburg

Bildgeschichte

sb ▶ Selbstbedienung

⚑ Wie ist es richtig?

Schreib die Sätze richtig auf.

meinem gut komme meiner ich Probleme

aus Bruder Freundin

nicht ich habe

mit mit

ist mich verstehen und

für der Schwester meine

zuviel Schulstreß gut ich

uns

⚑ Wer, wie, was?

Es steckt hier im Rätsel ein Wort – finde es heraus.

Mein erstes ist in **Preis** aber nicht in **Kleider**.

Mein zweites ist in **sauer** aber nicht in **scheu**.

Mein drittes ist in **doof** aber nicht in **dumm**.

Mein viertes ist in **Brief** aber nicht in **Ferien**.

Mein fünftes ist in **Eltern** aber nicht in **Freunde**.

Mein sechstes ist in **Streß** aber nicht in **Spaß**.

Mein siebtes ist in **gemein** aber nicht in **geeignet**.

Mein letztes ist in **wie** aber nicht in **wo**.

Mein ganzes sollte man versuchen, zu lösen!

Schreib selbst ein ähnliches Wörterpuzzle.

⚑ Hilfe!

Hier sind eine Menge Probleme. Aber sind das persönliche Probleme oder weltweite Probleme? Schreib ,persönlich' oder ,Welt' für jedes Problem.

Beispiel

1 persönlich

1 Meine Eltern verstehen mich nicht.
2 Der saure Regen zerstört die Wälder.
3 Wir verschmutzen das Meer.
4 Ich habe Mundgeruch.
5 Die Klamotten, die mir gefallen, sind zu teuer.
6 Es gibt so viele Arbeitslose.
7 Millionen von Leuten nehmen Drogen.
8 Mit meinen Lehrern komme ich nicht gut aus.

⚑ Zufrieden oder unzufrieden?

Lies folgende Bemerkungen. Sind die Leute zufrieden ☺ oder unzufrieden ☹?

Beispiel
1 zufrieden

4 Meine Lehrer verstehen mich überhaupt nicht.

2 Ich bin immer gleich sauer.

3 In der Clique bin ich immer das fünfte Rad am Wagen.

1 Ich komme mit meiner Familie sehr gut aus.

6 Ich hasse die Schule – der Streß ist zuviel für mich.

Ich habe wirklich Angst!

5 Meistens komme ich mit meinem Bruder gut aus.

7 Eigentlich habe ich im Moment gar keine Probleme.

10 Meine Eltern sagen, daß ich mir einen Job suchen soll. Das Geld brauche ich aber nicht.

8

Ich kann nicht klagen.

Ich habe ein enges Verhältnis zu meinen Großeltern, die ich besonders gern habe.

9 Mein jüngerer Bruder nervt mich die ganze Zeit, obwohl ich oft mit ihm spiele. **11**

12 Bei Mädchen kriege ich keinen Ton raus.

13 Keiner nimmt mich ernst.

Ich mache mir keine Sorgen wegen Arbeitslosigkeit – wenn man arbeiten will, gibt es genug Arbeit für alle. **15**

14

⚑ Ich finde keine Freundin

Lies Axels Brief an ein Jugendmagazin, und sieh dir die Bilder an.
Wie ist die richtige Reihenfolge?

Hallo Inge!

Ich bin noch nie mit einem Mädchen gegangen. Fast alle aus meiner Klasse haben eine Freundin. Nur ich nicht. Ich glaube, ich bin zu schüchtern.

Ich habe öfter mal in der Stadt oder auf der Straße ein bestimmtes Mädchen gesehen, das ich sehr mochte. Ich kannte nur ihren Vornamen, bekam aber später heraus, wie sie heißt und wo sie wohnt. Ich kaufte ihr Blumen, schrieb ihr einen Brief und legte die Sachen vor ihre Haustür. In den folgenden Tagen bekam ich keine Antwort auf meinen Brief mit der Einladung zum Essen. Eines Morgens bekam ich die Mitteilung von einem ihrer Mitschüler, daß die Antwort ‚nein' heißt.

Ich weiß nicht, was ich machen soll. Vielleicht bin ich auch zu schüchtern. Hinzu kommt, daß ich nicht gerade groß bin oder gut aussehe, vor allem wegen meiner Pickel. Mit so einem Aussehen bekomme ich wohl nie eine feste Freundin.

Ich hoffe, Du gibst mir einen geeigneten Rat und hilfst mir. Bitte schreib schnell zurück!

Dein Axel.

Schreib eine Antwort an Axel mit einem guten Rat!

sb ▶ *Selbstbedienung*

Im Gegenteil

Was paßt wozu?
Finde vier Paare heraus, die gegensätzlich sind, und schreib sie unter den Titeln unten auf.
Beispiel

Bemerkung	Im Gegenteil
Umweltverschmutzung ist ein großes Problem, das uns alle angeht.	Es geht mich nichts an, wenn sich die Leute nicht um die Umwelt kümmern wollen. Das ist mir egal.

Ich glaube nicht, daß es so schwierig ist, eine Stelle zu finden.

Für mich ist das Aussehen sehr wichtig. Ich will nicht wie alle anderen aussehen, darum achte ich immer auf die Marke, wenn ich mir Klamotten kaufe.

Ich komme überhaupt nicht gut mit meiner Familie aus. Es gibt andauernd Streit. Das kann ich nicht leiden.

Was mein Image betrifft, ist mir völlig egal. Ich kleide mich lieber locker und bequem. Leute, die sich nach der Mode zurichten, finde ich blöd!

Es geht mich nichts an, wenn sich die Leute nicht um die Umwelt kümmern wollen. Das ist mir egal.

Ich habe Angst vor der Arbeitslosigkeit. Auch wenn man gute Noten bekommt, ist es nicht leicht, eine Stelle zu finden.

Umweltverschmutzung ist ein großes Problem, das uns alle angeht.

Ich habe ein enges Verhältnis zu meinen Eltern. Wir verstehen uns besonders gut.

Gut gesagt

Lies die Texte. Was beschreibt man jeweils?
Beispiel
1 Umgangssprache

1 Das sind Wörter oder Ausdrücke, die man unter Freunden benutzt, die man aber normalerweise nicht schreiben würde.

2 Das ist der Zustand eines Menschen, der in der Schule oder in seiner Arbeit unter Druck steht.

3 So nennt man eine Gruppe von Freunden, die sehr gut miteinander auskommen und alles zusammen unternehmen.

4 Keine Arbeitsstelle zu haben ist ein besonders schweres Problem für Leute, die Geld brauchen, um ihre Familie zu unterstützen.

5 Das ist vielleicht die schlimmste Krankheit des 20. Jahrhunderts, an der jedes Jahr Tausende von Menschen überall auf der Welt sterben.

Das Alphabet der Probleme

Kannst du ein Problem für jeden Buchstaben im Alphabet finden?
Mach eine Liste und schreib Sätze.
Beispiele
A Ich habe **ANGST** vor einem **ATOMKRIEG**.
B Mein **BRUDER** nervt mich
C In der **CLIQUE** bin ich immer das fünfte Rad am Wagen.
D …

1   Asking questions

Was	nervt dich?	What annoys you?
	geht dir auf die Nerven?	What gets on your nerves?
	für ein Mensch bist du?	What sort of person are you?
Wie	kommst du mit deiner Familie aus?	How do you get on with your family?
	verstehst du dich mit deinen Eltern?	How do you get on with your parents?

2   Expressions using *mit* + the dative

Ich habe Probleme	mit	meinem Freund.	I have problems with my (boy)friend.
		meiner Freundin.	I have problems with my (girl)friend.
		meinen Eltern.	I have problems with my parents.
Ich verstehe mich gut		meinem Bruder.	I get on well with my brother.
		meiner Schwester.	I get on well with my sister.

| Er kommt mit | seinem Vater | nicht gut | aus. | He doesn't get on well with his father. |
| | seiner Mutter | sehr gut | | He gets on very well with his mother. |

3   Prepositions: *vor, bei, zu* (+ dative); and *auf* (+ accusative)

Ich habe Angst	vor	der Arbeitslosigkeit.	I'm afraid of unemployment.
		dem Atomkrieg.	I'm afraid of nuclear war.
Er wohnt	bei	seinen Eltern.	He lives with his parents.
Ich habe	keinen Kontakt mehr	zu	meinen Eltern.	I have lost touch with my parents.
	ein gutes Verhältnis		meiner Schwester.	I've got a good relationship with my sister.
Ich achte immer	auf	die Marke.	I always take notice of the make.

4   Relative pronouns – who, which, that

Such dir einen Jungen,	der	nicht so schüchtern ist.	Look for a boy who isn't shy.
Meine Schwester,	die	doof ist.	My sister, who is daft.
Das ist ein Problem,	das	uns alle angeht.	That is a problem which affects us all.
Leute,	die	nie Schlange stehen.	People who never queue.
		mich nicht ernst nehmen.	People who don't take me seriously.
Ich kaufe Klamotten,		mir gefallen und die bequem sind.	I buy clothes which I like and which are comfortable.

5   More on the imperfect tense

Ich	sah	sie mit einem anderen.	I saw her with someone else.
	schrieb	ihr einen Brief.	I wrote her a letter.
	bekam	keine Antwort darauf.	I didn't get an answer to it.
Sie	gefiel	mir gut.	I liked her very much.
	wollte	nicht mit mir gehen.	She didn't want to go out with me.
Wir	trafen	uns jeden Tag.	We met every day.
Sie	küßten sich.		They were kissing.

6   Something and nothing

etwas	Schönes	something nice
	Besonderes	something special
	Wichtiges	something important
	Bequemes	something comfortable
nichts	Besonderes	nothing special
	Ausgeflipptes	nothing 'over the top'
Es gibt viel	Schlimmeres.	There are much worse things.

Was machst du in deiner Freizeit?

Hör gut zu. Wer spricht jeweils? Welches Bild ist das?

Beispiel
1C (Prem)

A Jens

B Anke

C Prem

D Holger

E Sönke

F Silvia

G Ranjit

H Anne

I David

J Michael

Partnerarbeit

Stell und beantworte Fragen.
A – Wer ist Mitglied in einem Judoverein?
B – Jens.

Bist du Mitglied in einem Verein?

Hör gut zu und lies die Texte. Dann beantworte die Fragen.

Jamal: Ja, ich bin seit einem Jahr Mitglied in einem Sportverein. Es macht riesigen Spaß.

Jutta: Nein, ich bin nicht sehr aktiv. Ich spiele lieber mit meinem Computer. Das finde ich viel interessanter als Clubs und Vereine.

Christina: Nein, ich habe zu viel für die Schule auf.

Emira: Ja, ich bin seit sechs Monaten Mitglied in einem Jugendclub. Da ist immer viel los ... Discos, Partys ... Das macht Spaß.

Lutz: Nein, ich gehe lieber mit meiner Freundin aus.

Axel: Ich bin seit zwei Jahren Mitglied in einem Judoverein.

1 Wie viele interessieren sich für Sport?
2 Wer ist seit längster Zeit Mitglied in einem Club?
3 Wer geht gern tanzen?
4 Wer arbeitet sehr fleißig?

Und du? Bist du Mitglied in einem Verein? Seit wann?

Tip des Tages

Ich bin Er ist Sie ist	seit	einem anderthalb zwei drei vier	Jahr Jahren Monaten Tagen	Mitglied	in einem	Judoverein. Schachclub. Reitverein.

Partnerarbeit. Wer bin ich?

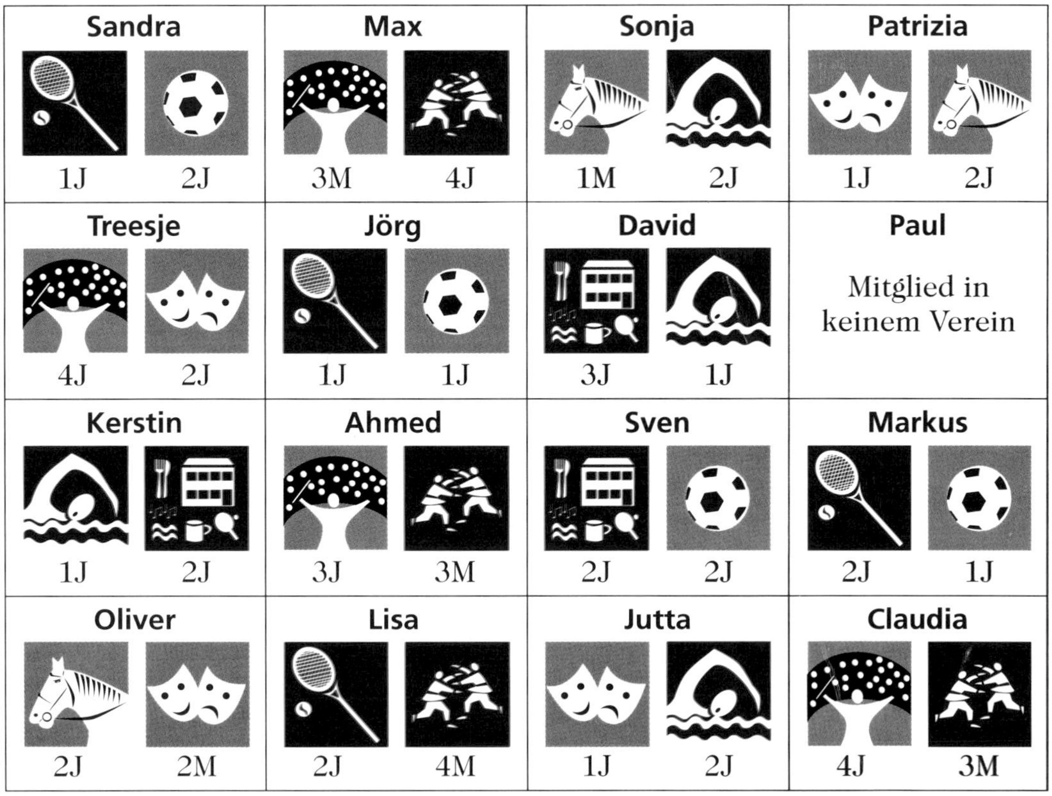

Sandra	Max	Sonja	Patrizia
1J 2J	3M 4J	1M 2J	1J 2J
Treesje	**Jörg**	**David**	**Paul**
4J 2J	1J 1J	3J 1J	Mitglied in keinem Verein
Kerstin	**Ahmed**	**Sven**	**Markus**
1J 2J	3J 3M	2J 2J	2J 1J
Oliver	**Lisa**	**Jutta**	**Claudia**
2J 2M	2J 4M	1J 2J	4J 3M

Schlüssel

- Tennisclub
- Orchester
- Reitverein
- Theatergruppe
- Jugendzentrum
- Schwimmverein
- Fußballverein
- Judoverein

Partner(in) B wählt eine Person. Partner(in) A muß erraten, welche Person das ist.

1J	= seit einem Jahr
2/3/4J	= seit zwei/drei/vier Jahren
1M	= seit einem Monat
2/3/4M	= seit zwei/drei/vier Monaten

Beispiel

B – Ich habe gewählt.
A – Bist du Mitglied in einem Reitverein?
B – Nein.
A – Bist du Mitglied in einem Schwimmverein?
B – Nein.
A – Bist du Mitglied in einem Tennisclub?
B – Ja.
A – Seit einem Jahr?

B – Ja.
A – Bist du auch Mitglied in einem Fußballverein?
B – Ja.
A – Seit zwei Jahren?
B – Ja.
A – Du bist Sandra.
B – Richtig. Jetzt bist du dran.

Welche Aktivität ist das?

Hör gut zu und lies die Definitionen? Was ist das?

1 Das ist eine Sportart, die vor allem in einer Halle stattfindet. Man braucht einen kleinen, leichten Ball, einen kleinen Schläger und einen Tisch mit einem Netz in der Mitte.

2 Um zu dieser Gruppe zu gehören, muß man ein Instrument spielen können.

3 Hier spielen zwei Mannschaften gegeneinander. Jede Mannschaft hat elf Spieler – einer davon ist der Torwart. Beide Mannschaften versuchen, zu schießen. Man darf den Ball nicht mit der Hand berühren.

4 Diese Sportart treibt man nur im Winter, denn man braucht dafür viel Schnee. Man hat zwei Stöcke in der Hand und Bretter an den Füssen, so kann man schnell einen Berg hinuntersausen.

5 Diesen Sport kann man in einer großen Halle oder draußen ausüben. Man braucht dazu einen Helm, Stiefel – und ein Pferd.

Turn- und Sportverein

Lies den Text.

Fast jedes Dorf und jede Kleinstadt in Deutschland hat einen Turn- und Sportverein. Der TuS ist ein Club für viele Sportarten, zum Beispiel Tennis, Fußball, Leichtathletik, Judo und Schwimmen. Hier sind Artikel aus dem Jahresbericht des TuS in Hemdingen. Hemdingen ist ein Dorf nördlich von Hamburg.

Leichtathletik
Seit fünf Jahren fahren wir Leichtathleten während der Osterferien nach Montpellier in Südfrankreich. Dort haben wir intensives Training bei schönem Wetter. Zu Ostern ist das Wetter in Südfrankreich wie ein norddeutscher Sommer! Wir freuen uns schon wieder auf unsere nächste Frankreichfahrt im April.

Leichtathletiktraining findet jeden Tag von 15 bis 20 Uhr auf dem Sportplatz statt.

Tennis
Der Tennisboom geht weiter. Daher haben wir im Frühjahr zwei weitere Plätze gebaut. Wir haben jetzt 150 Tennisspieler, darunter 50 Jugendliche. Wir mußten in diesem Jahr auch 40 Interessenten auf die Warteliste setzen.

Wir sind froh über das große Interesse der Jugendlichen am Tennissport, und wir bieten jedem Jugendlichen vor Eintritt in die Abteilung sechs Stunden kostenloses Training bei einem Tennistrainer an, um Interesse und Fähigkeit zu testen.

Training: Jeden Tag von 14-22 Uhr in der Tennishalle.

Judo
Die folgende Anzahl von Judokas haben dieses Jahr erfolgreich ihre Gürtelprüfungen bestanden:
gelb – 15   orange – 10   grün – 6
blau – 2   braun – 1   schwarz – 1

Training: Mittwoch von 18 bis 20 Uhr in der kleinen Sporthalle.

Schwimmen
Schwimmt mit! Es macht fit! Wir trainieren donnerstags von 18 bis 21 Uhr. Vom September bis Juni im Hallenbad. Die Sommersaison im Freibad.

Rollkunstlauf
Wir springen, tanzen und drehen unsere Pirouetten in der Turnhalle oder auf dem Tennisplatz.

Wer Lust hat, kann am Freitagnachmittag vorbeikommen. Wir trainieren von 15 bis 17 Uhr.

Faustball
Sonntagmorgens ab 10 Uhr trifft sich unsere Faustball-Abteilung immer in der großen Turnhalle.

In der Zeit von Anfang Juni bis Ende August machen die Faustballer eine Sommerpause.

Fußball
Die A-Jugend beendete die Saison mit dem Meistertitel. Die Mannschaft hat 10 Spiele gewonnen und 2 Spiele verloren. Ein Spiel war unentschieden.

Training: Jeden Tag von 14 bis 16 Uhr auf dem Sportplatz.

Richtig oder falsch?

1 Leichtathletiktraining kann man an einem Mittwoch nachmittag machen.
2 Mit dem Leichtathletikclub kann man ins Ausland fahren.
3 Tennis ist nicht sehr beliebt.
4 Es gibt dieses Jahr zwei neue Tennisplätze.
5 Das Training für Judo ist nur an einem Abend in der Woche.
6 Im Sommer kann man draußen schwimmen.
7 Die Rollkunstläufer trainieren bei gutem Wetter auf dem Tennisplatz.
8 Man kann das ganze Jahr hindurch Faustball spielen.
9 Die Fußballmannschaft hat zwölf Mal gespielt.
10 Es gibt drei Sportarten, die jeden Tag Training haben.

●● Partnerarbeit. Welche Sportart?
Partner(in) B wählt eine Sportart. Partner(in) B stellt Fragen.

Beispiel

A – Spielt man drinnen?
B – Nein, draußen.
A – Spielt man mit einem Ball?
B – Ja.
A – Ist das Golf?
B – Nein.

A – Spielt man mit einem Schläger?
B – Nein.
A – Spielt man in einer Mannschaft?
B – Ja.
A – Ist das Fußball?
B – Ja. Jetzt bist du dran.

Brieffreunde

Lies die Briefe und beantworte die Fragen.

Hameln, den 11. Juni

Liebe Mora!

Du wolltest mal wissen, was ich in meiner Freizeit mache.

Also, ich bin Mitglied in einem Tischtennisverein. Einmal in der Woche (jeden Freitag) muß ich zum Training in der Turnhalle – von 6 bis 8 Uhr abends. Wir sind viele Mitspieler, und im Verhältnis dazu gibt es ziemlich wenig Tischtennisplatten, das heißt, wir müssen manchmal draußen Volleyball spielen, aber das macht auch Spaß.

An den Wochenenden haben wir oft Turniere, das heißt, wir spielen gegen andere Vereine in der Stadt. Ob wir gewinnen oder nicht, es macht immer viel Spaß.

Und Du? Was machst Du am liebsten in Deiner Freizeit? Laß bald von Dir hören!

Dein Lutz

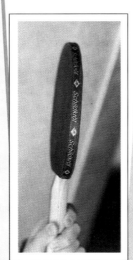

Tübingen, den 17. Juni

Hallo Jessica!

Du hast mich gefragt: Was machst Du in Deiner Freizeit?

Nun, ich gehe zweimal in der Woche zum Judotraining, und da sind meine Freundin und ich die beiden einzigen Mädchen, der Rest sind so siebzehn oder achtzehn Jungs.

Zuerst machen wir immer eine halbe Stunde Konditionstraining, und das ist ziemlich anstrengend. Wenn wir damit fertig sind, spielen wir meistens Fußball, was natürlich auch sehr lustig ist, und dann fängt das eigentliche Training an. Da üben wir verschiedene Würfe und Griffe, und zum Schluß (so die letzten 20–25 Minuten) wird dann gekämpft. Toll nicht?

Wenn Du nach Deutschland kommst, kannst Du auch mitmachen, wenn Du willst. Das macht riesigen Spaß!

Schreib bald wieder!

Deine Anke

27. August

Lieber Peter!

Es freut mich, daß Du gerne reitest. Ich gehöre auch einem Reitverein an. Ich habe mein eigenes Pferd und reite mindestens fünfmal in der Woche.

Ab und zu springe ich auch, aber was mir am allermeisten Spaß macht, ist, ins Gelände zu gehen. Es ist toll, über Felder zu galoppieren.

Das kostet alles ziemlich viel Geld, aber der Sport macht mir unheimlich viel Spaß. Am besten ist das Gefühl von Freiheit und Abenteuer!

Bist Du auch Mitglied in einem Verein?

Schreib bald wieder!

Tschüs,
Deine Sabine

1 Was macht Lutz in seiner Freizeit?
2 Wann geht er zum Training? Und wo?
3 Was macht er, wenn keine Tischtennisplatte frei ist?
4 Wann sind die Tischtennisturniere?
5 Wie viele Mädchen machen das Judotraining mit?
6 Wie lange dauert das Konditionstraining?
7 Wie lange kämpfen sie?
8 Wie oft reitet Sabine?
9 Ist es teuer, diesen Sport zu betreiben?
10 Was macht Sabine am liebsten?

Schreib mal wieder!

Schreib eine Antwort auf diese Fragen von deinem Brieffreund/deiner Brieffreundin.

Bist Du Mitglied in einem Club?
Seit wann?
Wie oft gehst du dahin?
Ist es teuer?

Tip des Tages

Einmal Zweimal Dreimal	in der Woche im Monat	gehe ich	zum Fußballverein. zum Judoverein. zum Training.
Jeden	Tag Freitag		

Partnerarbeit. Was hast du?

Mach Dialoge mit einem Partner/einer Partnerin.

| Was | hast du?
fehlt dir? | → | Ich habe | Kopfschmerzen.
Ohrenschmerzen.
Halsschmerzen.
Magenschmerzen.
eine Grippe. | | → | Du solltest | sofort ins Krankenhaus.
ins Bett gehen.
zum Arzt gehen.
etwas dagegen nehmen. |
| | | | Mein | Fuß
Bein
Rücken
Arm | tut weh. | | | |

Gute Ausrede!

Was sagst du jeweils als Ausrede?

Du willst nicht →
- im Chor singen.
- spazieren gehen.
- Schach spielen.
- Einkäufe machen.
- dein Zimmer aufräumen.
- deine Hausaufgaben machen.
- im Garten helfen.

Beispiel

> Ich kann nicht im Chor singen. Ich bin heiser, und mein Hund hat meine Noten aufgefressen. Meine Brille ist kaputt, und ich habe auch Magenschmerzen.

Mir ist neulich was passiert

Hör gut zu. Welches Bild paßt jeweils?

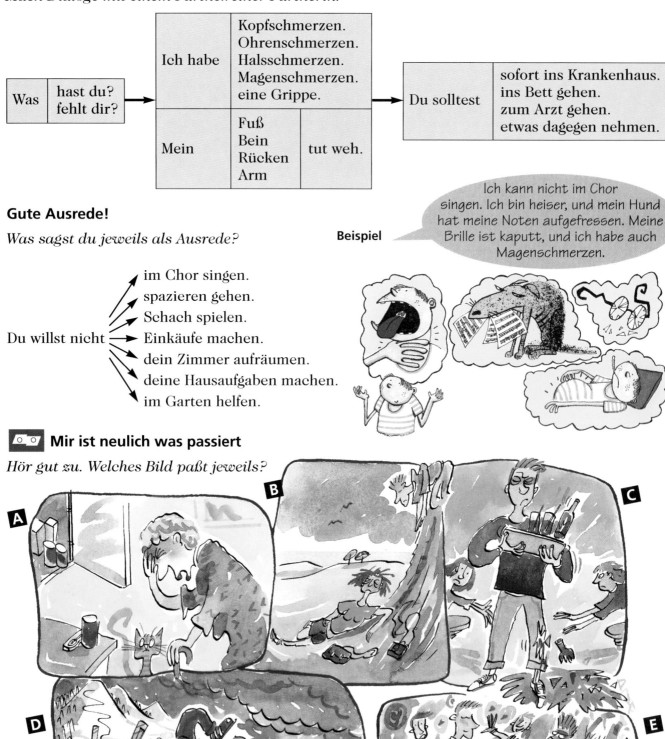

Drei Dialoge

*Hier sind drei Dialoge. Hör gut zu und lies den Text. Welche
Wörter fehlen? Wähl Wörter aus dem Kästchen aus.*

In der Apotheke

- Guten Tag. Ich hätt' gern was gegen Kopfschmerzen.
- Ja. Da kann ich _____ was empfehlen. Hier, _____ _____
  diese Tabletten.
- Und was kosten die?
- Ähm, DM 8,80 bitte.
- Gut.

Ich möchte einen Termin

- Guten Tag.
- Guten Tag, hier Kulot. Ich hätt' ganz gern 'n Termin _____ _____.
- Wie war _____ Name noch?
- Kulot.
- Ja, ja, richtig, hier ist die Karte. Bernd, ja?
- Ja, richtig.
- Ja, ähm, worum handelt es sich denn?
- Ähm, ja, ich hab' so komische Magenschmerzen.
- Ja, wir sind im Moment noch sehr voll. _____ _____ vormittags
  und nachmittags kommen?
- Nachmittags ist mir lieber.
- Nachmittags ist _____ lieber. Wie ist es denn mit morgen,
  Donnerstag, dem zwölften, um 15 Uhr 20?
- Ja, das geht.

In der Arztpraxis

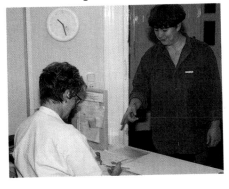

- Frau Menz, _____ _____ sich
  bitte einen kleinen Moment
  ins Wartezimmer setzen?
  ......

- Frau Menz, bitte, in
  Sprechzimmer Nummer
  zwei.
  ......

- Ja, guten Tag. Menz ist mein Name.
- Guten Tag. Was _____ _____ denn für ein
  Problem?
- Ja, ich habe so komische Magenschmerzen.

- Also, wo tut es weh?
- Hier.
- ... Also, das ist nichts besonders Schlimmes.
  Ich verschreibe _____ diese Tabletten.

Ihr	würden Sie	haben Sie	Ihnen		können Sie
Ihnen		Ihnen		nehmen Sie	bei Ihnen

‚Du' oder ‚Sie'? Schau im Grammatik: Überblick nach.

📼 Um fit zu bleiben

Hör gut zu und lies den Text. Beantworte dann die Fragen.

Steffi und Freunde

Christa

Ich schwimme regelmäßig. Ich gehe zweimal in der Woche ins Hallenbad.

Ich habe aufgehört, zu rauchen. Früher habe ich zwanzig Zigaretten pro Tag geraucht.

Tulai

Uwe

Um fit zu bleiben, fahre ich täglich rad und ich trinke keinen Alkohol.

In der Freizeit bin ich immer sehr aktiv. Um gesund zu bleiben, treibe ich viel Sport. Ich gehe jeden Tag zum Sportverein und trainiere zwei bis drei Stunden.

Kathrin

Alexander

Was ich mache, um fit zu bleiben? Also, nichts Besonderes ... aber ich esse nicht zuviel, und ich nehme keine Drogen.

Ich fahre oft rad, und einmal in der Woche mache ich Aerobik.

Ralf

Ich habe nicht viel Zeit, um Sport zu treiben, aber ich gehe jeden Tag mit dem Hund spazieren.

Heidi

1 Wie viele treiben Sport?
2 Wer macht am meisten, um fit zu bleiben?
3 Wer macht am wenigsten deiner Meinung nach?

Tip des Tages

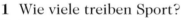

Um	fit gesund	zu bleiben,	gehe ich zweimal in der Woche schwimmen. fahre ich täglich rad. treibe ich viel Sport. trainiere ich jeden Tag. esse ich nicht zuviel.

Einen jüngeren Bruder zu haben, ist nicht schlecht.

Ich bin oben zu dünn und unten zu dick. Was kann ich machen?

Stell dich auf den Kopf.

Einen jüngeren Bruder zu haben, ist nicht schlecht – es ist einfach furchtbar!

Freie Zeit in Sicherheit

Baderegeln

 DLRG = Deutsche Lebensrettungsgesellschaft

1  Niemals mit vollem oder ganz leerem Magen baden!

2 Meide zu intensive Sonnenbäder!

3  Bei Gewitter ist Baden lebensgefährlich.

4  Kühle dich ab, bevor du ins Wasser gehst, und verlasse das Wasser sofort, wenn du frierst!

5  Nur springen, wenn das Wasser unter dir tief genug und frei ist!

6  Verunreinige das Wasser nicht und verhalte dich hygienisch!

7  Luftmatratzen, Autoreifen und Gummitiere sind im Wasser gefährliches Spielzeug!

8 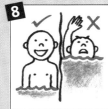 Als Nichtschwimmer nur bis zur Brust ins Wasser gehen!

9  Überschätze im freien Gewässer nicht Kraft und Können!

10  Rufe nie um Hilfe, wenn du nicht wirklich in Gefahr bist; aber hilf anderen, wenn sie in Not sind.

11  Nimm Rücksicht auf andere Badende, besonders auf Kinder!

12  Ziehe nach dem Baden das Badezeug aus und trockne dich ab!

Was paßt wozu?   **Beispiel**
1G

A Gib acht – paß auf andere Schwimmer, besonders auf Kinder, auf.
B Schreie nicht, wenn du keine Hilfe brauchst, aber hilf anderen, die Hilfe brauchen.
C Dusche dich kalt vor dem Schwimmen, und, wenn dir zu kalt ist, komm wieder raus.
D Halte das Wasser und dich selbst sauber.
E Nicht schwimmen, wenn es donnert und blitzt.
F Nach dem Schwimmen nasses Badezeug auszuziehen.

G Nicht zu viel oder zu wenig essen vor dem Schwimmen.
H Vorsicht – auch gute Schwimmer können ertrinken. Schwimme nicht zu weit hinaus.
I Vorsicht beim Springen ins Wasser.
J Wenn du schwimmen willst, nicht zu lange in der Sonne liegen.
K Wenn du nicht schwimmen kannst, gehe nicht zu weit ins Wasser.
L Vorsicht beim Spielen mit Luftmatratzen – das kann gefährlich sein.

Bleib gesund!

Was sollte man machen, um gesund zu bleiben? Schreib zehn Ratschläge auf.
Beispiel
Rauch nicht.
Treib ...
Iß ...

Dies und das

Eisfall-Klettern

In manchen Schluchten der Alpen sinken die Temperaturen bis auf minus 30 Grad Celsius. Die klirrende Kälte läßt dann sogar Wasserfälle gefrieren.

Erfahrene Bergsteiger nutzen dieses Schauspiel der Natur für einen neuen Sport: Eisfall-Klettern. Sie tragen dazu Schuhe mit Spikes, die sich in das Eis bohren und Halt geben.

Im französischen Wintersportort Alpe d'Huez übten sich schon 15 000 Bergsteiger in diesem Sport. Die besten von ihnen versuchen sich am größten gefrorenen Wasserfall der Welt – an der 300 Meter hohen ,Weeping Wall' im kanadischen Teil der Rocky Mountains.

Gelähmt und stumm – doch das Mädchen hat nicht aufgegeben

Simone Thür – das Mädchen, das nach einem schweren Unfall nicht aufgab, sondern gegen die Behinderung kämpfte.

Simone ist 22, jung, hübsch und selbstbewußt. Und trotzdem ist Simone anders als andere. Vor vier Jahren lag sie stumm und gelähmt in einem Krankenhausbett. Eltern und Ärzte hatten keinerlei Hoffnung, daß sich ihr Zustand jemals ändern wird. Was war passiert?

Die damals 18-jährige wollte Freunde besuchen. Sie nahm den Sportwagen ihres Vaters und fuhr von ihrem Heimatort aus los. Auf der Rückfahrt passierte es. Simone Thür erzählt: ,Die Autobahn war glitschig, es hatte lange geregnet. Plötzlich ist mir ein Wagen reingesaust. Mehr weiß ich nicht.'

Zwei Monate lag die Schwerverletzte im Koma. Als Simone aufwachte, war sie gelähmt und hatte eine Hirnverletzung. Sprach- und Bewegungszentrum, so sagten die Ärzte, blieben wohl für immer gestört. Doch Simone wollte das nicht wahrhaben. Sie begann zu kämpfen. Es war eine harte Zeit. Ärzte und Therapeuten halfen dem Mädchen. Und nach wenigen Monaten hatte sie es geschafft. Das Mädchen konnte den Rollstuhl in die Ecke stellen. Als sie die Klinik verließ, war sie zwar noch gehbehindert und sprachgestört, doch lebensfroh und hoffnungsvoll. ,Seither hat sich mein Leben geändert. Jetzt will ich anderen Menschen helfen', sagt Simone ernst.

In diesem Sommer ging sie für einige Wochen als Betreuerin in ein Ferienlager für behinderte Kinder. Auch ihre beruflichen Pläne hat sie geändert. Anfangs studierte sie Bildhauerei. Jetzt will sie schreiben, Sozialarbeit machen und Philosophie studieren. Sogar Sport treibt die 22-jährige jetzt wieder. Besonders gerne geht sie schwimmen. Und nebenher macht sie weiter Heilgymnastik und geht zur Sprachtherapie. ,Ich gebe mir noch fünf Jahre Zeit, dann möchte ich so sein, wie alle anderen auch', erklärt sie strahlend.

Bildgeschichte

TRINITY GRAMMAR SCHOOL

sb ▶ Selbstbedienung

So viele Aktivitäten!

Welche Freizeitaktivitäten kannst du hier sehen?

Beispiel
Judo

Mitglieder

Sieh dir das Diagramm an und beantworte die Fragen.

Sven

Markus　　Kurt

Maria

Thomas　　Jutta

Anne

Schlüssel

▨ Mitglied in einem Schwimmverein
▧ Mitglied in einem Jugendclub
▭ Mitglied in einem Orchester

1 Wer ist Mitglied in einem Schwimmverein und in einem Jugendclub?
2 Wer ist Mitglied in einem Orchester und in einem Jugendclub?
3 Wer ist Mitglied in einem Jugendclub, in einem Schwimmverein und in einem Orchester?
4 Wer ist nur Mitglied in einem Jugendclub?
5 Wer ist nur Mitglied in einem Orchester?
6 Wer ist weder Mitglied in einem Jugendclub noch in einem Orchester?

Ein Name aus Sportarten

Schreib deinen eigenen Vornamen nur aus Sportarten!

Beispiel

```
R A D F A H R E N
          A T H L E T I K
      T I S C H T E N N I S
      S   C H A C H
      T   E N N I S
F U S S B A L L
```

⚑ Freizeit in Österreich

Die Stadt Wien bietet ein volles Programm für Kinder, Jugendliche und Familien in den Winterferien.

Bowling

Wann: 28. Dezember bis
6. Jänner jeweils von
10 bis 16 Uhr
Wo: Brunswick Bowling
Eintritt: S 23 (inklusive Schuhe)

Volleyball

Wann: 29. und 30. Dezember
von 9 bis 12 Uhr mit einem
Spieler der
Nationalmannschaft
Wo: 22, Lieblgasse 4
GRATIS

Disco

In der Disco – speziell für alle 13- bis
15-jährigen – geht's immer heiß her!
Wann: So. 28. Dezember und
So. 4. Jänner, jeweils von
17 bis 20 Uhr
Wo: Jugendzentrum Margareten,
5, Grünwaldgasse 4
Eintritt: S 30

Nicht vergessen!

Schüler bis zum 19. Lebensjahr fahren
in den Weihnachtsferien GRATIS mit
dem Bus, mit der S-Bahn, mit der
U-Bahn und mit der Straßenbahn.
(Ausweis mitnehmen!)
GRATIS

Super-Gewinnspiel

Wenn ihr eine Super-
Idee oder einen
brandneuen Vorschlag
habt für das ‚Jugend in Wien
Sommerprogramm' und an
Jugend in Wien
Friedrich-Schmidt Platz 5
1082 Wien
schreibt, winken euch schöne Preise!
Wird euer Vorschlag ins Programm
aufgenommen, gewinnt ihr Bücher
oder CDs, die ihr euch selbst
aussuchen könnt!

Hallenfußball

Wann: 29. und 30. Dezember
2. und 5. Jänner
jeweils von 10 bis 12 Uhr
Wo: 3, Hyegasse 1
Eintritt: S 10

Computertreff

Du kannst an Computern üben,
Probleme mit Fachleuten besprechen,
dich informieren ...
Wann: So. 28. Dezember
Mo. 29. Dezember
jeweils von 10 bis 16 Uhr
Wo: Wiener Jugendleiterschule,
7, Zieglergasse 49
GRATIS

Juniorfunkquiz

Jeden Montag gibt es um 18.30 Uhr
das Junior-Radio zum
Mitspielen.
GRATIS

Gratis-Badespaß

Für Jugendliche bis 15 Jahre in allen
Städtischen Hallenbädern
zwischen 9 und 13 Uhr an folgenden
Tagen:
30. und 31. Dezember;
2. und 6. Jänner
GRATIS

Stimmt das oder nicht?

1 Die meisten Aktivitäten kosten nichts.
2 Schüler dürfen kostenlos in den Weihnachtsferien mit der U-Bahn fahren.
3 Jeden Tag nach dem Frühstück gibt es ein Radioquiz für Jugendliche.
4 Der Eintritt für das Hallenbad ist S 15.
5 Die Disco im Jugendzentrum ist nur abends bis acht Uhr auf.
6 Der Eintritt im Bowlingcenter kostet S 23.
7 Der Computertreff findet dreimal in den Ferien statt.
8 Wenn man eine gute Idee für das ‚Jugend in Wien Sommerprogramm' hat, kann man einen Preis gewinnen.

⚑ Sinn oder Unsinn?

1 Wir können nicht Squash spielen. Es regnet zuviel.
2 Ich will nicht in die Disco kommen. Ich finde Popmusik doof.
3 Ich kann meine Freunde nicht in der Stadt treffen. Ich bin ein Einzelkind.
4 Ich kann nicht Tischtennis spielen. Ich habe meinen Schläger verloren.

sb ▶ *Selbstbedienung*

🏳 Rauchen: Was sagen die Kinder dazu?

Zwei Tage lang machte die Deutsche Krebshilfe eine Telefonaktion – Kinder (6- bis 15-jährige) konnten kostenlos anrufen und sagen, wo es sie stört, wenn geraucht wird.

Fast jeder Anrufer wußte, daß Rauchen gefährlich ist. Fast die Hälfte wußte, daß man davon Lungenkrebs bekommen kann. Die Zahlen geben ihnen Recht: Derzeit sterben in Deutschland jährlich wenigstens 90 000 Menschen an den Folgen des Tabakkonsums, darunter rund 400 durch Passivrauchen. Eine Untersuchung weist nach, daß bei asthmakranken Kindern die Zahl der Anfälle mit dem Zigarettenkonsum ihrer Eltern steigt. Kinder rauchender Mütter haben ein durchschnittlich 200 Gramm niedrigeres Geburtsgewicht als solche nichtrauchender Mütter. Über 50 Prozent aller Kleinkinder sind nach einer Untersuchung Passivraucher, das heißt, mindestens Vater oder Mutter rauchen.

Immer wieder wurde beklagt, daß Raucher in Wohnungen auf Kinder keine Rücksicht nehmen. Geraucht wird zumeist beim geselligen Zusammensein und vor dem Fernseher.

Besonders störend fanden sie Zigarettenqualm im Auto. Häufige Klage am Krebshilfetelefon: ‚Davon wird mir immer schlecht.'

Viele leiden es auch nicht, wenn beim Besuch einer Gaststätte der Tabakqualm von den Nebentischen zu ihnen herüberzieht.

Ein Problemfeld ist auch die Schule. Die kleineren Kinder finden es nicht richtig, daß viele der Größeren auf dem Schulhof oder in den Toiletten rauchen. Sie finden das Rauchen auch bei Lehrern störend, dies auch, wenn Lehrer im Lehrerzimmer zur Zigarette greifen. Denn: ‚Die stinken dann so, wenn sie in die Klasse kommen.'

Knapp 6 Prozent der Kinder, meist die Älteren, riefen an, um zu fragen, wie sie von der Zigarette wieder loskommen können! Einige der 11- bis 15-jährigen rauchten schon seit Jahren.

90 Prozent waren gegen alle Werbung für Zigaretten.

© Stafette Nr. 2134

Beantworte die Fragen.

1 Wieviel Prozent von Kindern wußten, daß man von Rauchen Lungenkrebs bekommen kann?
2 Wie viele Leute sterben davon jedes Jahr in Deutschland?
3 Wieviel Prozent von Kleinkindern sind Passivraucher?

4 Wieviel Prozent haben angerufen, weil sie selbst mit dem Rauchen aufhören wollen?
5 Wieviel Prozent sind für ein Werbeverbot für alle Tabakwaren?
6 Nenne vier Orte, wo junge Leute das Rauchen störend finden.

🏳 Ich kann heute nicht

Du kannst folgende Aktivitäten nicht machen. Was sagst du?
Beispiel
Ich kann heute nicht Fußball spielen, weil ich mir den Arm gebrochen habe.

1 Talking about membership in clubs/societies

Ich bin seit	einem Jahr	Mitglied in einem	Reitverein.	I've been a member of a riding club for a year.
	anderthalb Jahren		Schachclub.	I've been a member of a chess club for a year and a half.
	drei Monaten		Judoverein.	I've been a member of a judo club for three months.

2 Talking about how frequently you train/go to a club

Einmal Zweimal	in der Woche im Monat	gehe ich	zum Training	I go training once a week.
			zum Fußballverein.	I go to the football club twice a month.
Jeden	Tag Freitag		zum Jugendclub.	I go to the youth club every day.
			zur Orchesterprobe.	I go to orchestra practice every Friday.

3 Saying what you do to keep fit and healthy

Um	fit	zu bleiben,	gehe ich	zweimal in der Woche schwimmen.	To stay fit I go swimming twice a week.
			fahre ich	täglich rad.	To stay fit I go for a bike ride every day.
			treibe ich	viel Sport.	To stay fit I do a lot of sport.
	gesund		nehme ich	keine Drogen.	To stay healthy I don't take drugs.
			rauche ich	nicht.	To stay helathy I don't smoke.

4 Talking about illness and injury

Was	hast du? fehlt dir?		What's wrong? What's the matter?

Ich habe	Kopfschmerzen. Magenschmerzen. eine Grippe.		I've got a headache. I've got a stomach ache. I've got flu.
Mein	Fuß Rücken	tut weh.	My foot hurts. My back hurts.
Ich habe mir	das Bein gebrochen. die Hand verbrannt.		I've broken my leg. I've burnt my hand.

5 Giving commands

Nimm Rücksicht auf andere Badende.	Be considerate to other bathers.
Hilf anderen, wenn sie in Not sind.	Help others if they are in trouble.
Rauch(e) nicht.	Don't smoke.
Schwimm(e) nicht zu weit hinaus.	Don't swim out too far.

6 Using the polite form for 'you' and 'your': *Sie, Ihnen* and *Ihr*

Nehmen **Sie** diese Tabletten.	Take these tablets.
Was haben **Sie** für ein Problem?	What sort of problem do you have?
Wie war **Ihr** Name noch?	What was your name again?
Wie geht es **Ihnen**?	How are you?
Was fehlt **Ihnen**?	What's wrong (with you)?

Besser reich

In den entwickelten Ländern lebt man immer besser und Krankheiten, die noch gestern unheilbar waren, sind hier besiegt oder im Verschwinden. Ganz anders die Situation in den armen Ländern. Die Gründe? Der Mangel an Aufklärung und Hygiene, die Unterernährung und das Fehlen von Geld.

Am Vorabend des Jahres 2 000 ist die Ungleichheit zwischen reichen und armen Ländern noch groß ...

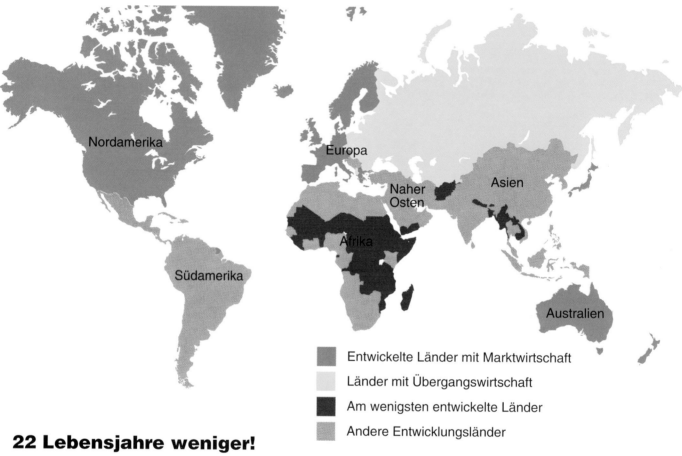

Entwickelte Länder mit Marktwirtschaft

Länder mit Übergangswirtschaft

Am wenigsten entwickelte Länder

Andere Entwicklungsländer

22 Lebensjahre weniger!

Lebenserwartung bei Geburt (für Manner und Frauen)

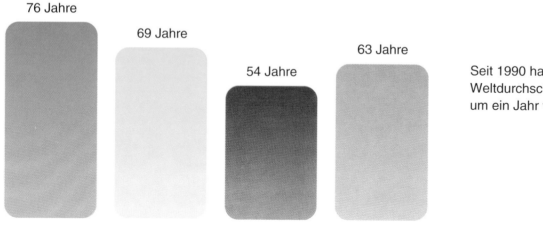

76 Jahre

69 Jahre

54 Jahre

63 Jahre

Seit 1990 hat der Weltdurchschnitt sich um ein Jahr verbessert.

und gesund

Am meisten sind die Säuglinge gefährdet

Zahl von Kindern unter 1 Jahr, die sterben, auf 1 000 Lebendgeburten

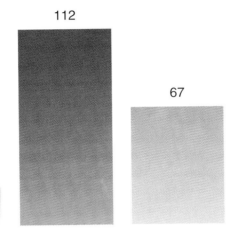

112

67

22

7

In den Entwicklungsländern bleibt noch viel zu tun. Infektionskrankheiten und Krankheiten durch Parasiten, unzureichende Hygiene und Ernährung gefährden die Schwächsten, die Säuglinge.

Wenn Polio noch eine normale Krankheit ist

Jährliche Zahl der Poliofälle

1993 haben 141 Länder auf der Welt keinen Fall von Polio verzeichnet. Nach der Weltgesundheitsorganisation ‚ist das das beste jemals erreichte Ergebnis'. Es ist teilweise wegen der Durchführung von Impfungen für alle Kinder unter 5 Jahren.

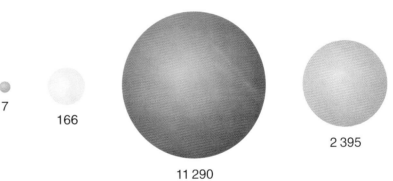

7

166

11 290

2 395

Dort wo Masern am meisten tötet, impft man am wenigsten

Prozentsatz der Säuglinge, die gegen Masern geimpft werden

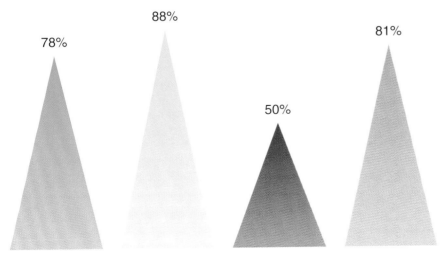

78%

88%

50%

81%

Dank großer Impfprogramme gehen viele Krankheiten zurück. Aber man zählt jedes Jahr immer noch 54 Millionen Fälle von Masern auf der Welt, die für den Tod von einer Million Kindern verantwortlich sind.

In den Ferien möchte ich ...

1 lange ausschlafen
2 früh aufstehen
3 zu Hause bleiben
4 ganz weit weg fahren
5 kein Fernsehen gucken
6 viel fernsehen
7 einen Job suchen
8 nicht jobben
9 oft allein sein
10 jeden Tag mich mit vielen Freunden treffen
11 nur mich ausruhen
12 viel Sport treiben

Wie sieht dein Ferienwunschzettel aus?

*Was möchtest du in den Ferien machen?
Sieh dir die Liste an, und wähl fünf
passende Bemerkungen.
Dann schreib deinen Ferienwunschzettel.*

13 nichts Neues lernen
14 etwas Neues lernen
15 keine Sekunde an die Schule denken
16 ein bißchen für die Schule tun
17 faulenzen
18 viel unternehmen
19 mich mit alten Freunden treffen
20 neue Freunde finden

*Sieh dir die Kommentare unten an (A–C).
Welcher Kommentar paßt am besten zu dir?*

A Du bist ziemlich faul. Du willst nichts machen. Mach doch ab und zu mal etwas Aktives und Interessantes, sonst wirst du nichts in den Ferien unternehmen. Das ist doof!

B Du unternimmst ziemlich viel in den Ferien, aber du könntest auch sonst aktiver sein. Dafür hast du jede Menge Zeit.

C Es ist gut, daß du soviel in den Ferien unternimmst. Du wirst wohl schöne Ferien haben. Vergiß aber nicht, dich ein bißchen auszuruhen, sonst wirst du totmüde sein!

Nun wähl fünf Bemerkungen für deinen Partner/deine Partnerin.

🔴🔴 Partnerarbeit

*Mach jetzt ein Interview mit deinem
Partner/deiner Partnerin. Was
möchte er/sie in den Ferien
tatsächlich machen? Hattest du
recht?*

Beispiel

A – In den Ferien möchte ich lange ausschlafen. Und du?

B – Ich nicht. Ich möchte früh aufstehen und viel unternehmen.

A – Was?! Aktiv? Nee, nur mich ausruhen.

B – Oh, nein, das ist langweilig!

📼 Was ich in den Ferien machen werde?

*Hör gut zu. Diese fünf Jugendlichen sagen, was
sie in den Ferien machen werden.
Ist das interessant? Langweilig? Zu aktiv?
Was meinst du? Wähl jeweils den passenden
Kommentar (siehe oben).*

Tip des Tages

In den Ferien	möchte / werde	ich	einen Job suchen. etwas Neues lernen. viel fernsehen. nur mich ausruhen. früh aufstehen.
Was?! Das ist (zu)			langweilig. aktiv. teuer. anstrengend.

Hauptsache – die Sonne scheint!

Lies die Briefe.

Dieses Jahr möchte ich mit Freunden in Urlaub fahren. Vielleicht machen wir Urlaub auf einem Campingplatz am Meer in Südfrankreich. Dort ist wenigstens was los, und das Wetter ist fantastisch! Ich finde es auch gut, daß meine Eltern nicht bestimmen, daß ich mitfahren muß. Es ist blöd, wenn die Kinder während der 2-3 Wochen den Eltern nur auf die Nerven gehen. Das ist doch kein Urlaub!

Nicole, Wuppertal.

Wir haben einen Campingwagen, den nehmen wir immer mit in den Urlaub. Wir fahren meistens nach Italien zu meiner Oma. Mein Vater ist Italiener. Bei meiner Oma in Italien finde ich es langweilig, weil ich die Sprache nicht kann. Der Campingwagen ist aber ganz bequem.

Ruth, Frankfurt.

Wenn wir knapp bei Kasse sind, fahren wir nicht in Urlaub. Ich fahre dann für 1-3 Wochen zu meiner Oma. Wenn wir aber fahren, machen wir einen Plan, was wir unternehmen wollen, z.B. Wandern, essen gehen, Ausflüge machen, Schwimmen usw. Das macht doch Spaß. Es macht mir nichts aus, in Deutschland zu bleiben. Hauptsache – die Sonne scheint!

Stefan, Hameln.

Eigentlich fahren wir fast jedes Jahr in die Türkei, und das macht uns solch einen Spaß, daß wir gar nicht wieder zurückkommen wollen. Die Leute dort sind sehr gastfreundlich, und man ist halt unter sich. Wir wohnen bei meinen Großeltern, und unsere Verwandten sind auch dabei. Manchmal habe ich Schwierigkeiten mit der Sprache, aber im allgemeinen versteht man mich ganz gut. In der Türkei ist es wirklich voll super, vor allem das Wetter – es sind jeden Tag um 45 Grad!

Ayiun, Koblenz.

So richtig in den Urlaub, ich meine so nach Spanien oder so, können wir uns nicht leisten – Ferien im Ausland sind halt zu teuer! Normalerweise bleibe ich hier in der Gegend. Wenn ich zu Hause bleibe, treffe ich mich mit meiner Clique, und wir machen eine Strand-Party, die auch schon mal in die Nacht gehen kann. Jeden Tag unternehmen wir etwas – wir gehen mal ins Museum oder schwimmen, fahren Rad, oder wir fahren in einen Freizeitpark. Ansonsten grillen wir abends im Garten oder gehen ab und zu in die Disco. Alles in allem bin ich ganz zufrieden mit meiner Ferienplanung. Ich möchte eigentlich gar nicht raus aus Deutschland.

Matthias, Puttgarden.

Richtig oder falsch?

1 Nicole wird einen Campingurlaub mit ihren Eltern machen.
2 Auf dem Campingplatz findet sie immer etwas Interessantes zu tun.
3 Stefan fährt zu seiner Oma, weil seine Eltern nicht genug Geld für teuere Ferien haben.
4 Normalerweise plant Stefans Familie nie im Voraus, was sie dort machen werden.
5 Ayiun fährt immer in die Türkei in Urlaub.
6 Wenn er dorthin fährt, wird es wohl ganz heiß sein.
7 Ruth fährt meistens nach Italien, weil ihr Vater Italiener ist.
8 Ihre Großmutter wohnt auf einem Campingplatz.
9 Matthias wird wohl dieses Jahr ins Ausland fahren.
10 Er bleibt gern zu Hause, weil er viel Spaß mit seinen Freunden hat.

Wie findest du diese Ferienpläne? Interessant? Langweilig? Zu teuer? Unbequem? Zu aktiv oder nicht aktiv genug? Zu lang oder zu kurz?

Jetzt bist du dran!

Schreib deinen eigenen Text über deine Ferienwünsche/-pläne. Was wirst du machen? Wird das Spaß machen?

Urlaubspläne

Sieh dir die Informationen an, die Herr Gerecht vom Verkehrsamt bekommt.

1 Naturcamping Isarhorn

E. + Ch. Haaf
82481 Mittenwald
Tel: 08823/5216

Ein herrlicher Naturplatz
am Fuße des
Karwendelgebirges,
3 km vor Mittenwald,
900 m hoch gelegen,
lädt zu Sommer- und
Wintercamping ein.

Der Platz ist modern ausgestattet mit beheizten
Sanitäranlagen, Warmwasser, Waschmaschine und 230
Stromanschlüssen. Auch ein Kiosk steht zur Verfügung.

Der Naturcamping Isarhorn bietet einen idealen Aufenthalt für
Wanderer, Bergsteiger und Kanuten.

Alle Wintersportmöglichkeiten sind in unmittelbarer Nähe
gegeben.

Plätze für das Winterhalbjahr vom 1.10.-31.3. und für
Weihnachten nur auf Vorbestellung.

2 Gästehaus Franz Brandtner

Fam. Franz und
Irmgard Brandtner
Mauthweg 7
82481 Mittenwald
Tel:08823/1650

Gemütliches Haus
mit 5 neu
eingerichteten
Ferienwohnungen
für 1-4 Personen in ruhiger und zentraler Lage, 2 bis 5
Gehminuten zum Zentrum und Bahnhof. Komplett eingerichtete
Küche mit Mikrowelle, gemütlicher Wohnraum, separates
Schlafzimmer, Farb-TV und Telefon. Tischtennisraum, Parkplatz
und Garage, Garten mit Liegewiese. Langlaufskischule mit
Skiverleih, geprüfter Bergführer und Langlaufskilehrer im Haus.

3 Gästehaus Erlenhof

Maria Menhofer
Weidenweg 8
82481 Mittenwald
Tel: 08823/8472

Gepflegtes, gut
eingerichtetes Haus in
günstiger Ortsrandlage am
Fuße des Karwendels.
Nähe Bahnhof, Eisstadion,
Karwendelbahn. Zimmer
zum Teil mit Du/WC.
Parkplatz am Haus. Garage. Gem. Aufenthaltsraum mit Kabel-
TV. Garten, Liegewiese, Terrasse.
Nichtraucher-Gästehaus.

4 Ferienwohnungen Lorenz

Otto u. Maria Lorenz
Albert-Schott-Str. 25
82481 Mittenwald
Tel: 08823/5317

Schönes, gepflegtes Haus
in sonniger, ruhiger Lage,
3 Min. vom Zentrum.
Ferienwhg. für 1-4 Pers.
mit Balkon oder Terrasse.
Gemütl. und liebevoll im
bayerischen Stil
eingerichtet. Liegewiese, Garagen und Parkpl. vorhanden.
Ganzjährig geöffnet, günstige Angebote in der Vor- und
Nachsaison.

5 Alpen-Caravanpark Tennsee

Familie Zick
82493 Klais/Krün
Tel: 08825/170
Fax: 17236

Der Alpen-Caravanpark
Tennsee ist eine
weitläufige Anlage zum Teil
auf terrassenartigem
Gelände. An zwei Seiten
begrenzen ein Bach bzw.
der Tennsee den Platz, im
Osten steigen die
Buckelwiesen an.
Anschlüsse für Trink- und Abwasser, Gas, Strom,
Durchwahltelefon sowie TV- und Radioantenne. Für diese im
Alpenbereich einmaligen Anschlüsse müssen Sie nicht extra
bezahlen. Dazu bieten wir: Cafe, Restaurant, Kinderspielplatz,
Waschküche und Trockenraum, SB-Laden, Jugendraum, Raum
für Wintersportausrüstungen, Auto-Waschplatz,
Familienkabinen und auch ein Hundebad! Für Ihre Freunde und
Angehörigen: Miet-Appartements für 2 Personen mit Küche,
Dusche, Bidet und WC, komplett eingerichtet. In der Nähe:
Wander- und Sportmöglichkeiten aller Art. Der Platz ist vom
24.10.-15.12. geschlossen.

6 Ferienappartement Haus am Kurpark

Matthias Hornsteiner
Zirbelkopfweg 3
82481 Mittenwald
Tel: 08823/5559

Ferienappartements für 2-3
Personen, direkt am Kurpark.
Im Bauernstil eingerichtete
komf. Wohnungen, Wohn-
und Schlafraum je nach App.
kombiniert oder getrennt, mit Kabel-TV, Radio, Elektroküche,
Diele, Du/WC, Balkon mit herrlichem Blick auf das
Karwendelgebirge, Liegewiese, hauseigener Parkplatz.

A *Kannst du diesen Leuten helfen? Lies ihre Bemerkungen und hör gut zu, dann finde die Unterkunft (Gästehaus/Wohnung/Appartement bzw. Campingplatz), die für sie am besten geeignet ist. Wo kommen Müllers hin? Und Turners? usw.*

Beispiel
Die Familie Müller – Gästehaus Erlenhof (3)

Wir sind 2 Erwachsene und 2 Kinder (13 und 15 Jahre alt) aus Südwestengland. Wir suchen ein Gästehaus. Wir laufen gern Ski und wollen, daß unsere Söhne das jetzt auch lernen. Wir möchten uns selbst versorgen.

Die Familie Turner

Wir sind 1 Erwachsener und 2 Kinder (von 15 und 16 Jahren) aus Belgien. Wir suchen eine Ferienwohnung mit Wohnraum und Schlafräumen getrennt. Wir möchten auch womöglich Kabel-TV.

Die Familie Berger

Wir sind zwei Erwachsene und 1 Kind (9 Jahre alt) aus der Schweiz. Wir suchen zwei Zimmer (ohne Balkon!) mit Dusche oder Bad. Lieber nicht in zentraler Lage. Meine Frau ist allergisch gegen Zigarettenrauch.

Die Familie Müller

Wir sind 1 Erwachsene und drei Kinder (8, 9 und 12 Jahre alt) aus Norditalien. Wir möchten einen Platz für unseren Wohnwagen. Wir sind alle Naturliebhaber. Meine Kinder treiben gern Sport und schwimmen besonders gern im Freien. Gibt es in der Nähe von Mittenwald einen Campingplatz, der guten Service zu günstigen Preisen bietet?

Die Familie Berlusconi

Wir sind 2 Erwachsene und 2 Kinder (7 und 13 Jahre alt) aus Dänemark. Wir haben nämlich vor, 10 Tage am Anfang Dezember in der Nähe von Mittenwald auf einem Campingplatz zu verbringen. Wir treiben besonders gern Wintersport.

Die Familie Jensen

Die Familie Leclerc

Wir sind 2 Erwachsene und 2 Kinder (von 11 und 14 Jahren) aus Nordfrankreich. Wir suchen eine Ferienwohnung mit Balkon, nicht weit von der Stadtmitte.

B *Sieh dir nochmal die Informationen an und beantworte die Fragen über die Unterkünfte.*

1 Was kosten die Anschlüsse im Alpen-Caravanpark?
2 Welches Gästehaus liegt in der Nähe vom Eisstadion?
3 Wie heißt das berühmte Gebirge in der Nähe von Mittenwald?
4 Gibt es einen Campingplatz, wo auch Zwei-Personen-Appartements zu vermieten sind?
5 Welches Gästehaus bietet eine geprüfte Begleitperson für Bergwanderer?
6 Wo kann man nicht nur jede Menge Aktivitäten unternehmen, sondern auch seinen Wagen und seinen Hund waschen?
7 Wo muß man vorbestellen, wenn man in der Wintersaison dort Urlaub machen will?
8 Wo bietet man günstige Preise für Ferienwohnungen in der Nebensaison?

C *Wie reserviert man? Schreib einen Brief für eine dieser Familien oder für dich selbst.*

Rotdornweg 16
4081 Borstel-Hohenraden

Borstel-Hohenraden, den 15. Mai

Sehr geehrte Damen!
Sehr geehrte Herren!

Ich möchte **1 Doppelzimmer** und **1 Dreibettzimmer** mit **Bad und WC** für **3 Wochen** im **Juli** (vom **1.** bis zum **22.**) im **Gästehaus Brandtner** reservieren. Wir sind **2 Erwachsene und 3 Kinder.**

Für Ihre Bemühungen danke ich Ihnen im voraus.

Mit freundlichem Gruß,

W. Gerecht

Tip des Tages

Ich suche Wir suchen	ein Ferienhaus. eine Ferienwohnung. einen Campingplatz. ein Gästehaus.	

Ich möchte	ein	Einzelzimmer Doppelzimmer	im Gästehaus Brandtner	reservieren.
	einen	Platz	auf dem Campingplatz	

KJR Sommerferien

Lies folgende Texte über außergewöhnliche Ferien für Kinder und Jugendliche.

KJR KREISJUGENDRING PINNEBERG

Arbeitsgemeinschaft der Jugendverbände
Spielothek mobil
Jugendbildungsstätte Barmstedt

KALLES SOMMERREISEN

Der Kreisjugendring Pinneberg bietet auch in diesem Jahr tolle Ferienfahrten für alle Kinder und Jugendliche an, die gerne mit Gleichaltrigen und in der Gruppe verreisen.

1 Badeurlaub im Pinneberg-Heim in Dänemark

Vom 24.07–01.08 geht es zum tollen Badeurlaub nach Dänemark in Heysager an der Ostsee. Wasserratten, die gerne baden, toben und Sport treiben, kommen voll auf ihre Kosten.

Ebenfalls sind eine Nachtwanderung und ein Grillfest vorgesehen.

Preis: 170,– DM

2 Abenteuerzeltlager in Eggebek

Vom 04.07–18.07 geht es wieder ins Pfadfinderzeltlager Tydal in Eggebek. Wir lesen Tierspuren, beobachten Rehe und Hasen, sammeln Kräuter und bauen eine Sonnenuhr.

Ebenfalls kommen Sport, Spiel und Spaß auch nicht zu kurz, insbesondere planen wir Kanufahren und eine Lagerolympiade.

Wir sind in 4-6 Mann Zelten untergebracht und schlafen auf Feldbetten.

Preis: 300,– DM

3 Abenteuerurlaub mit dem Kanu in Schweden

Fahrt 1 vom 17.06.–05.07.
Fahrt 2 vom 03.07.–20.07.

Diese Fahrt ist für alle 14-18-jährigen Mädchen und Jungen, die Lust haben, 2 Wochen mit dem Kanu durch die Seen des Dalslandes zu fahren. Alles, was wir benötigen, transportieren wir in unseren Booten. Abends kochen wir gemeinsam unser Essen.

Was, ihr wißt nicht, wie man paddelt? Macht doch gar nichts! Vom 29.-31.05. treffen wir uns zu einem Vorbereitungswochenende, bei dem sich die Teilnehmer kennenlernen sollen und sich mit den Zelten und Booten vertraut machen sollen.

Preis: 480,– DM

4 Studienfahrt nach England/Sheffield für Jugendliche ab 15 Jahren

Vom 06.07.–22.07. bieten wir die Möglichkeit an einer Studienfahrt nach England teilzunehmen, und zwar in die bekannte Universitätsstadt Sheffield. Wir werden im Sportzentrum der Universität untergebracht, daher bieten wir alle Möglichkeiten zum Sporttreiben, wie z.B. Schwimmen, Tennis, Basketball, Fußball, Body-Building und vieles mehr.

Hierbei handelt es sich um eine kombinierte Sprachreise. Es soll dort Kontakt zu jungen Engländern aufgenommen werden, um das Land und die Mentalität der Engländer kennenzulernen.

Wir werden große Ausflüge unternehmen, wie z.B. nach York (zum berühmten Wikinger Zentrum) sowie an die Küste ins bekannte Seebad Bridlington oder nach Blackpool. Sheffield selber bietet sehr viele Sehenswürdigkeiten.

Wir werden England mit der Fähre ab Hamburg erreichen und weiter geht es mit einem Reisebus.

Eine tolle Reise für junge Leute, die gerne in der Gruppe reisen.

Preis: 600,– DM

Lies den Text und sieh dir die Wörter im Kästchen an. Wie ist das richtig? Schreib die passenden Wörter auf.

Beispiel

(1) = vier

Dieses Jahr bietet der KJR Pinneberg -(1)- Ferienfahrten für Kinder und Jugendliche. Alle Teilnehmer sollten Lust haben, in der -(2)- zu verreisen. -(3)- von diesen Fahrten finden im Ausland statt – in England, Schweden und -(4)-.
Für Naturliebhaber bietet das -(5)- die meisten Möglichkeiten.
Wenn man -(6)- sprechen will, gibt es die -(7)- nach England.
Wenn man zwischen vierzehn und achtzehn ist, gibt es auch die Möglichkeit, an einem -(8)- mit dem -(9)- in -(10)- teilzunehmen. Das Vorbereitungswochenende für diese Fahrt findet Ende -(11)- statt.
Meistens finden die Ferienfahrten im -(12)- statt und dauern mindestens eine -(13)-.
Schöne -(14)- und alles Gute!

Abenteuerurlaub	
Mai	Schweden
	vier
Dänemark	
	Juli
Englisch	
	Kanu
Abenteuerzeltlager	
Woche	Ferien
	Studienfahrt
drei	Gruppe

Sommerschule

Lies die Artikel, dann wähl die passenden Antworten auf die Fragen.

Seit zehn Jahren gibt es in Graz im Sommer immer eine Zirkusschule für Clowns und Akrobaten. Die Schule bietet qualifizierte internationale Lehrer und kleine Klassen (zehn bis 13 Teilnehmer pro Lehrer).

Die Schule ist auch in Deutschland bekannt. Hier sind zwei Artikel über die Schule aus deutschen Zeitungen:

Feuerschlucken im Urlaub

Das ist was für Leute, die schon immer von der Manege geträumt haben. Dieses Jahr vom 7. bis 25. Juli gibt es in Graz eine ‚Sommerschule für Artistik'. Jugendliche und Erwachsene können Seiltanzen und Akrobatik lernen, Jonglieren, Feuerschlucken und Handvoltigieren. Und selbstverständlich wird auch ein Clownkurs angeboten. Mit täglich vier Stunden Unterricht in zwei Fächern kostet's 1 375 Mark. Auskunft: Tel. 0043/316-70618191.

REISE ✹ WELT
Artistik in Graz

Eine Feriensensation bietet Graz mit der Sommerschule für Artistik (7. bis 25. Juli) und Straßentheater (18. August bis 5. September) für Kinder und Erwachsene. Gelehrt werden Bodenturnen, Akrobatik, Handvoltigieren, Seiltanzen, Feuerschlucken; ferner gibt es einen Clownkurs, Jonglieren, Pantomime, Modern dance und anderes.

1 Wo findet die Sommerschule statt?

A In der Schweiz.
B In Italien.
C In Österreich.
D In Deutschland.

2 Wer unterrichtet an dieser Schule?

A Clowns.
B Akrobaten.
C Teilnehmer.
D Professionelle Lehrer.

3 Wer sollte nicht an dieser Schule teilnehmen?

A Erwachsene.
B Faule Leute.
C Jugendliche.
D Zehnjährige.

4 Was für Unterricht bekommt man?

A Vier Stunden pro Tag in zwei Fächern.
B Zwei Stunden täglich in vier Fächern.
C Feuerschlucken wöchentlich für eine Stunde.
D Drei Stunden pro Woche in allen Fächern.

5 Was paßt am besten?

A Diese Zirkusschule ist weltberühmt.
B Man berichtet über die Schule nicht nur in Österreich sondern auch in Deutschland.
C Nur in Graz ist die Sommerschule bekannt.
D Deutsche Zeitungen berichten nie über diese Sommerschule.

Ich möchte so gerne

Letztes Jahr, dieses Jahr

Jede Person macht zwei Bemerkungen: Über ihre Ferien letztes Jahr und dieses Jahr. Was paßt wozu?

Schreib weitere Beispiele: Ich möchte so gerne, aber ...

Beispiel
1B

1 Letztes Jahr bin ich mit meinen Eltern nach Italien gefahren. Es war furchtbar! Wir haben die ganze Zeit Streit gehabt. Sie wollten nie das machen, was ich wollte.

2 Letztes Jahr war das Wetter an der Nordsee schrecklich! Es hat tagelang geregnet, und es war furchtbar kalt. Wir konnten nichts unternehmen.

3 Letztes Jahr sind wir nach Spanien gefahren. Das Wetter war nicht immer schön, aber das Hotel war fantastisch! So gemütlich und modern – Schwimmbad, Disco, leckeres Essen. Und wir wohnten direkt am Strand.

4 Letztes Jahr hat es Spaß gemacht, mit meinen Eltern nach Griechenland zu fahren. Sonne, Meer, neue Freunde – es war echt toll! Nach den Ferien haben sich aber meine Eltern scheiden lassen. Mein Vater hat eine andere Frau geheiratet.

5 Den ganzen Tag in der Sonne am Strand zu liegen, das kann ich nicht leiden. Das ist mir zu heiß und zu langweilig. Wir haben fast nichts unternommen – keine Ausflüge gemacht, keinen Sport getrieben und keine Sehenswürdigkeiten besichtigt.

6 Letztes Jahr waren wir alle sehr müde, darum haben wir zehn schöne Tage am Strand in Frankreich verbracht. Das war traumhaft, aber viel zu kurz. Schon nach zehn Tagen mußten wir wieder nach Hause. Echt schade!

7 Ich war letztes Jahr zum ersten Mal in Dänemark. Das hat mir zwar ganz gut gefallen. Die Dänen waren sehr nett, und das Ferienhaus war super. Es hat aber alles soviel gekostet – Dänemark ist wirklich sehr teuer.

8 Letztes Jahr haben meine Freunde und ich zwei Wochen auf einem Campingplatz in Österreich verbracht. Österreich war zwar ganz schön, und die Leute waren sehr nett, aber ich zelte nicht gern. Mir war das nicht bequem genug. Und nachts wurde es auch sehr kalt!

A Hoffentlich werden wir dieses Jahr noch einmal dahin fahren. Auch wenn das Wetter schlecht ist, ist es nie langweilig – es gibt nämlich soviel im Hotel zu tun.

B Dieses Jahr fahre ich alleine weg. Vielleicht werde ich eine Radtour mit ein paar Freunden machen. Das ist zwar nicht so aufregend wie Italien, aber wenigstens kann ich das tun, was ich will.

C Dieses Jahr fahren wir mal ins Gebirge. Hoffentlich machen wir viele Wanderungen und vielleicht ein bißchen bergsteigen. Dann können wir frische Luft schnappen und die schöne Landschaft genießen.

D Dieses Jahr werden wir sicher länger fahren – mindestens drei Wochen und zwar nochmal an demselben Strand in Frankreich. Ich freue mich schon darauf!

E Dieses Jahr hoffen wir auf einen billigeren Urlaub in Italien. Hoffentlich wird der Kurs günstig sein, damit der Urlaub nicht so teuer wird!

F Ich fahre dieses Jahr in den Süden. Es ist mir egal, wo wir Urlaub machen – Hauptsache: Sonnenschein und bloß kein Regen!

G Dieses Jahr zelten wir nicht. Wir mieten ein Ferienhaus an der Küste in Dänemark. Hoffentlich wird es auch schön warm sein!

H Das heißt, daß ich dieses Jahr zweimal Urlaub mache. Zuerst fahre ich mit meiner Mutter nach Spanien, dann verbringe ich fünfzehn Tage bei meinem Vater in der Schweiz.

Und du?

Was hast du letztes Jahr gemacht?
Was machst du dieses Jahr?
Schreib es auf.

Tip des Tages

Letztes Jahr	bin ich mit meinen Eltern nach Italien gefahren.
	hat es Spaß gemacht.
	war es furchtbar.
Dieses Jahr	fahre ich alleine weg.
	werde ich eine Radtour machen.
	wird es Spaß machen.

Ferienjobs

Lies, was die Jugendlichen sagen, und beantworte die Fragen.

Sylvia
Ich suche einen Ferienjob, um Geld für Klamotten zu verdienen.

Nurcan
Ich suche einen Ferienjob, um neue Leute kennenzulernen. In den Ferien ist es zu Hause so langweilig!

Jutta
Ich suche mir einen Ferienjob, um etwas Interessantes zu unternehmen.

Jens
Ich möchte einen Ferienjob, um meiner Mutter zu helfen. Wir brauchen nämlich das Geld. Mein Vater wohnt nicht mehr bei uns.

Anne
Ich suche einen Job, um mir einen neuen Computer zu kaufen. Der kostet viel Geld.

Carsten
Ich brauche einen Ferienjob, um soviel Geld wie möglich zu sparen. Ich will mir ein Mofa kaufen.

1 Wer will einen Ferienjob, weil sie nicht zu Hause bleiben will?
2 Wer will einen Ferienjob, weil er sich neue Kleider kaufen will?
3 Wer will einen Ferienjob, weil er sein eigenes Fahrzeug haben möchte?
4 Wer will einen Ferienjob, weil sie neue Erlebnisse sucht?
5 Wer will einen Ferienjob, weil sie ihren alten Computer ersetzen will?
6 Wer will einen Ferienjob, weil er Geld für seine Familie verdienen will?

Tip des Tages

Warum willst du einen Ferienjob?	
Um	Geld zu verdienen. etwas Interessantes zu machen. neue Leute kennenzulernen.
Weil ich	nicht zu Hause bleiben will. neue Kleider kaufen will.

Disneyland Paris

Lies folgenden Text über einen besonderen Ferienjob.

In Deutschland darf man unter 18 zwischen 6-20 Uhr arbeiten. In den Ferien kann man also jede Menge Teilzeitjobs machen: Hunde ausführen, Regale im Supermarkt auffüllen, Zeitungen und Prospekte austragen, Gartenarbeit machen und auch Nachhilfestunden geben.

Für über 18-jährige gibt es sicher viele Teilzeitjobs auch im Ausland. Als Au-Pair haben Jugendliche nicht nur Verdienstmöglichkeiten, sondern auch einen unmittelbaren Einblick in ein fremdes Land und eine fremde Kultur.

Wer aufgeschlossen und sportlich ist, sollte es mal in Feriencamps oder -clubs als Animateur versuchen. Auch *Disneyland Paris* sucht ständig neue Teilzeitmitarbeiter. Mindestens zwei Monate (bevorzugt: Juli/August) kann man dort in den Restaurants, in der Rezeptionen, im Karten- und Warenverkauf oder an den Attraktionen arbeiten. Voraussetzung dafür ist die Kenntnis der französischen Sprache (man sollte sich unterhalten können), sowie etwas Englisch (Sprachtest kann gleich am Telefon durchgeführt werden).

Es wird in einer 39-Stunden-Woche in drei Schichten (morgens, mittags, nachts) gearbeitet. Das Bruttogehalt beträgt 6 000 Francs, davon bleiben netto (nach Abzug aller Sozialabgaben) 4 800 Francs übrig. Davon muß allerdings auch noch die Unterkunft bezahlt werden. Wer in den *Disney*-eigenen Apartments absteigt, zahlt dafür 2 100 Francs im Monat. Billiger kann es werden, wenn man sich auf eigene Faust ein Zimmer sucht. Die Anreise muß selbst bezahlt werden.

Stimmt das?

Beispiel *1 stimmt nicht*

1 Erst wenn man unter achtzehn ist, darf man als Animateur arbeiten.
2 Wenn man im Ausland arbeitet, hat man die Gelegenheit, eine andere Kultur und fremde Leute kennenzulernen.
3 Man muß mindestens zwei Monate in den Restaurants arbeiten.
4 Am liebsten sollten die Teilzeitmitarbeiter in *Disneyland Paris* in der Hochsaison arbeiten.
5 Man braucht nicht perfekt Französisch sprechen zu können.
6 Vielleicht wird man am Telefon in Französisch und Englisch getestet werden.
7 Alle Teilzeitmitarbeiter bei *Disney* müssen drei Schichten von 13 Stunden pro Woche arbeiten.
8 Man verdient netto viertausendachthundert Francs im Monat.
9 Man muß bei *Disneyland Paris* wohnen.
10 *Disneyland Paris* bezahlt alle Reisekosten für die Mitarbeiter.

In zehn Jahren

Lies, was die Jugendlichen sagen.

Jürgen

In zehn Jahren werde ich weltberühmter Sportler sein.

Nina

Ich werde Studentin sein.

Ralf

In zehn Jahren werde ich nicht mehr in Deutschland wohnen.

Cigden

Ich werde Sängerin in einer Band sein.

Anja

Ich werde arbeitslos sein.

Heike

In zehn Jahren werde ich sechsundzwanzig sein!

Nico

Ich werde heiraten.

Ersun

Ich werde Astronaut sein.

Markus

Ich werde Millionär sein!

Nicole

In zehn Jahren werde ich Computergenie sein.

Und in 20 Jahren?

Wer hat das wohl gesagt?

Beispiel
1 Heike

1 Ich werde sechsunddreißig sein.
2 In zwanzig Jahren werde ich nicht mehr weltberühmter Sportler sein – ich werde zu alt sein!
3 Ich werde Professorin an der Uni sein.
4 In zwanzig Jahren, wenn wir überhaupt noch da sind, werde ich sicher immer noch ohne Arbeit sein.
5 Ich werde die Welt mit meinen Programmen retten.

6 In 20 Jahren werden wir die populärste Rockband auf der Welt sein.
7 Ich werde auf einem anderen Planeten wohnen.
8 In 20 Jahren werde ich zehn Kinder haben.
9 Ich werde reich sein und nach Deutschland zurückkommen.
10 In 20 Jahren werde ich kein Geld mehr haben.

▶ *Nun hör gut zu. Hattest du recht?*

Steffi und Freunde

Wenn ich älter bin, bestimme ich, was ich mit meinem Leben mache, ich!

Und wenn ich heirate, sage ich, wo ich wohnen will. Ich allein werde entscheiden, wofür ich mein Geld ausgebe.

Gott sei Dank bin ich im Zeitalter der Emanzipation geboren!

Na, was machen wir denn heute abend?

Weiß ich nicht. Was hattest du vor?

Was wirst du später machen?

Lies die Texte und beantworte die Fragen.

Sabriya

Meine Eltern werden vielleicht wieder in die Türkei ziehen, weil es hier in Deutschland keine Arbeitsplätze mehr für sie gibt. Ich aber werde weiterstudieren – vielleicht an der Universität. Dann werde ich irgendwo in Europa arbeiten. Ich werde vielleicht Übersetzerin werden. Ich interessiere mich nämlich sehr für Fremdsprachen.

Renate

Was ich später mache werde, ist leicht zu sagen. Ich will Stewardeß werden und so viele Länder wie möglich besuchen. Ich möchte nicht die ganze Zeit hier in Deutschland bleiben – es gibt soviel auf der Welt zu sehen und zu tun. Und wenn ich keine Stelle als Stewardeß bekommen kann, werde ich vielleicht als Reiseleiterin bei einer großen Reisefirma arbeiten.

Jens

Keine Ahnung! Ich weiß noch nicht, was ich machen werde. Etwas Sportliches oder sowas. Ich schwärme für Sport, Athletik, usw. Leider sind meine Noten überhaupt nicht so toll, darum werde ich vielleicht gleich nach der Schule eine Stelle suchen müssen. Wer weiß?

Ich werde etwas Aktives und Interessantes machen – ich meine nichts Wissenschaftliches oder Sportliches. Ich weiß noch nicht genau, was für einen Beruf ich ergreifen werde. Auf jeden Fall will ich nicht in einer Fabrik, an einer Schule oder in einem Büro arbeiten. Lieber draußen in der frischen Luft.

Nassa

Markus

Ich werde sicher ins Ausland fahren, um meine Sprachkenntnisse zu erweitern. Am wichtigsten ist, wenn man in Europa weiterkommen will, daß man mehrere Sprachen kann. Ich weiß noch nicht, welchen Beruf ich ausüben werde.

Britta

Das geht mir auf die Nerven: ‚Was wirst du machen, Britta? Denk doch mal an die Zukunft!' Werden meine Eltern nie verstehen, daß ich noch zu jung bin, um meine Zukunft genau zu planen?! Im Moment denke ich nur an die Ferien. Nichts Aktives. Ein bißchen Ruhe, Sonne und Spaß. Danach wird wohl noch genug Zeit sein, an einen zukünftigen Beruf zu denken.

Wer ...?

1 ... weiß noch nicht, was er/sie machen will, wird sicher nichts Sportliches machen und möchte nicht drinnen arbeiten?

2 ... möchte nicht immer im Heimatland bleiben, weil er/sie sich für fremde Länder und Kulturen interessiert?

3 ... hat sich noch nicht entschlossen, was er/sie machen wird, weil er/sie glaubt, daß er/sie noch nicht alt genug ist, um solche Fragen zu beantworten?

Schreib weitere Beschreibungen für die drei anderen Jugendlichen.

Umfrage

Was werden deine Klassenkameraden später machen? Stell Fragen und mach Notizen.

Schreib mal wieder!

Beantworte die Fragen in einem Brief.

Wo warst du letztes Jahr im Urlaub?
Wie war es?
Wie sieht dein Ferienwunschzettel aus?
Wo fährst du hin?
Mit wem und für wie lange?
Was für Aktivitäten wirst du in den Ferien unternehmen?
Und in der Zukunft – was wirst du machen?
Was für einen Beruf möchtest du?

Tip des Tages

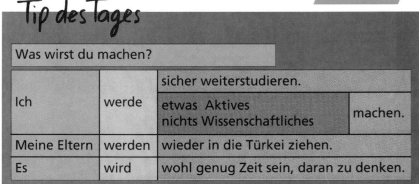

Was wirst du machen?			
Ich	werde	sicher weiterstudieren.	
		etwas Aktives / nichts Wissenschaftliches	machen.
Meine Eltern	werden	wieder in die Türkei ziehen.	
Es	wird	wohl genug Zeit sein, daran zu denken.	

Dies und das

Urlaub – eine Erfindung des 20sten Jahrhunderts

© Barnaby's Picture Library

© Donald McLeish/Robert Harding Picture Library

Vor hundert Jahren fuhren die meisten Leute nie in Urlaub. Es war auch nicht Mode, sich zu sonnen. Nur arme Leute, die auf dem Land arbeiteten, waren braungebrannt. Damen versuchten, soweit wie möglich keine Sonne an ihre Haut zu lassen.

Dann kam eine neue Mode: An die See zu fahren. Tausende von Leuten entdeckten das Vergnügen, in der Sonne am Strand zu liegen.

Das war auch im Gebirge der Fall. Früher ging niemand aus Spaß in die Berge. Berge waren einfach ein Problem für Reisende, weiter nichts. Dann fingen einige Leute an, dort Wanderungen zu machen. Auf einmal wurden die Berge – für reiche Leute – zu einem wünschenswerten Urlaubsziel. Und Skifahren als Sportart? Das wurde zuest von Engländern in den Alpen eingeführt!

Der Witz des Monats

Würde es dir etwas ausmachen, von meinen Skiern zu gehen?

Brieffreundschaften – Riesenspaß oder Babykram?

Briefeschreiben? Warum denn das? Telefonieren geht doch viel schneller! Und lebendiger ist's außerdem! Da hört man die Stimme des anderen – und seine Stimmung! Viele von euch werden so denken und Brieffreundschaften für ‚Babykram‘ halten ...

Und doch: Es gibt viele junge Leute, die Brieffreundschaften toll finden! Durch eine Anzeige haben sie jemanden kennengelernt, und nun geht's hin und her. Manch einer (eine) lernt seinen (ihren) Brieffreund(in) auch in den Ferien kennen. Durch Briefe wird der Kontakt gehalten – bis zum nächsten Wiedersehen ...

Wer spricht für – wer spricht gegen Brieffreundschaften? Hier äußern einige junge Leute ihre Meinung:

‚Ich habe zwei Brieffreunde, in Schweden und in Deutschland. Wir sehen uns zwar selten, aber wenn man sich sieht, ist die Freude groß.‘ (Silke)

‚Ich habe keine Brieffreundschaft. Keine Lust! Was soll ich denn mit Brieffreundschaften anfangen, wenn ich sonst so viele Freunde um mich herum habe?‘ (Funda)

‚Ich habe drei Brieffreundinnen – eine davon aus Italien. Wir schreiben uns auf englisch. Wir sehen uns jeden Sommerurlaub in Italien. Sie ist ein halbes Jahr älter als ich, und wir verstehen uns sehr gut. Ich finde es schön, wenn man aus der Schule kommt und auf dem Tisch liegt ein Brief!‘ (Nicki)

‚Ich habe schon eine Brieffreundschaft gehabt. Doch nach dem zweiten Brief, den ich bekam, hörte ich auf, weil da ein Foto drin war, das mir nicht gefiel!‘ (Dominik)

Bildgeschichte

In der Stadt

1. Du hast also keinen Schlagzeuger gefunden?

Nein, aber warum nicht eine Schlagzeugerin?

2. Meinst du es ernst?

Ja, total! Katja, das ist Navina, unsere Sängerin. Kommt, wir müssen dringend proben!

Einige Tage später, beim Konzert

3. Er hat es vielleicht nicht gesagt, aber Uli ist wirklich froh, daß du heute da bist.

Oh, ich bleibe aber vielleicht nicht bis zum Ende.

4. Viel Glück!

Danke. Ich tue mein Bestes.

5. OK. Seid ihr fertig? Wir sind dran!

6.

7.

8. Eins, zwei, drei, vier ...

sb ▶ *Selbstbedienung*

⚑ Was wirst du machen?

Sag, was du machen wirst, wenn das Wetter
gut/schlecht usw. ist.
Sieh dir die Bilder und die Vokabeln an.

Beispiel
1 Wenn es warm ist, werde ich schwimmen
gehen.

	WETTER	
warm	schneit	schön
	regnet	windig

AKTIVITÄTEN	fernsehen
Ski laufen	
schwimmen gehen	mit dem Hund spazieren gehen	segeln

Schreib noch drei weitere Sätze:
Wenn es heiß ist, ...   Wenn es neblig ist, ...   Wenn die Sonne scheint, ...

⚑ Hotel, Campingplatz oder Ferienhaus?

Wo finden diese Gespräche statt? Schreib ‚Hotel', ‚Campingplatz' oder ‚Ferienhaus'.
Beispiel
1 Hotel

1 Wir möchten zwei Nächte bleiben. Haben Sie ein Doppelzimmer mit Bad und Dusche frei?

2 Wir sind zwei Erwachsene und ein Kind. Wir haben ein Auto und einen Wohnwagen. Wir wollen sieben Nächte bleiben.

3 Wir brauchen vier Schlafzimmer, Elektroküche, Bad mit Dusche und Terrasse in einer ruhigen Lage.

4 Werden andere Gäste im Haus sein? Wir sind fünf Erwachsene und sechs Kinder und bringen auch noch unseren Hund mit.

5 Ich habe ein kleines Zelt. Welcher Platz ist das?

6 Wir haben nicht reserviert. Wir wollen aber Halbpension. Wann ist das Restaurant geöffnet?

⚑ Ein Worträtsel

Sieh dir das Worträtsel
an. Was für eine
Unterkunft ist das?

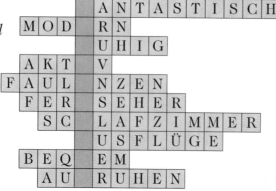

			A	N	T	A	S	T	I	S	C	H
M	O	D		R	N							
				U	H	I	G					
A	K	T		V								
F	A	U	L	N	Z	E	N					
F	E	R		S	E	H	E	R				
S	C		L	A	F	Z	I	M	M	E	R	
			U	S	F	L	Ü	G	E			
B	E	Q		E	M							
A	U		R	U	H	E	N					

Schreib weitere Worträtsel für: HOTEL, GÄSTEHAUS und CAMPINGPLATZ.

Im Gegenteil

Finde zwanzig Sätze, die Gegenteile sind. Dann schreib Gegenteile für die zwei übrigen Sätze.

Beispiel
1–5

1 Der Campingplatz ist sehr ruhig.

2 Ich möchte später draußen in der frischen Luft arbeiten.

3 In den Ferien möchte ich ganz weit weg fahren.

4 Ich bin letztes Jahr nach Portugal gefahren.

5 Der Campingplatz bietet viele Aktivitäten.

6 Ich bin mit meinen Eltern in Urlaub gefahren.

7 Ich habe Schwierigkeiten mit der Sprache.

8 Ich bin ganz zufrieden mit meiner Ferienplanung.

9 Das ist ein Nichtraucher-Gästehaus.

10 Ich muß die Ferien bei meinen Kusinen verbringen – das wird total langweilig sein.

11 Ich werde nächstes Jahr nach Portugal fahren.

12 Alle Zimmer haben Farb-TV und Telefon.

13 Ich kann die Sprache sehr gut.

14 Es hat aber alles soviel gekostet!

15 Ich möchte in den Ferien zu Hause bleiben.

16 Nachts wurde es sehr kalt!

17 Ich brauche einen Ferienjob, um soviel Geld wie möglich zu sparen.

18 Ich suche mir einen Ferienjob, um Geld für Klamotten zu verdienen.

19 Ich werde später wahrscheinlich in einem Büro oder einer Fabrik arbeiten.

20 Das war gar nicht so teuer.

21 Tagsüber war das Wetter sehr schön.

22 Das Rauchen ist in diesem Hotel erlaubt.

Paare

Was paßt wozu?

Beispiel
1B

1 Wo   A nach Italien fahren.
2 Warst du schon   B warst du im Urlaub?
3 Ich bin in   C Geld zu verdienen.
4 Was wirst   D Billigeres.
5 Wir werden   E mal in Dänemark?
6 In den Ferien möchte   F die Schweiz gefahren.
7 Ich will nichts   G ich früh aufstehen.
8 Er sucht einen Ferienjob, um   H werde ich heiraten.
9 Wir suchen etwas   I Aktives machen.
10 In zehn Jahren   J du machen?

Herzlich willkommen bei uns!

Mach Werbung für einen Campingplatz, ein Hotel oder ein Ferienhaus.
Wo befindet es sich? Im Gebirge? An der Küste? Am Stadtrand? Was kann man dort machen? Gibt es ein Schwimmbad? Ein Restaurant? Eine Disco? Was noch?

sb ▶ *Selbstbedienung*

Es wird echt toll werden!

A *Lies die Texte und beantworte die Fragen.*

1 Im Heu übernachten (Heu-Hotels)

Mal so richtig auf einem Bauernhof sein und zwischendurch ein bißchen Fahrrad fahren – das kannst du gleich in Niedersachsen. Und geschlafen wird im Heu. Das riecht total gut, ist weich, und man kann nirgendwo besser und schöner träumen! Einen Schlafsack und eine Taschenlampe mußt du mitbringen.

2 Kajakkurs in Bayern: Wie echte Indianer Kajak fahren

Hast du schon immer davon geträumt, mal einen richtig wilden Gebirgsfluß hinunterzupaddeln? In Bayern kannst du das lernen: Die Grundtechnik des Kajakfahrens – Ein- und Ausschlingen, Queren, Seilfähre – und zur Abschlußfahrt geht's ab in die wilden Fluten!

3 Abenteuer mit Kompaß (Wochenende mit der Bergsportschule Rhön)

Was macht man, wenn man den Wald vor lauter Bäumen nicht mehr sieht? Man holt einfach seinen Kompaß aus der Tasche! Vorausgesetzt, man ist ,eingenordet' (d.h. man weiß, wo Norden ist). Außerdem geht's an diesem Abenteuer-Wochenende Felswände hoch und per Seil wieder runter, quer durch Bäche und Flüsse, auch mal im Raft-Boot durch die Stromschnellen. Mal ehrlich: Mehr kannst du in Alaska auch nicht erleben!

1 Wo sind die Heu-Hotels?
2 Wo wird geschlafen?
3 Wo findet der Kajakkurs statt?
4 Was macht man da am letzten Tag?
5 Wer organisiert die Abenteuer-Wochenenden?
6 Wie kommt man dabei die wildesten Flüsse hinunter?

B *Stell dir vor, du wirst an einer dieser Ferienkurse teilnehmen. Was wirst du machen? Schreib ein paar Sätze darüber.*

Beispiel

1
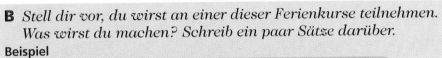
Ich habe ein Wochenende bei Heu-Hotels reserviert. Wir werden ein bißchen Fahrrad fahren. Ich werde ...

⚑ Zurück in die Zukunft

In welche Kategorie kommen die Wörter unten hin?

Vergangenheit (schon passiert)	Gegenwart (jetzt)	Zukunft (noch nicht passiert)
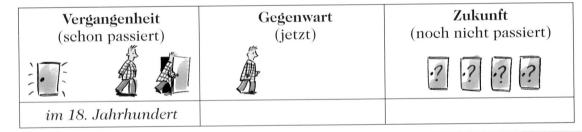
Beispiel *im 18. Jahrhundert*		

im 18. Jahrhundert	morgens	heute	jetzt	gestern
abends	in zehn Jahren	letztes Wochenende	jeden Tag	dieses Jahr
nächste Woche	vor einem Monat	letzten Sommer	übermorgen	in drei Wochen
nachmittags	letzten Montag		nächstes Jahr	letztes Jahr

Benutze einige der Wörter oben, und bilde jetzt neun Sätze folgenderweise:

Letztes Jahr bin ich nach Italien gefahren. > **Heute** fahren wir in die Stadt. > **Nächstes Jahr** werde ich nach Griechenland fahren.

Sag warum

Beispiel *1 Ich will etwas Interessantes lesen, weil ich mich langweile.*

1 Du langweilst dich. Was willst du lesen? (interessant)
2 Du bist voller Energie. Was willst du machen? (aktiv)

3 Ersun ist hungrig. Was will er essen? (lecker)
4 Nina trägt nicht gern schwarze Sachen. Was kauft sie sich ? (hell)

Schreib weitere Sätze und zwar diesmal mit **nichts.**

1 Stating your holiday requirements

Ich suche	einen Campingplatz. eine Ferienwohnung.	I'm looking for a campsite. I'm looking for a holiday flat.
Wir suchen	ein Ferienhaus. ein Hotel.	We're looking for a holiday home. We're looking for an hotel.

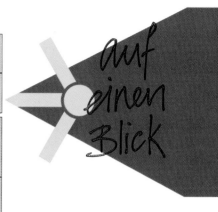

Ich möchte	ein	Einzel- zimmer Doppel- zimmer	im Gästehaus Brandtner	reservieren.	I would like to reserve	a	single room double room	in the Gästehaus Brandtner.
	einen	Platz	auf dem Camping- platz				site	on the campsite.

2 Talking about the past: using the perfect and imperfect tenses

	war ich in Dänemark.		I went to Denmark.
Letztes Jahr	hat es Spaß gemacht.	Last year	it was fun.
	war es furchtbar.		it was terrible.
	konnten wir nichts unternehmen!		we couldn't do anything!
	bin ich mit meinen Eltern nach Italien gefahren.		I went to Italy with my parents.

3 Giving reasons: *um ... zu* + infinitive and *weil ...* + verb

Ich möchte einen Job,	um	Geld zu verdienen. neue Leute kennenzulernen.	I want a job	to earn some money. to get to know new people.
	weil	es zu Hause so langweilig ist. ich neue Kleidung kaufen will.		because it's so boring at home. because I want to buy new clothes.

4 Using the present tense to talk about the future

Dieses Jahr	fahre ich	alleine weg.	This year I'm going away on my own.
	fahren wir	ins Gebirge.	This year we're going to the mountains.
Im Juli	habe ich	einen Ferienjob.	In July I'm doing a holiday job.

5 The future tense (*werden ...* + infinitive)

Was	wirst	du	machen(?).	What will you do?
Ich	werde	eine Radtour		I'll go on a cycling tour.
Es	wird	Spaß	sein.	It'll be fun.
Hoffentlich		es nicht so teuer		Hopefully it won't be so expensive.
Wir		meine Oma	besuchen.	We'll visit my grandma.
Was	werden	Sie	machen?	What will you do?
Meine Eltern		wieder nach Spanien	fahren.	My parents are going to Spain again.

Spelling

1a   Capitals

All nouns begin with a capital letter (not only the words which start a sentence):

Was ißt du zum **F**rühstück? **B**rötchen und **M**armelade.	*What do you eat for breakfast?* *Rolls and jam.*

In letters **du** *and its related forms (**dein**, **dich**, **dir**) are written with a capital letter:*

Liebe Christa,
Was machst **D**u in den Ferien?
Spielt **D**ein Bruder Tennis?
  Viele Grüße, Viele Küsse.
  Dein Boris. **D**eine Doris.

1b   Small letters

Adjectives are always written with small letters even if they refer to nationalities:

Ißt du gern **d**eutsches Brot? Das ist ein **e**nglisches Auto.	*Do you like (eating) German bread?* *That's an English car.*

1c   ss/ß

Use **ß** *only when you are sure it is correct. If not, it is safer to write* **ss.**

Use **ß**	before the letter -**t** after a long vowel at the end of a word	ißt Grüße Kuß	
			Viele süße Grüße und Küsse!

Numbers and quantities

2a   Cardinal numbers

1	eins	11	elf	21	einundzwanzig	100	hundert	
2	zwei/zwo	12	zwölf	22	zweiundzwanzig	101	hunderteins	
3	drei	13	dreizehn	29	neunundzwanzig	102	hundertzwei	
4	vier	14	vierzehn	30	dreißig	199	hundertneunundneunzig	
5	fünf	15	fünfzehn	40	vierzig	200	zweihundert	
6	sechs	16	sechzehn	50	fünfzig	999	neunhundertneunundneunzig	
7	sieben	17	siebzehn	60	sechzig			
8	acht	18	achtzehn	70	siebzig	1 000	tausend	
9	neun	19	neunzehn	80	achtzig	1 000 000	eine Million	
10	zehn	20	zwanzig	90	neunzig	2 000 000	zwei Millionen	

Zwanzig Minuten mit dem Bus. Das ist die Linie dreiundvierzig.	*Twenty minutes by bus.* *That's bus route 43.*

2b   Ordinal numbers

*These words are to say first, second, etc. For most numbers up to **19th** you just add* -**te** *(or* -**ten***).*

Exceptions:	**1st** erste(n)	**3rd** dritte(n)	**7th** siebte(n)	**8th** achte(n)

*From **20th** onwards you add* -**ste** *(or* -**sten***).*

Die **erste** Stunde.	*The first lesson.*
Am zwanzig**sten** März.	*On the twentieth of March.*
Die zwei**te** Straße links.	*The second street on the left.*
Die **dritte** Straße rechts.	*The third street on the right.*
Die Kassetten sind im **ersten** Stock.	*Cassettes are on the first floor.*
Das ist im vier**ten** Stock.	*It's on the fourth floor.*

*(See also section **8**.)*

2c   Once, twice etc.

einmal	once
zweimal	twice
dreimal	three times

These are often used when ordering snacks:

Zweimal Milchshake, bitte.   *Two milkshakes, please.*

2d   Weights, measures and containers

Hundert Gramm Wurst.	*100g of sausage.*
Dreihundert Gramm Käse.	*300g of cheese.*
Ein Pfund Tomaten.	*A pound of tomatoes.*
Ein Kilo Bananen.	*A kilo of bananas.*
Anderthalb Kilo Äpfel.	*1.5 kilos of apples.*
Ein Liter Milch.	*A litre of milk.*
Ein halber Liter Wasser.	*Half a litre of water.*

Ein Glas Honig.	*A jar of honey.*
Ein Stück Seife.	*A bar of soap.*
Ein Becher Margarine.	*A tub of margarine.*
Eine Schachtel Pralinen.	*A box of chocolates.*
Eine Tube Zahnpasta.	*A tube of toothpaste.*
Eine Packung Kekse.	*A packet of biscuits.*
Eine Dose Tomatensuppe.	*A tin of tomato soup.*
Eine Flasche Milch.	*A bottle of milk.*

Addressing people

3a   Greetings

The following greetings are normally used amongst friends:

Hallo!
Grüß dich!
Grüßt euch! *(for more than one)*
Wie geht's?

More formal greetings are:

Guten Morgen! *or* Morgen!	**07.00**
Guten Tag!	
Guten Abend!	**18.00**
Guten Appetit!	*At mealtimes*

3b   Farewells

Tschüs!	*(to friends)*
(Auf) Wiedersehen!	*(more formal)*
(Auf) Wiederhören!	*(on the telephone)*
Gute Nacht, schlaf gut!	*(when going to bed)*

3c   Ways of saying you'll see someone again

bis	eins		at	one (o'clock)
	halb zwei			one thirty
	neun Uhr			nine (o'clock)
	morgen		*(I'll)*	tomorrow
	Samstagabend		see you	on Saturday evening
	Freitagvormittag			on Friday morning
	nächste	Woche		next	week
	nächsten	Monat		next	month
		Samstag			Saturday
bis	nächstes	Jahr		next	year
		Mal			time
	heute abend			this evening
	bald			soon

3d   Letters

Writing to friends or relatives

Begin	Liebe Gabi!	*Dear Gabi*
	Lieber Peter!	*Dear Peter*
End	herzliche Grüße	*Best wishes*
	herzliche Grüße und Küsse	*Best wishes and kisses*
	Mit freundlichen Grüßen	*Best wishes*
	Schreib bald wieder!	*Write again soon!*
	Dein Michael	*Yours, Michael*
	Deine Rachel	*Yours, Rachel*

Writing formal letters

Sehr geehrte Damen und Herren!	*Dear Sir/Madam*
Sehr geehrter Herr Brauner!	*Dear Mr Brauner*
Mit den besten Empfehlungen	*Yours faithfully/ Yours sincerely*

Questions

4a   Ordinary questions

Ordinary questions can be asked in the same way as in English by beginning with the verb,
e.g. Have you …? Do you …? Can you …?

Haben Sie einen Stadtplan?	Have you got a street plan?
Ist hier eine Bank in der Nähe?	Is there a bank nearby?
Hast du Geschwister?	Do you have any brothers and sisters?

4b   Question words

Most other questions begin with a **'question word'** which is immediately followed by the verb:

Wie? (usually: How?)
Wie war das Wetter?	How was the weather?
Wie komme ich zum Bahnhof?	How do I get to the station?
Wie bist du gefahren?	How did you travel?

Wer? (Who?)
Wer kommt mit zur Party?	Who's coming with us to the party?
Wer ist Betti?	Who is Betti?

Was? (What?)
Was gibt es hier zu sehen?	What's there to see here?
Was hast du am Wochenende gemacht?	What did you do at the weekend?
Was kostet ein Brief nach England?	What does it cost to send a letter to England?

Was für? (What sort of?/What kind of?)
Was für Filme siehst du am liebsten?	What kind of films do you like best?

Wann? (When?)
Wann kommt der Zug an?	When does the train arrive?
Wann stehst du auf?	When do you get up?

Wo? (Where?)
Wo ist hier die Post?	Where is the post office?
Wo kauft man das?	Where can you buy that?
Wo bist du hingefahren?	Where did you go?

Wohin? (Where to?)
Wohin fahren wir?	Where are we going?

Wofür? (On what?)
Wofür gibst du dein Geld aus?	What do you spend your money on?

Wieviel? (How many? How much?)
Wieviel ist das?	How much is that?
Wieviel Taschengeld bekommst du?	How much pocket money do you get?

Um wieviel Uhr? (At what time?)
Um wieviel Uhr ißt du dein Mittagessen?	What time do you have lunch?

Welche(r/s)? (Which …?)
Welches Bild ist das?	Which picture is it?
In **welche** Klasse gehst du?	Which class are you in?
Von **welchem** Gleis fährt der Zug nach Ulm?	What platform does the train to Ulm leave from?

Warum? (Why?)
Warum (nicht)?	Why (not)?
Warum kommst du nicht mit?	Why aren't you coming?

Days of the week

5a   What day is it?

Was ist heute für ein Tag?		*What day is it today?*	
	Montag.		*Monday.*
	Dienstag.		*Tuesday.*
	Mittwoch.		*Wednesday.*
Heute ist	Donnerstag.	*Today is*	*Thursday.*
	Freitag.		*Friday.*
	Samstag.		*Saturday.*
	Sonntag.		*Sunday.*

5b   The day and part of the day

Montag	-vormittag	*morning*
Dienstag	-nachmittag	*afternoon*
Mittwoch	-abend	*evening*

5c   On (plus the day of the week and part of the day)

am	Montag	-vormittag	*on Monday morning*
	Dienstag	-nachmittag	*on Tuesday afternoon*
	Mittwoch	-abend	*on Wednesday evening*

5d   Regularly on the same day

montags	*on Mondays*
dienstags	*on Tuesdays*
freitags	*on Fridays*

Notice that these begin with a small letter.

Months of the year

6a   die Monate – months

Januar	Juli
Februar	August
März	September
April	Oktober
Mai	November
Juni	Dezember

6b   In + month

Im	Januar	*In*	*January*
	Juni		*June*
	September		*September*
	Dezember		*December*

The seasons

7a   die Jahreszeiten – seasons

der Sommer	*summer*
der Herbst	*autumn*
der Winter	*winter*
der Frühling	*spring*

7b   In + season

Im	Sommer	*In the*	*summer*
	Herbst		*autumn*
	Winter		*winter*
	Frühling		*spring*

The date

8a   What's the date today?

Den wievielten haben wir heute?			*What's the date today?*	
	ersten	Januar.		*first of January.*
	zweiten	Februar.		*second of February.*
	dritten	April.		*third of April.*
	vierten	Mai.		*fourth of May.*
Wir haben den	zehnten	Juli.	*It's the*	*tenth of July.*
	zwanzigsten	August.		*twentieth of August.*
	einundzwanzigsten	Oktober.		*twenty-first of October.*
	dreißigsten	November.		*thirtieth of November.*
	einunddreißigsten	Dezember.		*thirty-first of December.*

(See also section 2b.)

8b   On ... + date

am	ersten (1.) dritten (3.) vierten (4.) zehnten (10.) neunzehnten (19.) zwanzigsten (20.)	Januar Februar April Juni August November	on the	first of January third of February fourth of April tenth of July nineteenth of August twentieth of November

8c   Dates on letters

den	1sten 20sten 2ten 27sten 3ten 28sten 4ten 30sten 18ten 31sten	Januar Februar April Oktober Dezember	Berlin, den 20sten Oktober den 20. Oktober

Time

9a   What time is it?

Wieviel Uhr ist es? Wie spät ist es?	What time is it?

9b   On the hour

Es ist	eins. zwei.		Es ist	ein zwei		It's	1 2	
	drei.	or		drei	Uhr.		3	o'clock
Um	vier.		Um	vier		At	4	

9c   Quarter to/past the hour

Es ist		vor	eins. zwei.		It's		to	1. 2.
	Viertel		drei.			a quarter		3.
Um		nach	vier.		At		past	4.

9d   Half past the hour

Es ist		eins.		It's		12.
	halb	zwei.			half past	1.
Um		drei.		At		2.

Note: Um halb **drei** = at 2.30, i.e. halfway to 3.00.

9e   Minutes to/past the hour (5, 10, 20, 25)

Es ist	fünf zehn	vor	eins. zwei.		It's	5 10	to	1. 2.
	zwanzig		drei.			20		3.
Um	fünfundzwanzig	nach	vier.		At	25	past	4.

Other minutes (7, 9, 14, 19 etc.)

Es ist	sieben neun		vor	eins. zwei.		It's	7 9		to	1. 2.
	vierzehn	Minuten		drei.			14	minutes		3.
Um	neunzehn		nach	vier.		At	19		past	4.

9f   Midday/midnight

Es ist	zwölf Uhr. Mittag.		It's	12 o'clock. midday.
Um	Mitternacht.		At	midnight.

Note also the following way of saying 'at midday/midnight':

Zu	Mittag. Mitternacht.

9g   Approximate times

Gegen	fünf Uhr. halb neun.	At about	5 o'clock. half past eight.

9h   Talking about how long you've been doing something

To say you have been doing something for a certain time, use **seit** followed by the Dative case, with the verb in the **Present Tense**.

Ich lerne **seit** zwei Jahren Deutsch.	I've been learning German for two years.
Ich bin **seit** einem Jahr Mitglied im Judoklub.	I've been in the judo club for a year. (See also section **15d**.)

9i   ago

To say 'ago', use **vor** followed by the Dative case.

Vor einer Stunde.	An hour ago.
Vor zwei Jahren.	Two years ago.
Vor drei Monaten.	Three months ago. (See also section **15b**.)

Du, ihr, Sie

All three of these words are translated by 'you'. They are used as follows:

10a   du

Speaking to a young person

Wie heißt du?	What's your name?
Wie alt bist du?	How old are you?

Between friends old or young (people you usually call by their first name)

Kommst du mit ins Kino?	Are you coming to the cinema?

In the family

Vati, kommst du mit in die Stadt?	Dad, are you coming into town?
Kannst du mir mal helfen, Mutti?	Can you help me, mum?

10b   ihr

Speaking to young people

Jens: – Was macht ihr heute?	What are you doing today?
Alexa und Tobias: – Wir gehen schwimmen.	We're going swimming.
Lehrer: – Was macht ihr da alle?	What are you all doing?

Speaking to two or more friends or relatives

Mutti und Vati, geht ihr heute abend ins Kino?	Mum and dad, are you going to the cinema tonight?
Oma, Opa, kommt ihr zu meinem Geburtstag?	Grandma and grandpa, are you coming to my birthday?

10c   Sie

Talking to one or more adults (other than close friends or relatives)

Wo wohnen Sie?	Where do you live?
Wie heißen Sie?	What's your name?
Haben Sie reserviert?	Have you reserved?
Haben Sie Ihren Paß?	Do you have your passport?

Verbs

11a   The infinitive

In the vocabulary list, verbs are listed in the **infinitive**.
The infinitive ending is **-en**.
This is the part of the word which means 'to', for example 'to eat', 'to do', etc.

wohn**en**	**to** live
heiß**en**	**to** be called
ess**en**	**to** eat

(See also sections **11e**, **11f**, **11g** and **18c**.)

11b   Present Tense (regular verbs)

Verbs which follow the usual pattern are called **regular verbs**. Here is the pattern of endings for regular verbs:

Infinitive: **wohn en** (to live)

ich	-e	Ich **wohne** in Hamburg.	I live/am living in Hamburg.
du	-st	**Wohnst** du in Berlin?	Do you live in Berlin?
er sie es man	-t	Sie **wohnt** hier.	She lives here.
wir	-en	Wir **wohnen** in Leeds.	We live/are living in Leeds.
ihr	-t	**Wohnt** ihr in Deutschland?	Do you live in Germany?
Sie	-en	**Wohnen** Sie in der Schweiz?	Do you live in Switzerland?
sie	-en	Sie **wohnen** in der Stadmitte.	They live in the town centre.

Note: Sie = you   sie = they or she

11c   Irregular changes affecting some verbs

Sometimes the main vowel in the infinitive changes, but only affects the **du** and **er/sie/es** parts of the verb:

spr**e**chen	du spr**i**chst man spr**i**cht	e - i	you speak one speaks/they speak
s**e**hen	du s**ie**hst er s**ie**ht	e - ie	you see he sees
schl**a**fen	du schl**ä**fst sie schl**ä**ft	a - ä	you sleep she sleeps

See the list of irregular verbs on page 176 for more verbs in which the main vowel changes.

11d   Some special verbs

The following verbs should be learned by heart:

	sein (to be)	**haben** (to have)	**wissen** (to know)
ich	bin	habe	weiß
du	bist	hast	weißt
er/sie/es/man	ist	hat	weiß
wir	sind	haben	wissen
ihr	seid	habt	wißt
Sie	sind	haben	wissen
sie	sind	haben	wissen

11e   Modal verbs

This is the name given to the following group of verbs:

	können (can)	**müssen** (must, have to)	**wollen** (want to)	**sollen** (should)	**dürfen** (allowed to)
ich	kann	muß	will	soll	darf
du	kannst	mußt	willst	sollst	darfst
er/sie/es/man	kann	muß	will	soll	darf
wir	können	müssen	wollen	sollen	dürfen
ihr	könnt	müßt	wollt	sollt	dürft
Sie	können	müssen	wollen	sollen	dürfen
sie	können	müssen	wollen	sollen	dürfen

These verbs usually lead to **another verb**, at the end of the clause, which is in the infinitive:

Ich **kann** nicht in die Schule **gehen**.	I can't go to school.
Ich **muß** zu Hause **bleiben**.	I have to stay at home.
Wir **wollen** zwei Nächte **bleiben**.	We want to stay for two nights.
Soll ich das Licht **ausmachen**?	Should I switch the light off?
Darfst du alleine in die Disco **gehen**?	Are you allowed to go to the disco on your own?

Note that there is no need to write **zu** before the verbs which follow modal verbs, unlike in section **11g**.
Note also the form **könntest du ... ?** meaning 'could you ... ?'.

Könntest du den Tisch **decken**?	Could you lay the table?

11f   Would like ...

Use the following to express 'would like' in German. The verb used (**mögen**) is also a modal verb, although it is not in the Present Tense here:

ich	möchte	I would like
du	möchtest	you would like
er/sie/es/man	möchte	he/she/it/one would like
wir	möchten	we would like
ihr	möchtet	you would like
Sie	möchten	you would like
sie	möchten	they would like

Ich **möchte** draußen arbeiten.	I'd like to work outdoors.
Möchten Sie auch einen Stadtplan?	Would you like a town map as well?
Möchtest du ein Eis essen?	Would you like an ice cream?

11g   Zu + an infinitive

The infinitive of a verb means 'to ...', but sometimes an extra **zu** appears before it:

Was gibt es in der Stadt **zu sehen**?	What is there **to see** in the town?
Noch etwas **zu trinken**?	Anything else **to drink**?
Hast du Lust, Tennis **zu spielen**?	Would you like **to play** tennis?

Um ... zu with the infinitive of a verb means 'in order to ...'. In English we often say just 'to ...' rather than 'in order to ...', but in German, if the sense is 'in order to', you must use **um ... zu**.

Was machst du, **um** fit **zu** bleiben?	What do you do to keep fit?
Ich mache Babysitting, **um** etwas Geld **zu verdienen**.	I do babysitting to earn some money.
Ich habe nicht genug Geld, **um** neue Kleidung **zu kaufen**.	I haven't enough money to buy new clothes.

11h   Commands

There are three main ways of giving commands in German:

Talking to a friend, or the teacher talking to one student	Talking to two or more friends, or the teacher talking to two or more students	Talking to adults, teachers, officials, shopkeepers	
Komm 'rein.	Kommt 'rein.	Kommen Sie herein.	Come in.
Setz dich.	Setzt euch.	Setzen Sie sich.	Sit down.
Schlag das Buch auf.	Schlagt das Buch auf.	Schlagen Sie das Buch auf.	Open the book.
Hör gut zu.	Hört gut zu.	Hören Sie gut zu.	Listen carefully.
Mach weiter.	Macht weiter.	Machen Sie weiter.	Continue working now.
Schreib es auf.	Schreibt es auf.	Schreiben Sie es auf.	Write it down.
Trag die Tabelle ein.	Tragt die Tabelle ein.	Tragen Sie die Tabelle ein.	Copy the chart.
Lies die Namen.	Lest die Namen.	Lesen Sie die Namen.	Read the names.
Schau auf die Karte.	Schaut auf die Karte.	Schauen Sie auf die Karte.	Look at the map.
Füll die Lücken aus.	Füllt die Lücken aus.	Füllen Sie die Lücken aus.	Fill in the gaps.

Note that sometimes these may be followed by an exclamation mark, e.g. **Komm 'rein!**

11i   Reflexive verbs

These verbs require an extra (reflexive) pronoun and are called 'reflexive' because the action 'reflects back' on the doer. They appear in the wordlist with the word **sich** in front of them, e.g. sich langweilen.

Ich langweile **mich** zu Tode.	I'm bored to death.
Du ärgerst **dich** so.	You get so angry.
Er interessiert **sich** für Sport.	He's interested in sport.
Sie versteht **sich** gut mit ihren Eltern.	She gets on well with her parents.
Wir freuen **uns** auf die Ferien.	We're looking forward to the holidays.
Wo trefft **ihr euch**?	Where are you meeting?
Sie melden **sich** nie.	They never put their hands up.

11j   Separable verbs

Some verbs include a prefix, which separates from the main part of the verb and is placed at the end of the clause. They are shown in the Wörterliste with a line separating the two parts: **aus**/gehen, **ab**/biegen.

aufstehen	Ich **stehe** um halb sieben **auf**.	I get up at half past six.
ansehen	**Sieh** dir die Bilder **an**.	Look at the pictures.
ausgeben	Ich **gebe** mein Geld für Sport **aus**.	I spend my money on sport.
fernsehen	Wir **sehen** nicht viel **fern**.	We don't watch much television.

Note: when the verb is sent to the end of a clause by a word like **daß** or **wenn** (see section **19**), the two parts of a separable verb join up again.

Ich frage mich, ob er gut **aussieht**.	I wonder whether he's good looking.
Wenn's so **weitergeht**, bleibst du bestimmt sitzen.	If it carries on like this, you'll definitely be kept down.

A similar thing happens in the Perfect Tense. Look at the past participles of these separable verbs:

aufhören	Ich habe **aufgehört**, zu rauchen.	I've stopped smoking.
aufstehen	Ich bin um 6 Uhr **aufgestanden**.	I got up at 6 o'clock.

11k   Using the Present Tense to talk about the future

The simplest way of talking about the future in German is to use the Present Tense of the verb with a word or phrase to indicate the future:

Time marker	Present Tense	
Morgen	**fahre ich** nach Frankfurt.	Tomorrow I'm going to Frankfurt.
Nächste Woche	**gehe ich** schwimmen.	I'm going swimming next week.
Am Montag	**besuche ich** meine Großeltern.	I'm visiting my grandparents on Monday.
Dieses Jahr	**fahren wir** auf einen Campingplatz.	We're going to a campsite this year.

11l   The Future Tense

The real Future Tense (used less often in German than in English) is formed with the verb **werden** + an infinitive – just like modal verbs.

Ich **werde** sicher ins Ausland fahren.	I shall definitely travel abroad.
Was **wirst** du machen?	What will you do?
Hoffentlich **wird** es warm sein.	I hope it will be warm.
Wir **werden** schon sehen.	We shall see.
Sie **werden** wieder in die Türkei umziehen.	They will move back to Turkey.

11m   The Perfect Tense

This is the most common tense used in German to talk about things which have happened in the past. There are two parts to the Perfect Tense – the **auxiliary verb**, which is always a part of the Present Tense of either **haben** or **sein**, and the **past participle** of the verb, which goes to the end of the sentence.

Most verbs form the Perfect Tense with **haben**. The past participle of most verbs is formed by adding **ge-** to the **er/sie/es** part of the Present Tense.

Ich **habe** eine Klassenfahrt **gemacht**.	I went on a class trip.
Sie **hat** eine Kassette **gekauft**.	She bought a cassette.
Es **hat** sehr gut **geschmeckt**.	It tasted very good.
Wir **haben** Tennis **gespielt**.	We played tennis.

Verbs whose infinitives begin with the letters **be-** *or* **er-**, *or end in* **-ieren**, *have no* **ge-** *in their past participles.*

erreichen	Dein Brief hat mich **erreicht**.	Your letter reached me.
bestellen	Ich habe eine Pizza **bestellt**.	I ordered a pizza.
reserv**ieren**	Haben Sie **reserviert**?	Have you reserved?

Some verbs have past participles which are not formed in the usual way and are therefore called **irregular**.

Er **hat** sehr lange **geschlafen**.	He slept for a long time.
Axel **hat** eine Party **gegeben**.	Axel had a party.
Hast du deine Freundin **getroffen**?	Did you meet your friend?

Some verbs form the Perfect Tense with **sein**, *usually verbs of movement or travel.*
Some you have met include:

bleiben	kommen	steigen
fahren	reisen	wandern
fallen	sein	werden
fliegen	schwimmen	
gehen	stehen	

Ich **bin** nach China **gefahren**.	I went to China.
Wir **sind** in die USA **geflogen**.	We flew to the USA.
Sie **sind** zu Hause **geblieben**.	They stayed at home.

Many compounds of these, such as losfahren, wegfahren, einsteigen, aussteigen, aufstehen, *also form their Perfect Tense with* **sein**.

All the irregular verbs occurring in this book are listed in the table below in Section **11o**.

11n   The Imperfect Tense

In written German events or actions in the past are often described in the Imperfect Tense.
Regular verbs form their Imperfect Tense by adding standard endings to the stem of the verb:

ich	wohn**te**	wir	wohn**ten**
du	wohn**test**	ihr	wohn**tet**
er/sie/es	wohn**te**	sie/Sie	wohn**ten**

Ich **wohnte** früher in der Stadt.	I used to live in town.
Er kaufte ihr Blumen.	He bought her some flowers.
Wir lebten früher in einer Wohnung.	We used to live in a flat.

The imperfect tense of **modal verbs** *is common in spoken German.*
Note the particular meaning sollte = *'should'*.

Wir **mußten** nach Wien umziehen.	We had to move to Vienna.
Ich **wollte** dich fragen, …	I wanted to ask you, …
Sie **konnte** es kaum glauben!	She could hardly believe it!
Du **solltest** ins Bett gehen.	You should go to bed.

Irregular verbs change their stem in the Imperfect Tense, but the endings follow this pattern:

ich	war	wir	war**en**
du	war**st**	ihr	war**t**
er/sie/es	war	sie/Sie	war**en**

Wie **war** das Wetter?	How was the weather?
In 1900 **gab** es einen Platz.	In 1900 there was a square.
Ich **bekam** keine Antwort auf meinen Brief.	I got no answer to my letter.
Wir **gingen** abends aus.	We went out in the evening.

Some verbs change their stem but keep the regular endings.
The most common of these is haben.

Ich **hatte** Kopfschmerzen.	I had a headache.

11o Irregular verbs

Infinitive	Meaning	Present Tense	Imperfect Tense	Perfect Tense
anrufen	to call, phone	er ruft an	er rief an	ich habe angerufen
anziehen	to put on	er zieht an	er zog an	ich habe angezogen
aufstehen	to get up	er steht auf	er stand auf	ich bin aufgestanden
bekommen	to get	er bekommt	er bekam	ich habe bekommen
brechen	to break	er bricht	er brach	ich habe gebrochen
bleiben	to stay, remain	er bleibt	er blieb	ich bin geblieben
essen	to eat	er ißt	er aß	ich habe gegessen
fahren	to go, drive	er fährt	er fuhr	ich bin gefahren
fallen	to fall	er fällt	er fiel	ich bin gefallen
finden	to find	er findet	er fand	ich habe gefunden
fliegen	to fly	er fliegt	er flog	ich bin geflogen
geben	to give	er gibt	er gab	ich habe gegeben
gefallen	to please	es gefällt	es gefiel	es hat gefallen
gehen	to go	er geht	er ging	ich bin gegangen
gewinnen	to win	er gewinnt	er gewann	ich habe gewonnen
haben	to have	er hat	er hatte	ich habe gehabt
helfen	to help	er hilft	er half	ich habe geholfen
kommen	to come	er kommt	er kam	ich bin gekommen
lesen	to read	er liest	er las	ich habe gelesen
nehmen	to take	er nimmt	er nahm	ich habe genommen
schlafen	to sleep	er schläft	er schlief	ich habe geschlafen
schreiben	to write	er schreibt	er schrieb	ich habe geschrieben
schwimmen	to swim	er schwimmt	er schwamm	ich bin geschwommen
sein	to be	er ist *	er war	ich bin gewesen
sehen	to see	er sieht	er sah	ich habe gesehen
singen	to sing	er singt	er sang	ich habe gesungen
sitzen	to sit	er sitzt	er saß	ich habe gesessen
sprechen	to speak	er spricht	er sprach	ich habe gesprochen
steigen	to climb	er steigt	er stieg	ich bin gestiegen
sterben	to die	er stirbt	er starb	er ist gestorben
tragen	to wear, carry	er trägt	er trug	ich habe getragen
trinken	to drink	er trinkt	er trank	ich habe getrunken
verbringen	to spend (time)	er verbringt	er verbrachte	ich habe verbracht
verlieren	to lose	er verliert	er verlor	ich habe verloren
werden	to become	er wird	er wurde	ich bin geworden
wissen	to know	er weiß *	er wußte	ich habe gewußt
ziehen	to pull	er zieht	er zog	ich bin gezogen

Note: the **er** form of the Present Tense is used here. The same vowel changes apply to the **sie**, **es** and **man** forms and also to the **du** form (but ending in **-st**).

* See also section **11d**.

11p The Passive

Sometimes when you are describing what happened you don't say that somebody **did** something but that something **was done** (by somebody). Verbs that tell you what **is**, or **was** done are called **passive**. The Passive in German is formed by using part of the verb **werden** together with a past participle:

Ich **werde** zur Schule **gefahren**.	I am driven to school.
Es **wird getanzt** und **gesungen**.	There is dancing and singing.
Staus **werden verhindert**.	It avoids traffic jams. (literally: 'Jams are avoided.')
Wir **wurden** herzlich **empfangen**.	We were warmly welcomed.

Negatives

12a   kein

You **cannot** say **nicht ein** in German. Instead, **kein** (no, not a) **is used before a noun.**
It changes its endings like **ein**. (See sections **14** and **17d**):

Ich habe	**keinen** Hund.
Hast du	**keine** Katze?
Sie hat	**kein** Haustier.
Sie haben	**keine** Geschwister.

I haven't got a dog.
Haven't you got a cat?
She has no pets.
They have no brothers and sisters.

12b   nicht

nicht (not) **is used in other situations:**

Ich spiele **nicht** gern Tennis.
Ich esse **nicht** gern Schokolade.
Er kommt **nicht** mit ins Kino.
Sie geht **nicht** in die Stadt.

I don't like playing tennis.
I don't like eating chocolate.
He isn't coming with us to the cinema.
She isn't going into town.

12c   nichts

nichts (nothing/not anything)

Ich trinke **nichts** zum Frühstück.

I don't drink anything for breakfast.

Nouns

13a   Writing nouns

Remember that nouns are **always** written with a capital letter.

13b   Genders: The three groups of nouns

M	F	N
der Hund (*the* dog)	**die** Katze (*the* cat)	**das** Pferd (*the* horse)

English has one article (one word for 'the') for all nouns, but German nouns have
either **der**, **die** or **das**. These are called 'masculine' (**M**), 'feminine' (**F**) and 'neuter' (**N**).
Note also the words for 'a':

M	F	N
ein Hund (*a* dog)	**eine** Katze (*a* cat)	**ein** Pferd (*a* horse)

13c   Plurals: Talking about more than one person, thing etc.

Nouns change in various ways in the plural, but **der, die, das** all become **die:**

SINGULAR	der	die	das
PLURAL		**die**	

The plurals are usually shown in the vocabulary list in the following way:

der	Hund(e)	**(e)**	means that the plural is (die) Hund**e**
die	Katze(n)	**(n)**	means that the plural is (die) Katze**n**
das	Haus(¨er)	**(¨er)**	means that the plural is (die) Häus**er**
das	Zimmer(–)	**(–)**	means that the plural stays the same: (die) Zimmer

Although there are many exceptions, the following rules of thumb will prove helpful
when you need to form the plural of nouns:

Many masculine plural nouns end in -e:

Hund	Hund**e**
Freund	Freund**e**

Many neuter plural nouns end in -e or ¨-er:

Heft	Heft**e**
Haus	Häus**er**

A large number of feminine plural nouns end in -n or -en:

Katze	Katze**n**
Straße	Straße**n**

Schwester	Schwester**n**
Wohnung	Wohnung**en**

Most masculine and neuter nouns ending in -el, -en or -er stay the same in the plural:

der Schlüssel	die Schlüssel
der Koffer	die Koffer
der Kuchen	die Kuchen
das Zimmer	die Zimmer
das Zeichen	die Zeichen

Most foreign words which have become German words are neuter and just add -s in the plural:

das	Baby	die	Babys
	Hotel		Hotels
	Café		Cafés

13d   Some nouns have different masculine and feminine forms:

M	F	
Arzt	Ärztin	*doctor*
Freund	Freundin	*friend*
Partner	Partnerin	*partner*
Sänger	Sängerin	*singer*
Schüler	Schülerin	*pupil*
Student	Studentin	*student*
Verkäufer	Verkäuferin	*sales assistant*

13e   Nationalities

There are different masculine and feminine forms here, too:

M		F	
Engländer	*English man*	Engländerin	*English woman*
Österreicher	*Austrian man*	Österreicherin	*Austrian woman*
Schweizer	*Swiss man*	Schweizerin	*Swiss woman*
Italiener	*Italian man*	Italienerin	*Italian woman*
Deutscher	*German man*	Deutsche	*German woman*
Ire	*Irish man*	Irin	*Irish woman*
Schotte	*Scottish man*	Schottin	*Scottish woman*
Franzose	*French man*	Französin	*French woman*

13f   Compound nouns

Sometimes two (or more) nouns join together to form a new noun, called a compound noun. The gender (M, F or N) is decided by the second (or last) noun:

Stadt + **der** Plan	**der** Stadtplan	*street plan*
Haupt + **die** Post	**die** Hauptpost	*main post office*
Kranken + **das** Haus	**das** Krankenhaus	*hospital*
Jahr + **der** Markt	**der** Jahrmarkt	*fair*
Fuß + Gänger + **die** Zone	**die** Fußgängerzone	*pedestrian precinct*

Note how compound nouns, like all other nouns, have only one capital letter.

Cases

14a   The Nominative case

When the words for 'the' and 'a' change, nouns are said to be in different cases.
*In dictionaries and glossaries nouns always appear in the **Nominative case**.*

	M	F	N	PL
NOMINATIVE	ein	eine	ein	–
	der	die	das	die

e.g.	**ein**	Hund (*a dog*)		**der**	Hund (*the dog*)
	eine	Katze (*a cat*)		**die**	Katze (*the cat*)
	ein	Pferd (*a horse*)		**das**	Pferd (*the horse*)
		Tiere (*animals – no article before it*)		**die**	Tiere (*the animals*)

*The Nominative case is used for the **subject** of the sentence.*

14b   The Accusative case

In the **Accusative case** articles change as follows:

	M	F	N	PL
ACCUSATIVE	**einen**	eine	ein	–
	den	die	das	die

As you can see, the **only difference** between the Nominative and Accusative is that **ein (M)** changes to **einen** and that **der** changes to **den**.

The Accusative case is used for the **direct object** of the sentence.

Look at this rhyme – it might be useful to learn it off by heart to help you remember the Accusative case.

NOMINATIVE	VERB	ACCUSATIVE	
Frau Bamster	hat	**einen** Hamster.	**M**
Klaus	hat	**eine** Maus.	**F**
Gerd	hat	**ein** Pferd.	**N**
Sabinchen	hat	zwölf Kaninchen	**PL**

Ich suche **den** Bahnhof.	I'm looking for the station.
Er sucht **die** Post.	He is looking for the post office.
Wir suchen **das** Jugendzentrum.	We are looking for the youth centre.
Haben Sie **einen** Stadtplan?	Do you have a street plan?
Wir haben **eine** Broschüre und **ein** Poster.	We have a brochure and a poster.

Certain prepositions are also followed by the Accusative. (See sections **15b** and **15c**.)

14c   Es gibt, es gab

This phrase is followed by the Accusative case and means 'there is/there are …'

Gibt es hier einen Supermarkt?	Is there a supermarket here?
Es gibt jetzt einen Parkplatz.	Now there's a car park.
Früher **gab es** einen Gasthof.	There used to be an inn.

14d   The Dative case

In the **Dative case** articles change even more, as follows:

	M	F	N	PL
DATIVE	**einem**	**einer**	**einem**	–
	dem	**der**	**dem**	**den**

The Dative case occurs most commonly after certain prepositions. (See sections **15b** and **15d**.)

mit **dem** Bus	by bus
in **der** Küche	in the kitchen
aus **dem** Haus	out of the house

Note: all **nouns** in the Dative plural add an **-n** whenever possible:

(die Berge)	in den Berge**n**	in the mountains
(die Häuser)	in den Häuser**n**	in the houses
(die Freunde)	bei Freunde**n**	(staying) with friends

but

(die Hotels)	in den Hotels	in the hotels

14e   The Genitive case

The **Genitive case** means 'of the', 'of a' etc. and is also used after some prepositions. The article changes in the following ways:

	M	F	N	PL
GENITIVE	**eines**	**einer**	**eines**	–
	des	**der**	**des**	**der**

Note: in addition to the article changing, most masculine and neuter **nouns** add **-s** or **-es** in the singular.

In der Mitte **des** Dorf**es**.	In the middle of the village.
Innerhalb **der** Stadt.	Wthin the town.
Wegen **des** sauren Regen**s**.	Because of acid rain.

Prepositions

15a   Prepositions

Prepositions are words like 'in', 'on', 'under', 'through', 'by', 'for', etc.
In German all prepositions must be followed by particular cases.

15b   Prepositions which are sometimes followed by the Accusative case, and sometimes by the Dative case

Here are some prepositions which are followed by either the Accusative, or the Dative case, depending on whether movement is involved:

an	*to; by; on*	auf	*onto; on*	hinter	*behind*	in	*into; in*	über	*over*
vor	*in front of*	neben	*next to; beside*	zwischen	*between*			unter	*under*

*The **Accusative case** is used after these prepositions where **movement to** the place mentioned:*

Wir fahren **an die** See.	*We're going to the seaside.*
Er geht **auf den** Balkon.	*He's going onto the balcony.*
Die Teller kommen **in den** Schrank.	*The plates go in the cupboard.*
Die Gläser kommen **auf das** Regal.	*The glasses go on the shelf.*

*The **Dative case** is used after these prepositions where **no movement to** the place mentioned:*

Das Ferienhaus ist **am** Meer.	*The holiday home is by the sea.*
Das ist **auf der** linken Seite.	*It's on the left hand side.*
Das Parkplatz ist **in der** Wittekindstraße.	*The car park is in Wittekindstraße.*
Die Teller sind **im** Schrank.	*The plates are in the cupboard.*
Die Gläser sind **auf dem** Regal.	*The glasses are on the shelf.*
Vor dem Kino ist eine Telefonzelle.	*In front of the cinema there's a phone box.*

Note also:

im Norden

im Westen   im Osten

im Süden   in Südwestengland

in Nordostengland

15c   Some prepositions which are always followed by the Accusative

*Here are some prepositions which must always be followed by the **Accusative case**:*

durch	*through*	für	*for*	um	*round*	entlang	*along (**follows** the noun)*

Ich fahre **durch die** Stadt.	*I drive through the town.*
Das ist **für meinen** Bruder.	*That's for my brother.*
Sie geht **um die** Ecke.	*She goes round the corner.*
Wir fahren **diesen** Fluß **entlang**.	*We drive along this river.*

15d   Some prepositions which are always followed by the Dative

*Here are some prepositions which must always be followed by the **Dative case**:*

aus	*out of; from*	mit	*with*	von	*from; of*	seit	*since; for*
bei	*at (the home of)*	nach	*after*	zu	*to*	(See also section **9h**.)

Er kommt **aus der** Schweiz.	*He comes from Switzerland.*
Bei mir zu Hause.	*At my house.*
Ich fahre **mit dem** Bus.	*I go by bus.*
Nach dem Mittagessen spiele ich Tennis.	*After lunch I'm going to play tennis.*
Von welchem Gleis?	*From which platform?*
Ich spiele **seit einem** Jahr Klavier.	*I've been playing the piano for a year.*
Wie kommst du **zum** Sportplatz?	*How are you getting to the sports ground?*
Wie komme ich **am** besten **zur** Stadthalle?	*What is the best way to the concert hall?*

15e   Contracted prepositions

Sometimes the preposition and article are combined:

am	an dem	**im**	in dem	**zum**	zu dem	**beim**	bei dem
ans	an das	**ins**	in das	**zur**	zu der		

15f   Countries and towns

When talking about going **to** a place, use **nach** with the names of countries, towns and villages:

Ich fahre	**nach**	Italien/Spanien/ Polen/Frankreich/ Schottland/Nordirland. Berlin/München/Wien.	I'm going	to	Italy/Spain/ Poland/France/ Scotland/Northern Ireland. Berlin/Munich/Vienna.

But use **in die** with this country:

Ich fahre	**in die**	Schweiz.	I'm going	to	Switzerland.

Pronouns

16a   Pronouns

These are words like 'she', 'they', 'him', 'it' in English, which can replace nouns.

16b   Nominative case pronouns

ich	I
du	you
er	he
sie	she
es	it
wir	we
ihr	you
Sie	you (polite)
sie	they

Ich spiele gern Fußball.	I like playing football
Wie alt bist **du**?	How old are **you**?
Er (= der Hund) heißt Rowdy.	**He** (the dog) is called Rowdy.
Er (= der Wagen) ist rot.	**It*** (the car) is red.
Sie (= die Katze) heißt Mitzi.	**She** (the cat) is called Mitzi.
Es (= das Pferd) heißt Rex.	**He*** (the horse) is called Rex.
Wir gehen in die Stadt.	**We** are going to town.
Habt **ihr** Geld dabei?	Have **you** got any money with you?
Wie heißen **Sie**?	What are **you** called?
Sie trinken gern Cola.	**They** like drinking cola.

***es** in German can sometimes be 'he' or 'she' in English, just as **er** and **sie** can mean 'it'.

16c   Accusative case pronouns

ich	**mich**	me
du	**dich**	you
er	**ihn**	him
sie	**sie**	her
es	**es**	it
wir	**uns**	us
ihr	**euch**	you
Sie	**Sie**	you (polite)
sie	**sie**	them

Er nervt **mich**.	He annoys **me**.
Wir holen **dich** ab.	We'll collect **you**.
Wie findest du **ihn**?	What do you think of **him**?
Ich finde **sie** nett.	I think **she**'s nice.
Ich verstehe **es** nicht.	I don't understand **it**.
Warum sieht er **uns** an?	Why is he looking at **us**?
Das ist für **Sie**, Frau Schmidt.	That's for **you**, Mrs Schmidt.
Was kaufst du für **sie**?	What are you buying for **them**?

16d   Dative case pronouns

ich	**mir**	me, to me
du	**dir**	you, to you
er	**ihm**	him, to him
sie	**ihr**	her, to her
es	**ihm**	it, to it
wir	**uns**	us, to us
ihr	**euch**	you, to you
Sie	**Ihnen**	you, to you
sie	**ihnen**	them, to them

Mir ist schlecht.	I don't feel well.
Was fehlt **dir**?	What's wrong (with **you**)?
Es geht **ihm** gut.	**He** is fine.
Wie geht's **ihr**?	How is **she**?
Uns ist zu warm.	**We** are too warm.
Kann ich **Ihnen** helfen?	Can I help **you**?
Ich komme gut mit **ihnen** aus.	I get on well with **them**.

16e Some special verbs requiring Dative pronouns

gefallen

Gefällt **dir** die Kassette?	Do you like the cassette?
Was hat **dir** am besten gefallen?	What did you like best?
Mir haben die Mädchen am besten gefallen.	I liked the girls best.
Wie gefällt **ihnen** das Geschenk?	How do they like the present?

schmecken

Wie schmeckt **dir** der Kuchen?	Do you like the cake?
Schmeckt es **dir**?	Do you like it?

gehen *(meaning how someone is)*

Es geht **mir** gut, danke.	I'm fine, thank you.

Adjectives

17a Adjectives

Adjectives are words which describe nouns. They have no endings in sentences like this:

Jürgen ist **toll**.	Jürgen is great.
Annette ist **nett**.	Annette is nice.
Das ist **billig**.	That's cheap.

More information can be given to an adjective by using a 'qualifier' or an 'intensifier':

Die Stadt ist **ganz** schön.	The town is really nice.
Das Meer ist **sehr** schmutzig.	The sea is very dirty.
Er ist **nicht sehr** sympathisch.	He's not very nice.
Die Schule ist **ziemlich** klein.	The school is quite small.
Sie ist **unheimlich** nett.	She is ever so nice.

17b Too much/too many

Es gibt **zuviel** Rauch.	There is too much smoke.
Es gibt **zu viele** Touristen.	There are too many tourists.

17c Adjectival agreement

When adjectives are used next to a noun they have different endings. These depend on the gender and case of the noun, whether it is singular or plural and any other word which is used before it. This is called adjectival agreement.

	M	F	N	PL
NOMINATIVE	ein alter Mann	eine alte Frau	ein altes Pferd	alte Bücher
ACCUSATIVE	einen alten Mann	eine alte Frau	ein altes Pferd	alte Bücher
DATIVE	einem alten Mann	einer alten Frau	einem alten Pferd	alten Büchern
GENITIVE	eines alten Manns	einer alten Frau	eines alten Pferdes	alter Bücher

	M	F	N	PL
NOMINATIVE	der alte Mann	die alte Frau	das alte Pferd	die alten Bücher
ACCUSATIVE	den alten Mann	die alte Frau	das alte Pferd	die alten Bücher
DATIVE	dem alten Mann	der alten Frau	dem alten Pferd	den alten Büchern
GENITIVE	des alten Manns	der alten Frau	des alten Pferdes	der alten Bücher

Sie kommt nicht in **die** nächst**e** Klasse.	She's not going up into the next class.
Er trägt **einen** blau**en** Pullover und **ein** schwarz**es** T-Shirt.	He is wearing a blue pullover and a black t-shirt.
Verstehst du **das** deutsch**e** System?	Do you understand the German system?
Das ist **ein** schwer**er** Beruf.	That's a hard job.

17d Possessive adjectives and kein

Mein, **dein**, **sein**, **unser**, **euer**, **ihr** and **kein** follow this pattern:

	M	F	N	PL
NOMINATIVE	mein	meine	mein	meine
ACCUSATIVE	meinen	meine	mein	meine
DATIVE	meinem	meiner	meinem	meinen
GENITIVE	meines	meiner	meines	meiner

In the singular, the pattern is the same as **ein**, **eine**, **ein**.

Dies ist **mein** Vater.	This is my father.	Ist das **deine** Mutter?	Is that your mother?
Er hat **keinen** Hund.	He doesn't have a dog.	Hast du **keine** Katze?	Haven't you got a cat?
Du hast **mein** Heft!	You've got my exercise book!	**Sein** Pullover ist gelb.	His pullover is yellow.
Das ist in **meinem** Heft.	That is in my exercise book.	**Ihre** Augen sind blau.	Her eyes are blue.

17e Comparitives and superlatives

To say 'cheaper', 'more expensive', 'nicer' etc. (comparitives) add **-er** to the adjective:

billig → billiger	schön → schöner

Many one syllable adjectives add an Umlaut too:

alt → älter	jung → jünger

Anke ist zwei Jahre **älter** als ich.	Anke is two years older than me.
Die Nachbarn sind hier **freundlicher**.	The neighbours are friendlier here.

But note that **besser** means 'better'.

To say 'the smallest', 'the coldest', 'the most expensive' etc. (superlatives) add **-ste** or **-este** to the adjective. As with comparatives, many adjectives add an Umlaut too.

Was ist die **größte** Gefahr?	What is the greatest danger?
Der Gepard ist das **schnellste** Landtier.	The cheetah is the fastest land animal.
Sie kommen aus den **ärmsten** Familien.	They come from the poorest families.

If the superlative stands on its own (i.e. if there is no noun after it) use **am** with the same form, but ending in **-n**:

Am schlimmsten ist die Ölverschmutzung.	Worst of all is the oil pollution.
Das Renntier reist **am weitesten**.	The reindeer travels the furthest.

Note also **am besten**, meaning 'the best'.

Am besten fliegen wir.	The best thing to do is to fly.

17f Too ...

To say 'too expensive', 'too far' etc. use **zu** with an adjective:

Das ist **zu teuer**.	That's too expensive.
Unser Haus ist **zu klein**.	Our house is too small.
Auf dem Land ist es **zu ruhig**.	It's too quiet in the country.

17g Etwas/nichts + adjective

After the words **etwas** and **nichts**, the adjective starts with a capital letter and ends in **-es**:

etwas Gut**es**	something good
etwas Billiger**es**	something cheaper
nichts Besonder**es**	nothing special

Word order

18a Word order

There are various rules in German governing where words should be placed in a sentence.

18b Main clauses

Most of the sentences in this book are called **main clauses**.
Except when asking questions like **Hast du …?**, **Kommst du …?** *(see section 4)*,
the verb is always the **second** piece of information:

1	2 (VERB)	3	
Ich	heiße	Peter.	I'm called Peter.
Mein Name	ist	Krull.	My name is Krull.
Wie	heißt	du?	What are you called?

Because the verb must be the second piece of information, this sometimes means that the order of the parts in the sentence is different from the English:

Heute abend gebe ich eine Party.	I'm having a party this evening.
Morgen gehe ich ins Kino.	I'm going to the cinema tomorrow.
Um wieviel Uhr ißt du dein Mittagessen?	When do you eat lunch?
Dann gehe ich zur Schule.	Then I go to school.
Vor einigen Jahren wohnten wir in Frankfurt.	A few years ago we used to live in Frankfurt.

*(See also section **19b** for examples of other kinds of clauses.)*

18c Sentences with more than one verb

When there are two verbs in a sentence, the second verb is usually in the **infinitive**.
*(See sections **11e**, **11f** and **11g**.)*

The infinitive goes **at the end of the sentence**:

	FIRST VERB		INFINITIVE	
Ich	gehe	gern	**schwimmen**.	I like going swimming.
Wo	kann	ich Postkarten	**kaufen**?	Where can I buy postcards?
Du	kannst	zu uns	**kommen**.	You can come to our house.
Was	willst	du	**sehen**?	What do you want to see?

18d When? How? Where? in the same sentence.

In a German sentence, if two or more of these elements are present, they should come in this order:

1 When? (Time)	2 How? (Manner)	3 Where? (Place)

If a time and a place are mentioned, the **time** comes before the **place**:

TIME		PLACE	
Nächste Woche	fahre ich	**nach München.**	Next week I'm going to Munich.

or

	TIME	PLACE	
Ich fahre	**nächste Woche**	**nach München.**	Next week I'm going to Munich.

If you say **how** you are going somewhere, this must come **before** the **place**:

	MANNER	PLACE	
Ich fahre	**mit dem Bus**	**zum Schwimmbad.**	I'm going to the swimming pool by bus.

If you say **when, how** and **where** you are going, they must go in that order:

	TIME	MANNER	PLACE	
Ich fahre	**nächste Woche**	**mit dem Zug**	**nach Köln.**	Next week, I'm going to Cologne by train.

Conjunctions

19a   Conjunctions which do not change word order

Conjunctions are words which join together two clauses or sentences. The following conjunctions make no difference to the normal word order of a sentence. They are just added between two sentences:

aber	but	denn	for
und	and	sondern	but
oder	or		

Wir haben einen großen Garten, **und** nebenan ist ein Park.	We've got a big garden and nearby there's a park.
Sie ist nett, **aber** sie hat nicht immer Zeit für mich.	She's nice but she doesn't always have time for me.

19b   Conjunctions which change word order

There are many other conjunctions which send the verb to the end of its clause. These include:

wenn	when, if	als	when
daß	that	obwohl	although
weil	because	seit	since
ob	whether	bevor	before
da	as	damit	so that
sobald	as soon as		

Es gibt Krach, **wenn** ich abends spät nach Hause **komme**.	We have rows when (or if) I come home late at night.
Ich habe Angst, **daß** ich keine Arbeit **finde**.	I'm scared that I won't find a job.
Alle machen sich lustig über mich, **weil** ich so dünn **bin**.	Everyone makes fun of me because I'm so thin.

The part of the sentence beginning with the conjunction is known as a **subordinate clause**.

When you start a sentence with a subordinate clause (i.e. one that has its verb at the end), it must always have a comma after it and the next word is always the main verb of the sentence.

Wenn Holger nicht **mitspielt**, **singe** ich auch nicht!	If Holger doesn't play, I'm not singing either!
Als ich klein **war**, **lebte** ich in Griechenland.	When I was small I lived in Greece.

19c   Question words as conjunctions

Ordinary question words (**was?**, **wann?**, **wo?**, **wer?**, **wieviel?** etc.) can be used as conjunctions too, in order to join together two parts of a sentence rather than to ask a direct question. When used like this, they too send the verb to the end of its clause.

Ich weiß nicht, **was** ich machen soll.	I don't know what I should do.
Ich frage mich, **wie** er aussieht.	I wonder what he looks like.

Relative pronouns

20   Relative pronouns: who and which

When the words for 'who' and 'which' are used not to introduce a question, but to join two parts of a sentence, the German is **der**, **die** or **das** depending on the thing you are talking about.

The verb is sent to the end of the clause in the same way as it is after words like weil, daß and wenn.

Notice also the use of the comma.

Such dir einen Jungen, **der** nicht so schüchtern ist.	Look for a boy who isn't so shy.
Das ist eine Sportart, **die** man nur im Winter treibt.	It's a sport that is only played in winter.
Das ist ein Problem, **das** uns alle angeht.	That is a problem which affects all of us.
Ich kaufe Klamotten, **die** mir gefallen und **die** bequem sind.	I buy clothes that I like and which are comfortable.

Likes and favourites

21a   Talking about what you like doing

Gern *can be used with most verbs to show that you **like** doing something:*

Ich trinke Kaffee.	Ich trinke **gern** Kaffee.	*I drink coffee.*	*I **like** drinking coffee.*
Ich gehe schwimmen.	Ich gehe **gern** schwimmen.	*I go swimming.*	*I **like** going swimming.*

*Notice how you say that you like **something** (a noun):*

Ich **habe** Katzen **gern**.	*I **like** cats.*
Ich **habe** Tee **gern**.	*I **like** tea.*

21b   Talking about what you prefer doing

Lieber *can be used with most verbs to show that you **prefer** doing something:*

Ich fliege **lieber**.	*I **prefer** flying.*
Ich fahre **lieber** mit dem Zug.	*I **prefer** travelling by train.*

21c   Talking about what you like doing most of all

*Start the sentence with **am liebsten**, and remember that the next thing must be a verb:*

Am liebsten spiele ich Fußball.	*I **like** playing football **most of all**.*
Am liebsten gehe ich schwimmen.	*I **like** going swimming **most of all**.*

*Note also the use of **Lieblings-** with a noun:*

Fußball ist mein **Lieblingssport**.	*Football is my **favourite** sport.*
Mein **Lieblingsfach** ist Deutsch.	*My **favourite** lesson is German.*

A

ab from
ab und zu now and then
abends in the evening
das Abenteuer(-) adventure
der Abenteuerfilm(e) adventure film
aber but
die Abfahrt(en) departure
der Abfall(¨e) rubbish
der Abfalleimer(-) litter bin
ab/fließen to flow away
der Abgas(e) exhaust fume; waste gas
ab/geben to hand in
ab/holen to fetch
abholzen to chop down trees
die Abholzung deforestation
abkühlen to cool off
ab/räumen to clear (table)
die Abreise(n) departure
abschaffen to do away with
der Abschied farewell, goodbye
die Abschlußfahrt(en) final trip/journey
absolut absolute(ly)
ab/trocknen to dry off
ab/waschen to wash up
das Abwasser waste water
abwechselnd alternately, in turns
ab/wischen to wipe
der Abzug(¨e) deduction, removal, withdrawal
ach! oh!
achten auf (+Acc) to pay attention to
das Adjektiv(e) adjective
die Adresse(n) address
der Affe(n) monkey
Afrika Africa
afrikanisch African
aggressiv aggressive
aktiv active
die Aktivität(en) activity
der Alkohol alcohol
alkoholisch alcoholic
all(er/e) all
allein(e) alone
die Allergie(n) allergy
allergisch gegen (+Acc) allergic to
alles everything
allgemein general
allmählich gradually
der Alltag daily routine, normal day
das Alltagsleben everyday life
alphabetisch alphabetical(ly)
als as; than; when
also so, therefore
alt old
das Alter age
das Altglas used bottles
altmodisch old-fashioned
das Altpapier waste/recycled paper
die Aluminiumdose(n) aluminium can
Amateurfunkklubs amateur radio enthusiasts clubs
amerikanisch American
die Ampel(n) traffic light
an (+ Acc/Dat) to; at; on
andauernd constantly, all the time
die Anden (pl) the Andes Mountains
Andenken (pl) souvenirs
ander(er/e/es) other
etwas anderes something else
andererseits on the other hand
anders different, something else
er möchte anders sein als die anderen he'd like to be different from the others
anderswo somewhere else
an/fangen to begin
den Anfang machen to make the first move
an/geben to boast
angeberisch boastful, big-headed
die Angel(n) fishing rod
angeln to fish
der/die Angestellte(n) employee
die Angst(¨e) fear
Angst haben vor (+Dat) to be afraid of
an/gucken to look at
der Animateur co-ordinator, organizer
an/kommen to arrive

die Ankunft(¨e) arrival
an/legen to put on
anlügen to lie to
an/regen to stimulate
an/reisen to travel
an/rufen to telephone
an/schauen to watch
der Anschluß(-üsse) connection (to services e.g. electricity, water etc.)
die Anschrift(en) address
an/sehen to look at
die Ansichtskarte(n) picture postcard
die Anstecknadel(n) badge
ansteuern to hire
anstrengend tiring, strenuous
die Antwort(en) answer
antworten to answer
die Antwortkarte(n) reply card
die Anzahl number
die Anzeige(n) advertisement
an/ziehen to put on (clothes)
sich an/ziehen to get dressed
der Anzug(¨e) suit
das Apfelmus apple puree
der Apfelsaft apple juice
die Apfelsine(n) orange
die Apotheke(n) chemist's
der Apparat(e) telephone
am Apparat speaking
der Appetit appetite
Guten Appetit! Enjoy your meal!
der Äquator equator
arabisch Arabic
die Arbeit(en) work, task
arbeiten to work
das Arbeitersamariterbund the Samaritans
arbeitslos unemployed, out of work
der Arbeitsplatz(¨e) job
ärgern to annoy
sich ärgern to get angry
arm poor
die Armbanduhr(en) watch
die Armut poverty
die Art(en) kind, type
der Artikel(-) article
der Arzt(¨e) doctor
Asien Asia
der Atem breath
die Atmosphäre atmosphere
das Atomkraftwerk(e) nuclear power station
der Atomkrieg(e) nuclear war
der Atommüll nuclear waste
die Atomwaffe(n) nuclear weapon
auch also
auf (+ Acc/Dat) on; onto
der Aufenthalt stay, residence
der Aufenthaltsraum(¨e) day room
auf/fressen to eat up, consume
auf/füllen to fill up, top up
auf/geben to give up
aufgeschlossen outward going
auf/haben to have things to do
ich habe viel auf I've got a lot to do
sich auf/halten to stay
auf/hängen to hang up
auf/hören to give up, stop
auf/machen to open
die Aufnahme(n) recording
auf/nehmen to pick up
auf/räumen to clear up
auf/schlagen to open
auf/schreiben to write out
auf/stehen to get up
auf/stellen to put up
der Auftritt(e) (public) appearance
auf/wachen to wake up
der Aufzug(¨e) get-up, outfit, clothes (sl); lift
das Auge(n) eye
der Augenblick(e) moment
aus (+ Dat) out of
aus/arbeiten to work out
die Ausbildung training
ausdrücken to express
die Ausfahrt(en) exit (motorway)
der Ausflug(¨e) excursion

den Hund aus/führen to take the dog for a walk
aus/füllen to fill in (form)
der Ausgang(¨e) exit
aus/geben to spend (money)
ausgedehnt extended
ausgeflippt zany
aus/gehen to go out
ausgestattet equipped
aus/halten to stand, put up with
aus/helfen to help out
sich aus/kennen to have a good knowledge of
aus/kommen (mit) to get on with; to manage on
die Auskunft(¨e) information
ins Ausland abroad
Ausländer(in) foreigner
ausländisch foreign
aus/leihen to lend; hire
aus/packen to unpack
der Auspuff exhaust
das Auspuffgas(e) exhaust fume
aus/räumen to empty
die Ausrede(n) excuse
aus/schlafen to have a lie in, stay in bed
aus/sehen to look, appear
außer except for
außerdem besides
äußern to express
aussitzen to sit out, miss a turn
aus/sortieren to sort out
ausstehen to stand, put up with
aus/sterben to become extinct
aus/suchen to choose
der Austausch(e) exchange
der/die Austauschpartner/in exchange partner (m/f)
aus/toben to romp
aus/tragen to deliver
Australien Australia
australisch Australian
auswendig by heart
aus/ziehen to take off, remove
die Autobahn(en) motorway
der Autofahrer(-) car driver
der Automat(en) vending machine
die Autopanne(n) car breakdown
der Autoschlauch(¨e) car tyre inner-tube
der Autoschlüssel(-) car key
der Autounfall(¨lle) car accident

B

der Bach(¨e) stream
backen to bake
der Bäcker(-) baker
die Bäckerei(en) baker's
das Bad(¨er) bath
Badende bathers, swimmers
ein Bad nehmen to have a bath
die Badewanne(n) bath
das Badezeug(e) bathing suit, swimming costume
das Badezimmer(-) bathroom
die Bahn(en) train; track
der Bahnhof(¨e) station
bald soon
baldig early, speedy
Bambussprossen bamboo shoots
die Banane(n) banana
die Bananenschale(n) banana skin
bange anxious, worried
die Bank(¨e) bench
die Bank(en) bank
der Basar bazaar
die Baßgitarre bass guitar
die Batterie(n) battery
bauen to build
der Bauer(n) farmer
der Bauernhof(¨e) farm
der Baum(¨e) tree
der Baumhaus(¨er) tree house
beantworten to answer
der Becher(-) mug, beaker, tub
bedeckt covered
bedeuten to mean
bedienen to serve
die Bedienung service

	bedrohen to threaten		**blau** blue		**daheim** at home
	befreunden to befriend		**blaugedruckt** printed in blue		**daher** therefore
	befriedigend satisfactory		**bleiben** to stay	die	**Dame** lady; queen (in cards)
	begeistert excited, keen, enthusiastic		**bleifrei** lead-free	die	**Damenwäsche** lingerie
der	**Beginn** beginning	der	**Blick(e)** view, glance		**danach** afterwards, after that
	begrenzen to form a border/edge to something	das	**Blitzen** lightning		**dankbar** grateful
			blöd stupid		**danken** (+Dat) to thank
	begrüßen to welcome		**blond** blonde		**dann** then
	behandeln to treat, handle	der	**Blumenkohl** cauliflower		**darum** therefore; round it
	beheizt heated	der	**Blumentopf(-töpfe)** flowerpot		**darunter** amongst it/them
	bei (+ Dat) by; with; at the house of	die	**Bluse(n)** blouse		**daß** that
	beide(r/s) both	der	**Boden(¨)** floor		**dauern** to last
das	**Beispiel(e)** example	das	**Bodenturnen(-)** floor gymnastics		**decken** to set (table)
	zum Beispiel for example	die	**Bohne(n)** bean		**denken** to think
	beenden to finish, end		**bohren** to drill, pierce		**denn** for, because
	beides both	die	**Bombe(n)** bomb		**dennoch** even so, nevertheless
	bekannt (well) known	der	**Bonbon(s)** sweet		**deprimiert** depressed
	bekommen to get, receive	an	**Bord** on board		**derselbe/dieselbe/dasselbe/**
	bemalt painted		**brasilianisch** Brazilian		**dieselben** the same
	bemerken to notice		**brauchen** to need	das	**Desinfektionsmittel(-)** disinfectant
sich	**bemühen** to make an effort		**braun** brown		**deutlich** clear(ly)
die	**Bemühung(en)** effort, trouble, concern		**braungebrannt** suntanned		**Deutscher/Deutsche** German
		der	**Brennstoff(e)** fuel	das	**Diagramm(e)** diagram
	benötigen to need	das	**Brett(er)** board, ski	der	**Dialog(e)** dialogue
	benutzen to use	der	**Brief(e)** letter	der	**Diamant(en)** diamond
das	**Benzin** petrol	der/die	**Brieffreund/in** pen-friend (m/f)		**dick** fat; thick
der	**Benzintank** petrol tank	die	**Briefmarke(n)** postage stamp	die	**Diele(n)** hallway
	bequem comfortable	der	**Briefmarkenfreund(e)** stamp enthusiast	der	**Dienstag** Tuesday
	beobachten to observe				**dienstags** on Tuesdays
	berät advises	der/die	**Briefpartner/in** correspondent (m/f)	die	**Dienstleistung(en)** service
	bereits already	der/die	**Briefträger/in** postman/woman		**dies(er/e/es)** this; these
der	**Berg(e)** mountain, hill	der	**Briefwechsel(-)** exchange of letters		**diktieren** to dictate
die	**Bergschlucht(en)** gorge	die	**Brille(n)** spectacles, glasses	das	**Ding(e)** thing
das	**Bergsteigen** mountaineering		**bringen** to bring		**diplomatisch** diplomatic
der	**Bergsteiger(-)** mountaineer		**britisch** British		**direkt** direct, straight
der	**Bergführer(-)** mountain leader	die	**Brombeere(n)** blackberry	die	**Direktion** management
der	**Bericht(e)** report	das	**Brot(e)** bread, loaf	die	**Disco(s)** disco
	berichten to report	das	**Brötchen(-)** bread roll	das	**DJH (Deutsche Jugendherbergswerk)** German youth hostel association
der	**Beruf(e)** job, profession	der	**Bruder(¨)** brother		
	berufstätig active, working, employed	die	**Brust(¨e)** chest, breast		**doch** however; but; yet
		das	**Bruttogehalt** gross pay	der	**Dom** cathedral
das	**Berufsziel(e)** intended occupation	das	**Buch(¨er)** book	die	**Donau** Danube (river)
	beruhigen to calm		**buchen** to book	der	**Donnerstag** Thursday
	berühmt famous	die	**Buchhandlung(en)** bookshop	es	**donnert** it thunders/is thundering
	berühren to touch	der	**Buchstabe(n)** letter (of alphabet)		**doof** stupid, silly
	beschäftigt busy, occupied	die	**Buchung(en)** booking	das	**Doppelhaus(¨er)** semi-detached house
	bescheiden modest		**bügeln** to iron		
	beschreiben to describe	die	**Bühne(n)** stage		**doppelte Moral** double standards, hypocrisy
der	**Besitzer(-)** owner		**bummeln** to stroll		
	besonders especially	die	**Bundesrepublik** Federal Republic	das	**Doppelzimmer(-)** double room
	nichts Besonderes nothing special	die	**Bundeswehr** German army	das	**Dorf(¨er)** village
			bunt colourful		**dorthin** there (with verb of movement)
die	**Besonnenheit** presence of mind, circumspection	die	**Burg(en)** castle		
		das	**Büro(s)** office	die	**Dose(n)** can; tin
	besorgt provided	der	**Bus(se)** bus		**dran sein** to have one's turn
	besprechen to discuss	die	**Butter** butter		**jetzt bist du dran** now it's your turn
	besser als better than		**bzw. (beziehungsweise)** or else, respectively		
	best(er/e/es) best				**draußen** outside
das	**Besteck** cutlery			der	**Dreck** dirt
	bestehen to pass (an exam)	**C**		das	**Dreckloch** filthy hole, hovel (sl)
	bestellen to order				**drehen** to turn
	bestimmen to determine, decide, fix	das	**Café(s)** café		**dreimal** three times
	bestimmt definite(ly); certain	der	**Campingplatz(¨e)** campsite	die	**dreißiger Jahre** the thirties
der	**Besuch(e)** visit	die	**CD(s)** compact disc		**drinnen** inside
zu	**Besuch** visiting		**chaotisch** chaotic	das	**Drittel** third
	besuchen to visit, to go to (school)		**Chemie** chemistry		**dritt(er/e/es)** third
der	**Besucher(-)** visitor	die	**Chemikalien** (pl) chemicals	die	**Droge(n)** drug
	beträgt amounts to		**chemisch** chemical		**Drogensüchtige** drug addicts
	betreffen to concern		**chilenisch** Chilean		**drüben** over there
	betreuen to look after, take charge of	das	**Chor(e)** choir	der	**Druck** pressure
das	**Bett(en)** bed	die	**Clique(n)** group, set	der	**Drucker(-)** printer
	bevor before	die	**Cola(s)** cola	der	**Dschungel** jungle
	bevorzugen to prefer	der	**Computer(-)** computer		**dumm** stupid, foolish
sich	**bewegen** to move	der	**Computerkurs(e)** computer course		**dunkel** dark
das	**Bewegungszentrum(en)** nerve centre for movement (in the brain)	das	**Computerspiel(e)** computer game		**dunkelbraun** dark brown
		das	**Computerzeitalter** the Age of the computer		**dünn** thin
	bewundert admired				**durch** (+ Acc) through
	bezahlen to pay	der	**Container(-)** container, bank (for bottles etc.)		**durcheinander** in a muddle
	bieten to offer				**durch/lesen** to read through
das	**Bild(er)** picture	**D**			**durchschnittlich** on average
	bilden to form, educate				**dürfen** to be allowed
die	**Bildgeschichte(n)** photo story		**da** there; as, since		**duschen** to (take a) shower
die	**Bildhauerei** sculpture		**dabei** present, there	die	**Dusche(n)** shower
	billig cheap	das	**Dach(¨er)** roof	das	**Düsenflugzeug(e)** jet aircraft
	bis until		**dächtig** suspicious		
	bis bald! see you soon!		**dadurch** by that means; through it		
	bis dahin by then		**dafür** for it		
ein	**bißchen** a bit, a little		**dagegen** on the other hand; against it		
	bitten to ask				

E

eben even; just
echt real(ly); genuine
die Ecke(n) corner
egal equal, doesn't matter
  es ist mir egal it's all the same to me, I'm not bothered
der Egoist(en) self-centred/selfish person
das Ehepaar(e) married couple
eher ratehr, preferably
ehrlich honest
das Ei(er) egg
die Eiche(n) oak tree
eigen(er/e/es) own
die Eigenart(en) characteristics, unique features
die Eigenschaft(en) character(istic), personal quality
eigensinnig stubborn
eigentlich actually; really
der Eimer(-) bucket
eindrucksvoll impressive
einfach simple
der Eingang(¨e) entrance
eingebildet conceited, arrogant
eingerichtet furnished
einige some, a few
ein/kaufen to shop
Einkäufe machen to buy something, make purchases
das Einkaufszentrum(-zentren) shopping centre
ein/laden to invite
die Einladung(en) invitation
ein/lösen to cash (cheque)
ein/richten to furnish
einsam lonely, isolated, deserted
die Einsamkeit loneliness
ein/schenken to pour
ein/schlafen to fall asleep
das Einschlingen rolling a canoe into/under water
ein/schmelzen to melt
ein/tauschen to swap, trade in
ein/tragen to enter (on list/chart)
ein/treffen to arrive
der Eintritt(e) entry, entrance
die Eintrittskarte(n) entrance ticket
einverstanden agreed, in agreement
das Einzelkind(er) only child
das Einzelzimmer(-) single room
einzig(er/e/es) only
das Eis(-) ice cream
der Eisbär(en) polar bear
der Eisbecher(-) ice cream sundae
das Eiscafé(s) ice cream parlour
das Eisfall-Klettern climbing up frozen waterfalls
der Eiskiosk(e) ice cream kiosk
die Eislaufbahn(en) ice rink
die Eissorte(n) ice cream flavour
das Eisstadion(en) ice stadium/rink
ekelhaft disgusting
der Elefant(en) elephant
die Elektrizität electricity
die Eltern (pl) parents
empfehlen to recommend
die Empfehlung(en) recommendation
empfindlich sensitive
entweder ... oder either ... or
das Ende(n) end
enden to end
endlich at last
endlos endless
die Endsumme(n) total
die Energie energy
eng narrow; tight
enges Verhältnis close relationship
Engländer(in) Englishman (woman)
die Englischkenntnisse knowledge of English
entdecken to discover
die Ente(n) duck
entfernt distant, away
  6 Kilometer entfernt 6 kilometres away
enthalten to contain
entkommen to escape

entlang (+ Acc) along
die Entscheidung(en) decision
entschlossen decided, determined
Entschuldigung excuse me
entspannend relaxing
entstehen to arise, emerge
enttäuschend disappointing
entweder either
der Erbseneintopf bean stew
das Erdbeben(-) earthquake
die Erdbeere(n) strawberry
das Erdbeereis strawberry-flavoured ice cream
die Erde earth
das Erdgeschoß ground floor
die Erdkunde geography
Erdnüsse (pl) ground nuts
erfahren to experience; experienced
die Erfahrung(en) experience
erfinden to invent
der Erfolg success
erfolgreich successful
erhöhen to raise
sich erholen to recover
erklären to explain
erlauben to allow, permit
(nicht) erlaubt (not) permitted
erleichtern to relieve
ernähren to provide food for
ernsthaft serious(-minded)
eröffnen to open
erreichen to reach
erschossen shot dead
ersetzen to replace
Ersparnisse (pl) savings
erst(er/e/es) first
erstaunlich surprising, astonishing
erstklassig first class
ertrinken to drown
der/die Erwachsene(n) adult
erwarten to expect
erweitern to extend
erzählen to tell, relate
essen to eat
das Essen food
der Eßlöffel(-) tablespoon
das Eßzimmer(-) dining room
etwa about, approximately
etwas something
das EU-Land(-Länder) EC country
Europa Europe

F

die Fabrik(en) factory
das Fach(¨er) subject
der Fachmann(-leute) specialist
die Fähre(n) ferry
fahren to travel, drive
die Fahrkarte(n) ticket
Fahrlehrer/in driving instructor
das Fahrrad(¨er) bicycle
der Fahrradweg(e) cycle path
das Fahrverbot ban on traffic/driving/vehicles
der Fall(¨e) case
  auf jeden Fall in any case
falls in case
falsch wrong
die Familie(n) family
der Familienausweis(e) family ticket
das Familienmitglied(er) family member
fangen to catch
fantastisch fantastic
die Farbe(n) colour; paint
fast nearly, almost
faszinierend fascinating
faul lazy
faulenzen to lounge around, be idle
die Faust(¨e) fist
  auf eigene Faust off your own bat, by yourself
das Fechtverein(e) sword fencing club
fehlen to be absent/missing
fehlend missing
der Fehler(-) mistake
feiern to celebrate
die Feige(n) fig
fein fine, splendid

das Feldbett(en) camp bed
das Fell fur, coat (of animal)
  ein dickes Fell entwickeln to develop a thick skin
der Fels(en) rock, cliff
die Felswand(¨e) rock face, precipice
das Fenster(-) window
die Ferien (pl) holidays
der Ferienbericht(e) holiday report
das Ferienhaus(¨er) holiday home
das Ferienlager(-) holiday camp
der Ferienort(e) holiday resort
die Ferienwohnung(en) holiday flat
der Ferienwunsch(¨e) holiday wish
fern far
Fernfahrer/in HGV driver, long distance lorry driver
ferngesteuert remote-controlled
das Fernsehen television
fern/sehen to watch television
der Fernseher(-) TV set
fertig ready, finished
das Fertiggericht(e) ready made meal
fest firm
  eine feste Freundin girlfriend
fest/stellen to ascertain, establish
fettig greasy, fatty
das Feuerschlucken fire eating
die Feuerwehr fire brigade
finden to find
Kontakt finden zu (+ Dat) to communicate with
die Flagge(n) flag
die Flasche(n) bottle
das Fleisch meat
fleißig industrious, hard-working
der Fleischspieß(e) kebab
die Fliege(n) bow tie; fly
fliegen to fly
fließen to flow
fließend fluent
  fließendes Wasser running water
der Flipperautomat(en) pinball machine
flippig hip, trendy
flitzen to speed, fly, wing
der Floh(¨e) flea
der/die Florist/in florist
die Flöte(n) flute
der Flötenkasten flute case
die Flucht flight, running away
  auf der Flucht on the run
der Flug(¨e) flight
die Fluggesellschaft(en) airline company
der Flughafen(¨) airport
der Flugkapitän(e) flight captain
die Flugnummer(n) flight number
das Flugzeug(e) aeroplane
der Fluß (Flüsse) river
die Folge(n) result, consequence
folgende(r/s) the following
folgenderweise as follows
der Fön(e) hair dryer
der Fortschritt(e) progress
das Foto(s) photograph
der Fotoapparat(e) camera
die Fotografie photography
die Frage(n) question
fragen to ask
Franzose/Französin Frenchman/woman
Französisch French
die Frau(en) woman; wife; Mrs.
Frau Schmidt Mrs. Schmidt
frech rude, impudent
frei free; no cars coming
im Freien (in the) open air
die Freiheit freedom
freitags on Fridays
freiwillig voluntary
die Freizeit leisure time
der Freizeitpark leisure/theme park
das Freizeitzentrum(-zentren) leisure centre
fremd strange, foreign
die Fremdsprache(n) foreign language
das Fremdenverkehrsamt(¨er) tourist office
das Fremdwort(¨er) foreign word

	fressen to eat (of animals)	das	**Gehege(-)** pen, enclosure	die	**Glatze(n)** bald head/patch
sich	**freuen (auf)** to look forward (to), rejoice		**gehen** to go, walk		**glauben** to believe, think
der	**Freund(e)** (boy)friend	die	**Gehminute(n)** minute's walking		**glaubwürdig** credible
die	**Freundin(nen)** (girl)friend		**gehören** (+ Dat) to belong		**gleich** the same; at once
	freundlich friendly	die	**Geige(n)** violin		**gleichaltrig** of the same age
die	**Freundschaft(en)** friendship		**gekämpft** fought, struggled		**gleichfalls** likewise
	friedlich peaceful		**gekleidet** dressed		**gleichzeitig** at the same time
	frieren to freeze		**gelähmt** lame		**glitschig** icy, slippery
die	**Frikadelle(n)** rissole	das	**Gelände** countryside	das	**Glück** luck; happiness
	frisch fresh		**gelangen** to reach, attain	das	**Grad(-)** degree
der	**Friseur(e)** hairdresser (m)		**gelassen** calm, cool, serene	das	**Gras(̈er)** grass
der	**Friseursalon** hairdresser's		**gelb** yellow		**gratis** free of charge
die	**Friseuse(n)** hairdresser (f)	das	**Geld** money		**grau** grey
der	**Frosch(̈e)** frog	das	**Geldproblem(e)** financial problem		**greifen** to grip, grab
das	**Fruchteis(-)** fruit sorbet ice cream	die	**Geldstrafe(n)** fine		**grell** vivid, gaudy
die	**Frucht(̈e)** fruit	die	**Geldverschwendung** waste of money		**Griechenland** Greece
	früh early			der	**Griff(e)** hold, grip, handle
der	**Frühling** spring	das	**Geldwechsel** exchange bureau	die	**Grillparty(s)** barbecue
die	**Frühlingsrolle(n)** spring roll		**gelegentlich** occasionally	die	**Grippe** flu
	frühreif premature, precocious		**gelehrt** taught, instructed		**Grönland** Greenland
das	**Frühstück** breakfast		**geliehen** hired		**groß** big; tall
	fühlen to feel		**gemein** mean		**Großbritannien** Great Britain
der	**Führerschein(e)** driving licence		**gemeinsam** together	die	**Großeltern** (pl) grandparents
	füllen to fill		**genau** exactly	im	**großen und ganzen** by and large
das	**Fundbüro(s)** lost property office		**genausoviel** exactly the same amount	die	**Großmutter(̈e)** grandmother
	funktionieren to function, work			die	**Großstadt(̈e)** city
	für (+ Acc) for	das	**Genie(s)** genius		**großzügig** generous
	furchtbar terrible		**genug** enough		**grün** green
	fürchterlich dreadful	das	**genügt** that's enough	der	**Grund(̈e)** reason
der	**Fuß(̈e)** foot		**geöffnet** open		**gründen** to form, found
der	**Fußball(̈e)** football	das	**Gepäck** luggage	die	**Grundschule(n)** primary school
das	**Fußballhemd(e)** football shirt	die	**Gepäckaufbewahrung(en)** left luggage office	die	**Grundtechnik** basic technique
das	**Fußballspiel(e)** football match				**grüne Welle** green wave (series of traffic lights at green on approach)
das	**Fußballstadion(-stadien)** football ground		**geprägt** influenced		
			gepunktet spotted		**grundsätzlich** on principle
die	**Fußgängerzone(n)** pedestrian precinct		**gerade** straight; just	die	**Gruppe(n)** group
			geradeaus straight on	der	**Gruß(̈e)** greeting
		das	**Gerät(e)** apparatus		**gucken** to look
G			**gerecht** just		**gültig** valid
		die	**Gerechtigkeit** justice, fairness	der	**Gummistiefel(-)** wellington boot
		das	**Gericht(e)** dish, meal	das	**Gummitier(e)** rubber animals (for water games/swimming pools)
	ganz(er/e/es) quite; whole		**gern(e)** gladly, willingly		
	ganzjährig throughout the year		**ich lese gern** I like reading		**günstig** favourable, good value
	gar nicht not at all	die	**Gesamtschule(n)** comprehensive school		**gut** good
die	**Gardine(n)** curtain			die	**Gürtelprüfung(en)** exam for judo enthusiasts trying to gain belts
der	**Garten(̈)** garden	das	**Geschäft(e)** shop; business		
das	**Gas(e)** gas	das	**Geschenk(e)** present	das	**Gymnasium (Gymnasien)** grammar school
der	**Gast(̈e)** guest		**Geschichte** history		
das	**Gästehaus(̈er)** guest house	die	**Geschichte(n)** story		
das	**Gästezimmer(-)** guest room		**geschlossen** closed	**H**	
die	**Gastfamilie(n)** host family		**geschneit** snowed		
	gastfreundlich hospitable, welcoming	die	**Geschwindigkeit(en)** speed	das	**Haar(e)** hair
		die	**Geschwister** (pl) brothers and sisters	der	**Haarfön** hair dryer
der	**Gastgeber(-)** host				**haben** to have
das	**Gasthaus(̈er)** inn		**gesellig** sociable	das	**Hackfleisch** mince
der	**Gasthof(̈e)** inn	das	**Gesicht(er)** face	das	**Hähnchen(-)** chicken
	geben to give		**gesiegt** won, scored a victory		**halb(er/e/es)** half
das	**Gebirge** mountain range	das	**Gespräch(e)** conversation		**um halb acht** at seven-thirty
	geboren born	das	**Gesteck(e)** garlands, floral arrangements	die	**Halbpension** half board
	gebraten fried			die	**Halbtagsstelle(n)** part-time job
	gebraucht used		**gestern** yesterday	das	**Hallenbad(̈er)** indoor swimming pool
die	**Geburt** birth		**gestorben** dead	der	**Hallenfußball** indoor football/5-a-side
der	**Geburtstag(e)** birthday		**gestreift** striped	das	**Halstuch(̈er)** scarf
das	**Geburtsgewicht(e)** weight at birth		**gesucht** wanted		**halt** just (colloquial)
das	**Geburtstagsgeschenk(e)** birthday present		**gesund** healthy		**halten** to stop
		die	**Gesundheit** health		**Halt geben** to give grip/purchase/hold
der	**Gedanke(n)** thought		**gesundheitsschädlich** damaging to one's health		
das	**Gedicht(e)** poem			Was	**hältst du vom Fernsehen?** What do you think of TV?
	geduldig patient	das	**Getränk(e)** drink		
	geehrte/r Dear (start of formal letter)	die	**Getränkedose(n)** can of drink	die	**Haltestelle(n)** bus/tram stop
	geeignet suitable		**gewählt** chosen	der	**Hamster(-)** hamster
die	**Gefahr(en)** danger	das	**Gewässer** open waters	die	**Hand(̈e)** hand
	gefährdet endangered, under threat	die	**Gewerkschaft(en)** trade union	die	**Handbremse(n)** hand brake
	gefährlich dangerous		**gewesen** been (from **sein**)	es	**handelt sich um** (+Acc) it's about/to do with
	gefallen to please		**gewinnen** to win		
es	**gefällt mir** I like it	das	**Gewitter** storm	der	**Handschuh(e)** glove
das	**Gefühl(e)** feeling	sich	**gewöhnen an** (+Acc) to get used to	die	**Handtasche(n)** handbag
	gegen (+ Acc) against, about (in times)	das	**Gewürz(e)** spice	das	**Handvoltigieren** somersaulting
			gewürzt spiced, spicy		**hart** hard
	gegeneinander against/towards one another		**gießen** to pour, water	der	**Hase(n)** hare
			giftig poisonous		**hassen** to hate
	gegenseitig mutual(ly)	die	**Giraffe(n)** giraffe	der	**Haufen(-)** heap, pile
der	**Gegenstand(̈e)** object	die	**Gitarre(n)** guitar		**häufig** frequently, often
im	**Gegenteil** on the contrary	der	**Gitarrenkasten(̈e)** guitar case	die	**Hauptsache(n)** main thing, most important point
	gegenüber (+ Dat) opposite	das	**Gitter(-)** bar (of cage)		
	gegenüberliegend opposite	das	**Glas(̈er)** glass		**hauptsächlich** mainly
die	**Gegenwart** present (time)	die	**Glasbläserei** glass blower's	die	**Hauptstraße(n)** main road
	gehbehindert disabled, unable to walk properly	die	**Glasflasche(n)** glass bottle	das	**Haus(̈er)** house
			glatt smooth	die	**Hausaufgaben** (pl) homework

die	**Haushalt** housekeeping	
die	**Haushaltshilfe(n)** home help	
	Haushaltswaren household goods	
der	**Hausmüll** domestic waste	
das	**Haustier(e)** pet	
die	**Haut** skin	
	heben to lift	
die	**Hefe(n)** yeast	
das	**Heft(e)** exercise book	
	heilen to heal, cure	
	heim/kommen to come home	
	Heimwerker DIY	
	heiraten to marry	
	heiser hoarse, with a sore throat	
	heiß hot	
	heißen to be called	
die	**Heizung** heating	
	helfen (+ Dat) to help	
der	**Helm(e)** helmet, hard hat	
das	**Hemd(en)** shirt	
	heraus out	
der	**Herbst** autumn	
das	**Herrchen** master, owner	
der	**Herr(en)** gentleman; Mr.	
	Herr Schmidt Mr. Schmidt	
	herrlich splendid	
	herrschen to rule, reign	
	her/stellen to produce, manufacture	
das	**Herz(en)** heart	
	herzlich hearty	
das	**Heu** hay	
	heute today	
	heutzutage nowadays	
	hier here	
die	**Hilfe** help	
	hilfsbereit helpful	
	hin/fahren to travel there	
	hin/fügen to add	
	hin/gehen to go there	
	hin/kommen to get there	
sich	**hin/setzen** to sit down	
	hinten at the back	
	hinter (+ Acc/Dat) behind	
im	**Hintergrund** in the background	
	hinuntersausen to race down (sl)	
der	**Hinweis(e)** instruction, order	
die	**Hirnverletzung(en)** brain damage/injury	
der	**Hirsch(e)** deer	
das	**Hobbyfeld(er)** hobby square	
der	**Hobbyraum(¨e)** hobby room	
	hoch (hohe/r/s) high, tall	
das	**Hochhaus(¨er)** high-rise building, block of flats	
	höchstens at the most	
das	**Hochwasser** flood	
	hoffen to hope	
	hoffentlich hopefully	
die	**Höhe(n)** height; limit	
der	**Höhepunkt(e)** highlight	
	holen to fetch	
das	**Holz** wood	
der	**Holzschuh(e)** clog	
der	**Honig** honey	
	hören to hear	
der	**Horizont** horizon	
die	**Hose(n)** trousers	
das	**Hotel(s)** hotel	
	hübsch pretty	
der	**Hügel(-)** hill	
	Hühnerfrikassee chicken fricasse	
der	**Humor** humour	
	humorvoll humorous	
der	**Hund(e)** dog	
das	**Hundebad(¨er)** dog bath	
die	**Hündin(nen)** bitch	
	hungrig hungry	
	husten to cough	
der	**Hut(¨e)** hat	
	hüten to guard, look after	

I

die	**Idee(n)** idea	
	illustrieren to illustrate	
die	**Imbißstube(n)** snackbar	
	immer always	
	immerhin after all	
	in (+ Acc/Dat) in, into	

der	**Ingwer** ginger (spice)	
	inklusive (inkl.) inclusive of	
die	**Informatik** information technology (IT)	
die	**Information(en)** information	
das	**Informationszeichen(-)** information symbol	
	innerhalb (+ Gen) within, inside	
die	**Insel(n)** island	
das	**Instrument(e)** instrument	
	intelligent intelligent, clever	
	interessant interesting	
das	**Interesse(n)** interest	
sich	**interessieren (für)** to be interested (in)	
das	**Interview(s)** interview	
	Ire/Irin Irishman/woman	
	irgendwo somewhere	
	islamisch Islamic	
	isoliert isolated	
	isses = ist es is it	
	Italien Italy	

J

die	**Jacke(n)** jacket	
das	**Jahr(e)** year	
	jährlich annual	
der	**Jahresbericht(e)** annual report	
das	**Jahrhundert(e)** century	
das	**Jahrtausend(e)** millenium	
	jaulen to howl, wail	
	je ever	
	jede(r/s) each, every	
	jedenfalls in any case	
	jedoch however	
	jemand someone	
	jetzt now	
	jeweils respectively, each time	
der	**Job(s)** job	
die	**Johannisbeere(n)** blackcurrant	
das	**Jonglieren** juggling	
	Judoka(s) judo enthusiasts/experts	
das	**Judoverein(e)** judo club	
die	**Jugend** young people, youth	
die	**Jugendgruppe(n)** youth group	
die	**Jugendherberge(n)** youth hostel	
der/die	**Jugendliche(n)** young person	
das	**Jugendmagazin(e)** youth magazine	
das	**Jugendzentrum(-zentren)** youth centre	
der	**Juli** July	
	jung young	
der	**Junge(n)** boy	
	jünger younger	
	Jungfrau Virgo	
der	**Juni** June	

K

der	**Kaffee** coffee	
der	**Kajakkurs(e)** kayak/canoeing course	
das	**Kalb(¨er)** calf, veal	
	kalt cold	
die	**Kälte** the cold (weather)	
das	**Kamel(e)** camel	
der	**Kameltreiber** camel drover	
die	**Kamera(s)** video camera	
	kämpfen to fight	
	kapiert got it, understood (sl)	
	kaputt broken	
	kariert checked	
die	**Karte(n)** card	
das	**Kartenspiel(e)** game of cards	
der	**Kartenverkauf** ticket sales	
die	**Kartoffel(n)** potato	
der	**Kartoffelsalat** potato salad	
der	**Karton(s)** carton, box	
der	**Käse** cheese	
das	**Kasperletheater(s)** Punch and Judy show, puppet theatre	
die	**Kassette(n)** cassette	
der	**Kassettenrecorder(-)** cassette recorder	
der	**Kasten** box	
die	**Kategorie(n)** category	
	katholisch Catholic	
die	**Katze(n)** cat	
	kaufen to buy	
das	**Kaufhaus(¨er)** department store	
der	**Kaugummi** chewing gum	

	kaum scarcely, hardly	
der	**Kautschuk** rubber	
die	**Kegelbahn(en)** skittle alley	
der	**Kegelklub(s)** skittle club	
	kein(e) no, not a	
	keiner none, no-one	
der	**Keller(-)** cellar	
der/die	**Kellner/in** waiter/waitress	
	kennen to know (person)	
(sich)	**kennen/lernen** to get to know (each other)	
das	**Kenntnis(se)** knowledge	
die	**Kernkraft** nuclear power	
das	**Kilometer(-)** kilometre	
das	**Kind(er)** child	
die	**Kinderkarte(n)** child's ticket	
der	**Kinderpreis(e)** price for a child	
der	**Kinderspielplatz(¨e)** children's playground	
das	**Kinderspielzimmer(-)** children's playroom	
das	**Kindertelefon** children's helpline	
	Kinderwäsche children's underwear	
	kindisch childish	
das	**Kino(s)** cinema	
die	**Kinokarte(n)** cinema ticket	
die	**Kirche(n)** church	
die	**Kirsche(n)** cherry	
das	**Kissen** cushion, pillow	
die	**Kissenschlacht(en)** cushion/pillow fight	
das	**Kittelchen** smock, apron	
	klagen to complain	
die	**Klamotten** (pl) clothes (slang)	
das	**klappt nicht** that doesn't work (sl)	
	klar clearly, sure	
die	**Klasse(n)** class	
der/die	**Klassenlehrer/in** class teacher (m/f)	
die	**Klassenordnung** class rules	
der/die	**Klassensprecher/in** form representative (m/f)	
	klauen to steal (slang)	
das	**Klebeband** sticky tape	
	kleben to stick	
das	**Kleid(er)** dress	
die	**Kleider** (pl) clothes	
der	**Kleiderständer(-)** clothes rack/stand	
die	**Kleidung** clothing	
das	**Kleidungsstück(e)** article of clothing	
	klein small	
eine	**Kleinigkeit(en)** something small	
	Klempner/in plumber	
das	**Klima** climate	
die	**Klingel(n)** bell	
	klingeln to ring	
	klirrend clattering, clanking, jarring	
auf dem	**Klo** on the toilet (sl)	
die	**Klofrau** toilet attendant (f)	
das	**Klopapier** toilet paper	
	klopfen to knock	
	klug clever	
	Knäckerbrot crispbread	
	knapp close to, almost	
	knapp bei Kasse short of cash	
der	**Knoblauch** garlic	
der	**Knochen(-)** bone	
	kochen to cook	
der	**Kochtopf(¨e)** saucepan	
der	**Koffer(-)** suitcase	
der	**Kofferraum** boot (of car)	
die	**Kohle** coal	
der	**Kohlenstoff(-)** carbon	
die	**Kohletablette(n)** charcoal tablet	
	kombiniert combined	
	komisch odd, strange	
	kommen to come	
der	**Kommentar(e)** commentary	
die	**Komödie(n)** comedy (film)	
der	**Kompromiß (Kompromisse)** compromise	
die	**Konditorei** cake shop, patisserie	
der	**König(e)** king	
	konkret concrete, actual	
	können to be able	
das	**Können** ability	
der	**Kontakt(e)** contact	
das	**Konzert(e)** concert	
sich	**konzentrieren** to concentrate	
das	**Kopfkissen(-)** pillow	

	Kopfschmerzen (pl) headache	
die	**Kopie(n)** copy	
	kosten to cost	
auf die	**Kosten kommen** to get your money's worth	
	kostenlos free of charge	
das	**Kostüm(e)** costume	
der	**Krach** noise; row	
der	**Kragen** collar	
	krank ill, sick	
das	**Krankenhaus("er)** hospital	
die	**Krankheit(en)** illness, disease	
der	**Krankenpfleger(-)** male nurse	
das	**Kraut("er)** herb	
	kreativ creative	
	Krebs Cancer	
die	**Kreditkarte(n)** credit card	
der	**Kreis(e)** circle; district	
das	**Kreuz(e)** clubs (in cards); cross	
die	**Kreuzung(en)** crossroads	
das	**Kreuzworträtsel(-)** crossword puzzle	
der	**Krieg(e)** war	
	kriegen to get	
	kritisieren to criticise	
das	**Krokodil(e)** crocodile	
die	**Küche(n)** kitchen	
der	**Kuchen(-)** cake	
der	**Küchenschrank("e)** kitchen cupboard	
die	**Kugel(n)** ball, bullet, scoop (of ice cream)	
der	**Kühlschrank("e)** fridge	
sich	**kümmern (um)** to see to, look after	
der	**Kunde(n)** customer (m)	
die	**Kundin(nen)** customer (f)	
die	**Kunst** art	
	künstlerisch artistic	
das	**Kupfer** copper	
	kurz short	
zu	**kurz kommen** to get a raw deal	
die	**Kurzfassung(en)** summary, paraphrase	
der	**Kuß (Küsse)** kiss	
	küssen to kiss	
die	**Küste(n)** coast	

L

	lächeln to smile	
	lachen to laugh	
zum	**Lachen bringen** to make (someone) laugh	
der	**Laden(")** shop	
	lag (from **liegen**) lay	
die	**Lage(n)** situation, position	
die	**Lagerolympiade** camp olympics	
das	**Lama(s)** llama	
die	**Lampe(n)** lamp	
das	**Land("er)** country	
	landen to land	
die	**Landkarte(n)** map	
die	**Landung(en)** landing	
	lang long	
	langsam slow(ly)	
die	**Langeweile** boredom	
	langweilig boring	
der	**Lärm** noise, din	
	lassen to leave	
	laufen to run; be showing (cinema)	
Was	**läuft?** What's on?	
die	**Laune(n)** mood	
	launisch moody	
	laut loud; pure	
	lauter Quatsch/Unsinn pure nonsense	
das	**Leben(-)** life	
	leben to live	
	lebendig lively; living	
	lebensfroh full of the joys of life	
die	**Lebensmittel** (pl) provisions, foodstuffs	
	lebhaft lively, vivacious	
das	**Leder** leather	
	Lederwaren leather goods	
	leer empty	
	legen to put, place	
die	**Legende(n)** legend	
der/die	**Lehrer/in** teacher (m/f)	
die	**Leiche(n)** corpse, body	

	leid tun to be sorry	
	es tut mir leid I'm sorry	
	leiden to suffer, allow	
	leider unfortunately	
die	**Leine(n)** lead; washing line	
	leisten to afford, achieve, manage	
das	**Lenkrad("er)** steering wheel	
die	**Lenkstange(n)** handle bars	
der	**Leopard(en)** leopard	
	lernen to learn	
das	**Lernziel(e)** learning objective	
die	**Leseecke(n)** reader's corner	
	lesen to read	
	letzt(er/e/es) last	
die	**Leute** (pl) people	
	Libyen Libya	
das	**Licht(er)** light	
	lieb dear, nice	
	lieben to love	
	Liebe/r Dear (start of informal letter)	
	lieber preferably; rather	
	ich trinke lieber Tee I'd rather drink tea	
	liebevoll loving, affectionate	
der	**Liebling(e)** darling, favourite, pet	
	Lieblingsfach("er) favourite subject	
das	**Lied(er)** song	
	liegen to lie	
der	**Lift(s)** lift	
der	**Likör(e)** liqueur	
	lila purple	
die	**Limonade** lemonade; fizzy soft drink	
die	**Limone(n)** lime (fruit)	
die	**Linie(n)** line	
	links on the left	
die	**Liste(n)** list	
das	**Liter(-)** litre	
der	**LKW(s)** lorry, heavy goods vehicle	
das	**Loch("er)** hole	
	locker loose(fitting)	
der	**Löffel(-)** spoon	
die	**Loge(n)** balcony (in a theatre/cinema)	
	los away	
die	**Lösung(en)** solution	
	löten to solder	
die	**Lotterie(n)** lottery	
der	**Löwe(n)** lion, Leo	
die	**Lücke(n)** gap	
der	**Lückentext(e)** gapped text	
die	**Luft("e)** air	
der	**Luftdruck** air pressure	
die	**Luftmatratze(n)** airbed	
der	**Luftschacht(-schächte)** air vent	
der	**Lungenkrebs** lung cancer	
	Lust haben to want to, feel like	
	lustig funny	
	Luxemburger(in) person from Luxembourg	
das	**Luxushotel(s)** luxury hotel	

M

	machen to do, make	
das	**Mädchen(-)** girl	
ich	**mag kein Fernsehen** I don't like any TV	
die	**Magenschmerzen** (pl) stomach ache	
	mähen to mow	
die	**Mahlzeit(en)** meal	
	Mailand Milan	
	mal just	
	malen to paint, draw	
	man one	
	manche(r/s) some	
	manchmal sometimes	
die	**Mandel(n)** almond	
die	**Manege(n)** circus ring, big top	
	Mangelerscheinungen bekommen to become anorexic	
der	**Mann("er)** man	
die	**Mannschaft(en)** team	
der	**Markenname(n)** brand name	
der	**Marktplatz("e)** market place	
die	**Maschine(n)** machine	
	Mathe maths	
der	**Mechaniker(-)** mechanic	
die	**Meckerecke** grumblers' corner	
	meckern to grumble, moan	

das	**Meer(e)** sea	
der	**Meerrettich** horse radish	
	mehr more	
	mehrfach frequently, many times	
	meiden to avoid	
	meinetwegen as far as I'm concerned	
die	**Meinung(en)** opinion	
	meiner Meinung nach in my opinion	
die	**meisten** most	
am	**meisten** most of all	
	meistens mostly	
sich	**melden** to answer questions (in class), speak out	
die	**Melone(n)** melon	
die	**Menge(n)** crowd, quantity	
der	**Mensch(en)** person	
das	**Meter(-)** metre	
	mies miserable, sulky, naff (sl)	
	mieten to rent	
die	**Mikrowelle(n)** microwave (oven)	
die	**Milch** milk	
das	**Milcheis(-)** dairy ice cream	
der	**Milchshake(s)** milkshake	
das	**Millimeter(-)** millimetre	
die	**Million(en)** million	
	mindestens at least	
das	**Mineralwasser** mineral water	
der	**Minirock(-röcke)** miniskirt	
die	**Minute(n)** minute	
	mißfallen (+Dat) to displease	
	Mist! rubbish! crap! (sl)	
	mit (+ Dat) with	
der	**Mitarbeiter(-)** colleague	
	mit/bringen to bring with one	
	miteinander with one another	
	mitfühlend sympathetic	
das	**Mitglied(er)** member	
der	**Mitgliedsausweis(e)** membership card	
	mit/helfen to help	
	mit/kriegen to understand (sl)	
	mit/machen to join in	
	mit/nehmen to take with one	
	mit/reisen to travel with	
die	**Mitte(n)** middle, centre	
	Mittelamerika Central America	
das	**Mittelmeer** the Mediterranean	
	mit/teilen to inform	
die	**Mitteilung(en)** message, communication	
das	**Mittelmeer** Mediterranean	
der	**Mittelpunkt** centre, middle	
im	**Mittelpunkt stehen** to be in the limelight	
die	**Mittelschule(n)** middle school	
	mitten in (+ Dat) in the middle of	
die	**Mitternacht** midnight	
der	**Mittwoch** Wednesday	
die	**Möbel** (pl) furniture	
die	**Mode(n)** fashion	
das	**Modegeschäft(e)** boutique	
das	**Modellflugzeug(e)** model aeroplane	
	modern modern	
	modernisiert modernised	
	modisch fashionable	
das	**Mofa(s)** moped	
der	**Mofaführerschein(e)** moped licence	
	mögen to like	
	möglich possible	
	Mokka mocha	
E-	**Moll** E-flat (music)	
der	**Moment(e)** moment	
	momentan at the moment	
der	**Monat(e)** month	
der	**Mord** murder	
der	**Morgen(-)** morning	
	morgen tomorrow	
	morgens in the mornings	
die	**Morgenwäsche** morning wash	
die	**Moschee(n)** mosque	
die	**Möwe(n)** seagull	
die	**Mühe** trouble	
	der Mühe wert worth the bother/trouble	
der	**Müll** rubbish	
die	**Müllabfuhr** waste disposal	
	München Munich	

der	**Mund**(¨er) mouth	
	mündlich oral(ly)	
die	**Musik** music	
	musikalisch musical	
das	**Musikinstrument**(e) musical instrument	
der/die	**Musiklehrer/in** music teacher (m/f)	
die	**Musikwoche**(n) week of music	
	musizieren to make/play music	
	müssen to have to	
die	**Mutter**(¨) mother	
	Mutti mum	
die	**Mütze**(n) cap	
	MwSt (Mehrwertsteuer) VAT (Value Added Tax)	

N

	na! well!
	nach (+ Dat) after; to
der/die	**Nachbar/in** neighbour (m/f)
das	**Nachbarhaus** the house next door
die	**Nachbarschaft** neighbourhood
	nachdenken to think, ponder
	nachher afterwards
die	**Nachhilfestunde**(n) private lesson
der	**Nachmittag**(e) afternoon
	nachmittags in the afternoons
die	**Nachsaison** low season, out of peak time
	nach/schlagen to look up (in dictionary etc.)
	nach/sehen to check
	nächst(er/e/es) next
die	**Nacht**(¨e) night
der	**Nachtklub**(s) night club
das	**Nachrichtenmagazin**(e) TV news programme
die	**Nachtruhe** quiet for the night
die	**Nähe** neighbourhood, vicinity
das	**Nähzeug** sewing kit
der	**Name**(n) name
	nämlich that is to say, in fact
	naß wet
die	**Nässe** the wet
die	**Natur** nature
der	**Naturfilm**(e) nature film
	natürlich of course, certainly
der	**Naturliebhaber**(-) nature lover
	neben (+Acc/Dat) near
	nebenan next door
	nebenbei in addition to
der	**Nebenjob**(s) part-time job
	neblig foggy, misty
	nehmen to take
	neidisch envious, jealous
	nennen to call, name
	Neptun Neptune
die	**Nerve**(n) nerve
	das geht mir auf die Nerven it gets on my nerves
	nerven to get on someone's nerves
	nervend annoying, irritating
	nett nice
	netto nett (e.g. nett pay after stoppages)
	neu new
	neulich recent(ly)
die	**neuesten Sportnachrichten** the latest sports news
	nicht not
der	**Nichtraucher**(-) non-smoker
	nichts nothing
	Nichtzutreffendes not applicable
	nie never
	niedlich nice, sweet
	niedrig low
	niemand nobody
das	**Nikotin** nicotine
der	**Nil** Nile (river)
	nirgendwo nowhere
der	**Nizza Salat** salade niçoise
	noch still
	noch etwas? anything else?
	nochmal once more
	nördlich northerly, in/to the north
	normalerweise usually, generally
zur	**Not** when necessary, according to need

die	**Note**(n) grade, mark
der	**Notfall**(-fälle) emergency
	notieren to mark
die	**Notiz**(en) notice
der	**Notruf** emergency (telephone) call
das	**Nudelbaby** 'podge', fatty
die	**Nummer**(n) number
das	**Nummernschild**(er) number plate
	nun now; well
	nur only
die	**Nuß (Nüsse)** nut
	nutzen to use
	nützlich useful

O

	ob whether
	oben upstairs, above, at the top
	oder or
	offen open
	offen/lassen to leave open
	öffnen to open
die	**Öffnungszeiten** (pl) opening times
	oft often
	ohne (+ Acc) without
das	**Ohr**(en) ear
der	**Ohrring**(e) earring
das	**Öl** oil
	Ölsardinen sardines in oil
der	**Ölstand** oil level
der	**Öltanker**(-) oil tanker
die	**Ölverschmutzung** oil pollution
die	**Oma** grandma
der	**Onkel**(-) uncle
der	**Opa** grandad
	orange orange (colour)
der	**Orangensaft** orange juice
das	**Orchester**(-) orchestra
	ordentlich tidy
	ordnen to put in order
die	**Ordnung**(en) order
der	**Ort**(e) place, town
das	**Ortszentrum** centre of town
	Ostafrika East Africa
	Ostasien East Asia
zu	**Ostern** at Easter
	Österreicher(in) Austrian

P

das	**Paar**(e) couple, pair
ein	**paar** a few
das	**Paket**(e) parcel
	paniert covered in breadcrumbs
die	**Panik** panic
	Papa dad
der	**Papagei**(en) parrot
das	**Papier**(e) paper
	Paprika (sweet) pepper
der	**Park**(s) park
	parken to park
das	**Parkett**(s) stalls (in a theatre/cinema)
das	**Parkhaus**(¨er) car park (multi-storey)
die	**Parklandschaft** parkland
der	**Parkplatz**(¨e) car park
	parteiisch biased
der/die	**Partner/in** (m/f) partner
der	**Paß(Pässe)** passport
der	**Passagier**(e) passenger
das	**Passagierschiff**(e) passsenger ferry, boat
	passen to suit, fit
	passend suitable
	passieren to happen
	Pech! bad luck!
	pellen to peel
die	**Pension**(en) guest house
	per by
die	**Person**(en) person
der	**Personalausweis**(e) pass
die	**Petersilie** parsley
der	**Pfadfinder**(-) scout
die	**Pfandflasche**(n) returnable bottle
das	**Pfeifen** whistling
das	**Pferd**(e) horse
die	**Pflanze**(n) plant
die	**Pflaume**(n) plum
	pflegen to look after
das	**Pfund**(-) pound

	phantasievoll imaginative, full of ideas
	Physik physics
der	**Pickel** pimple, spot
	Pik spades (cards)
der	**Pilz**(e) mushroom
der	**Pinguin**(e) penguin
die	**Pistazie**(n) pistachio nut
die	**Pistole**(n) pistol
die	**Pizza**(s) pizza
	planen to plan
der	**Planet**(en) planet
das	**Planetensystem** planetary system
die	**Plastik** plastic
die	**Plastiktüte**(n) plastic bag
der	**Plattenspieler**(-) record player
der	**Platz**(¨e) place; seat; square
	platzen to burst
	plaudern to chat
	plötzlich suddenly
das	**Plüschtier**(e) cuddly toy
die	**Poesie** poetry
das	**Pokal**(e) trophy
die	**Polizei** police
zum	**Polizisten werden** to turn into a policeman
die	**Pommes frites** (pl) chips
	pompös pompous
die	**Popgruppe**(n) pop group
das	**Popkonzert**(e) pop concert
die	**Popmusik** pop music
	populär popular
das	**Portemonnaie**(s) purse
die	**Portion**(en) portion, share
die	**Post** post; post office
das	**Poster**(-) poster
das	**Postfach**(¨er) PO box
	praktisch practical
die	**Präposition**(en) preposition
	präsentieren to present
der	**Preis**(e) price, prize
	preisgünstig cheap, good value
	prima great
	pro per
	proben to practise, test, rehearse
das	**Problem**(e) problem
das	**Produkt**(e) product, produce
der	**Profisportler** professional sportsman
das	**Programm**(e) programme
das	**Prospekt**(e) brochure
	protestantisch protestant
das	**Prozent**(-) percent
	prüfen to check
die	**Prüfung**(en) exam, test
der	**Prügel** thrashing, beating
das	**Publikum** the public
der	**Pullover**(-) pullover
der	**Puma**(s) puma
der	**Punkt**(e) point, dot
	pur pure
	putzen to clean
die	**Putzhilfe**(n) cleaner

Q

das	**Quadratkilometer**(-) square kilometre
das	**Quadratmeter**(-) square metre
das	**Quartier**(e) accommodation
der	**Quatsch** nonsense, rubbish
	lauter Quatsch! absolute rubbish!
	quer across
das	**Queren** crossing, going across

R

das	**Rad**(¨er) bicycle
	rad/fahren to cycle
das	**Radio** radio
	radioaktiv radioactive
die	**Radioaktivität** radioactivity
der	**Radiologe**(n) radiologist
die	**Radtour**(en) bike ride, cycle tour
der	**Ranzen** satchel
der	**Rasen**(-) lawn
der	**Rasthof**(¨e) service station (motorway)
der	**Rastplatz**(¨e) car park (motorway)
der	**Rat** advice

das	**Rathaus** town hall	
der	**Ratschlag(¨e)** piece of advice	
das	**Rätsel(-)** puzzle	
der	**Räuber(-)** robber	
	rauchen to smoke	
der	**Raum(¨e)** space; room	
	räumen to vacate	
die	**Raumfahrt(en)** journey into space, space travel	
der	**Raumschiffahrer(-)** astronaut	
	reagieren to react	
die	**Reaktion(en)** reaction	
der	**Realshulabschluß** final exams before leaving Realschule	
die	**Realschule(n)** school (between comprehensive and grammar)	
die	**Rechnung(en)** bill	
das	**Recht(e)** right	
	er hat immer Recht he's always right	
	recht gut really good	
	rechts on the right	
das	**Recycling** recycling	
	reden to speak	
das	**Regal(e)** shelf	
die	**Regel(n)** rule	
	regelmäßig regular(ly)	
der	**Regen** rain	
	saurer Regen acid rain	
der	**Regenmantel(¨)** raincoat	
der	**Regenwald(¨er)** rainforest	
der	**Regenschirm(e)** umbrella	
das	**Regenwasser** rain water	
	regnen to rain	
der	**Reh(e)** deer	
	reich rich	
	reichen to suffice, be enough	
das	**reicht** that's enough	
der	**Reifen(-)** tyre	
die	**Reihenfolge(n)** sequence, order	
	reinigen to clean	
der	**Reis** rice	
die	**Reise(n)** trip, journey	
der	**Reisebus(sse)** (touring) coach	
die	**Reisedevisen** foreign currency for a trip	
das	**Reisegeld** fare; money for trip	
der/die	**Reiseleiter/in** courier (m/f)	
	reisen to travel	
der	**Reisescheck(s)** traveller's cheque	
die	**Reisetablette(n)** travel sickness pill	
die	**Reisetasche(n)** travel bag	
	reißen to tear, snatch	
	reiten to ride (horse)	
der	**Reitlehrer(-)** riding teacher	
die	**Reitstunde(n)** riding lesson	
das	**Reitverein(e)** riding club	
die	**Religion** RE, religion	
die	**Reparatur(en)** repair	
	reservieren to reserve	
der	**Rest** remainder	
das	**Restaurant(s)** restaurant	
das	**Resultat(e)** result	
	retten to save, rescue	
das	**Rezept(e)** recipe	
die	**Rezeption** reception	
der	**Rhythmus** rhythm	
	richtig correct	
die	**Richtung(en)** direction	
	riechen to smell	
	riesengroß enormous	
	riesig huge	
das	**Rind(er)** cow (pl. cattle)	
das	**Rindfleisch** beef	
die	**Robbe(n)** seal	
der	**Rock(¨e)** skirt	
das	**Rohmaterial** raw material	
der	**Rollkunstlauf** rollerskating (for performances)	
der	**Rollstuhlfahrer(-)** someone in a wheelchair	
	rollstuhlgängig with wheelchair access	
der	**Roman(e)** novel	
	rosa pink	
der	**Rosenkohl** Brussel sprouts	
	rot red	
	Rotes Kreuz Red Cross	
der	**Rottweiler** Rottweiler	

die	**Route(n)** route	
der	**Rücken(-)** back	
der	**Rucksack(¨e)** rucksack	
der	**Rücksicht nehmen auf** (+ Acc) to show respect, consideration for	
	rücksichtsvoll considerate	
der	**Ruhm** fame	
	rund round	
	rutschen to slide, slip, skid	

S

der	**Saal(Säle)** room (also in a cinema)	
die	**Sache(n)** thing, item	
der	**Sack(¨e)** sack	
der	**Sadismus** sadism	
der	**Safaripark(s)** safari park	
	sagen to say	
die	**Sahne** cream	
die	**Saison** season, e.g. football	
der	**Salat** salad	
der	**Salbtee** sage tea	
	sammeln to collect	
die	**Sammelstelle(n)** collection point	
die	**Sammlung(en)** collection	
der	**Samstag** Saturday	
der	**Sand** sand	
	sanft gentle, placid	
	Sänger(in) singer	
	Sanitäranlagen (pl) bathroom/washing facilities	
	satt full, satiated, had enough	
der	**Sattel(-)** saddle	
der	**Satz(¨e)** sentence	
	sauber clean	
	sauber/halten to keep clean	
	sauer(saure) sour, acidic	
der	**Sauerstoff** oxygen	
	saufen to drink (of animals)	
	saugen to suck	
sie	**saugen uns aus bis aufs Blut** they suck our blood dry	
der	**SB-Laden** self-service shop	
das	**Schach** chess	
eine	**Schachtel Pralinen** a box of chocolates	
	schade! (that's a) pity!	
	schaffen to do, create; manage	
der	**Schal(e)** scarf	
die	**Schale(n)** dish	
der	**Schalter(-)** counter; switch	
	scharf sharp, spicy	
die	**Schau(en)** show	
der	**Scheck(s)** cheque	
die	**Scheibe(n)** slice	
der	**Scheibenwischer(-)** windscreen wiper	
der	**Schein(e)** note, pass	
	scheinen to seem, shine	
	scheinbar apparent(ly)	
der	**Scheinwerfer(-)** headlight	
	schenken to give (present), pour	
die	**Scherbe(n)** fragment	
	scheu shy	
die	**Schichtarbeit** shift work	
	schick smart, chic	
	schicken to send	
	schief/gehen to go wrong	
	schiessen to shoot, score	
das	**Schiff(e)** ship	
das	**Schild(er)** sign, notice, badge	
die	**Schildkröte(n)** tortoise	
der	**Schimpanse(n)** chimpanzee	
	schimpfen to swear at, abuse	
der	**Schinken** ham	
	schlafen to sleep	
der	**Schlafraum(¨e)** dormitory	
der	**Schlafsack(¨e)** sleeping bag	
das	**Schlafzimmer(-)** bedroom	
	schlagen to hit, beat	
das	**Schlagzeug** drums, percussion	
	Schlagzeuger/in drummer, percussionist	
die	**Schlange(n)** snake	
	Schlange stehen to queue	
	schlank slim	
	Schlappis (pl) wimps (sl)	
	schlecht bad, poor	
die	**Schließzeit(en)** closing time	

	schlimm bad, serious	
der	**Schlips(e)** tie	
der	**Schlittschuh(e)** skate	
das	**Schloß (Schlösser)** castle	
die	**Schlucht(en)** ravine, gorge	
der	**Schluck** swallow/mouthful	
	Schluß! It's finished!	
zum	**Schluß** finally, last of all	
der	**Schlüssel(-)** key	
der	**Schlüsseldienst** key service	
	schmecken to taste	
sich	**schminken** to put on make-up	
der	**Schmuck** jewellery	
der	**Schmutz** dirt	
	schmutzig dirty	
	schnarchen to snore	
die	**Schnecke(n)** snail	
der	**Schnee** snow	
	schneiden to cut	
	schnell quick, fast	
die	**Schokolade** chocolate	
der	**Schokoriegel(-)** chocolate bar	
die	**Scholle(n)** plaice	
	schon already	
	schön nice, beautiful	
	Schotte/Schottin Scot(tish)	
der	**Schrank(¨e)** cupboard	
	schrecklich terrible	
	schreiben to write	
das	**Schreibpapier** writing paper	
	Schreibwaren stationery	
	schreien to scream, shout	
das	**Schreinern(-)** joinery, woodwork	
das	**Schriftbild(er)** script, type	
	schriftlich in writing	
	schüchtern shy	
der	**Schuh(e)** shoe	
der	**Schuhdienst** shoe service	
das	**Schulbuch(¨er)** school book	
	schuld at fault	
	ich bin schuld it's my fault	
die	**Schule(n)** school	
der/die	**Schüler/in** pupil	
der	**Schüleraustausch** school exchange	
die	**Schülerzeitung(en)** school magazine	
die	**Schulklasse(n)** class at school	
	schütteln to shake	
	Schütze Sagittarius	
	schützen to protect	
	schwach weak	
	schwärmen für (+Acc) to be fanatical about	
	schwarz black	
der	**Schwarzwaldbecher** Black Forest ice cream sundae	
die	**Schwefelsäure** sulphuric acid	
	schweigen to keep quiet, be silent	
die	**Schweiz** Switzerland	
	Schweizer/in Swiss	
	schwer heavy; difficult	
	schwerelos weightless	
die	**Schwerelosigkeit** weightlessness	
	schwerverletzt badly injured	
die	**Schwester(n)** sister	
	schwierig difficult	
die	**Schwierigkeit(en)** difficulty	
das	**Schwimmbad(¨er)** swimming pool	
	schwimmen to swim	
die	**Sechziger** the sixties	
der	**See(n)** lake	
die	**See(n)** sea	
das	**Seebad(¨er)** seaside resort	
der	**Seehund(e)** seal	
der	**Seelöwe(n)** sea lion	
der	**Seevogel(¨)** sea bird	
	segeln to sail	
	sehen to see	
die	**Sehenswürdigkeit(en)** tourist attraction	
	sehr very	
	sei mutig be brave	
die	**Seife(n)** soap	
das	**Seil(e)** rope	
	sein to be	
	seit (+ Dat) since	
die	**Seite(n)** side	
die	**Seitenstraße(n)** side street	
die	**Sekretärin(nen)** secretary	
	selber myself, yourself etc.	

	selbst myself, yourself etc.	**das**	**Sportzentrum(-zentren)** sports centre		**strecken** to stretch out
die	**Selbstbedienung** self-service				**Streichhölzer** (pl) matches
	selbstbewußt self-confident	**das**	**Sportzeug** sports gear	**der**	**Streit(e)** argument
	selbstsicher confident, self-assured	**die**	**Sprache(n)** language		**streiten über** (+Acc) to argue about
	selbstverständlich of course, it goes without saying		**sprachgestört** with a speech impediment		**streng** strict
					strengstens strictly
	selig blessed	**die**	**Sprachkenntnisse** (pl) knowledge of foreign language(s)	**der**	**Strohhut(¨e)** straw hat
	selten rarely			**der**	**Strom** current (electricity/water etc.)
der	**Senf** mustard	**die**	**Sprachtherapie** speech therapy		**Stromschnellen** (pl) rapids, fast currents
	senkrecht vertical	**das**	**Sprachzentrum** speech centre (in the brain)		
	Serbien Serbia			**die**	**Strumpfhose(n)** pair of tights
die	**Serie(n)** series	**die**	**Spraydose(n)** aerosol, spray	**das**	**Stück(e)** piece
der/die	**Servierer/in** waiter/waitress	**die**	**Sprechblase(n)** speech bubble	**der**	**Student(en)** student
	setzen to put, place		**sprechen** to speak	**die**	**Studentin(nen)** student
	sicher safe; sure, certainly	**das**	**Sprechzimmer(-)** surgery, consultation room		**stumm** speechless, mute
die	**Sicherheit** safety, security			**die**	**Stunde(n)** hour; lesson
der	**Sicherungskasten** fuse box	**das**	**Sprichwort(¨er)** saying, proverb, catchphrase	**die**	**Stundenkilometer (km/h)** kilometres per hour
die	**Siedlung(en)** housing estate, settlement				
		die	**Spritze(n)** injection, syringe	**der**	**Stundenplan(¨e)** timetable
	singen to sing	**das**	**Spülbecken(-)** sink	**der**	**Stundenzeiger** hour hand
der	**Sinn(e)** sense		**spülen** to wash up	**der**	**Sturm (¨e)** storm
die	**Situation(en)** situation	**die**	**Spülmaschine(n)** dishwasher		**stürmisch** stormy, windy
	sitzen to sit	**der**	**Staat(en)** state	**die**	**Suche** search
	sitzenbleiben to repeat a year at school	**die**	**Stadt(¨e)** town		**suchen** to look for
		die	**Stadtbibliothek(en)** municipal library	**die**	**Sucht(¨e)** addiction
	Skat German card game	**der**	**Stadtbummel** walk/stroll around town		**süchtig** addicted
das	**Skifahren** skiing	**die**	**Stadthalle** civic hall		**Südpol** South Pole
der	**Skiurlaub(e)** skiing holiday	**das**	**Stadtleben** city life		**summen** to hum
der	**Skiverleih(e)** ski hire	**der**	**Stadtplan(¨e)** street plan	**der**	**Supermarkt(¨e)** supermarket
	Skorpion Scorpio	**die**	**Stadtverwaltung** municipal council		**surfen** to surf
	so so, therefore	**der**	**Stadtviertel(-)** district of town		**Süßes** sweet things
	sobald as soon as	**das**	**Stadtzentrum(-zentren)** town centre	**die**	**Süßigkeit(en)** sweet
die	**Socke(n)** sock	**der**	**Stahl** steel	**das**	**Sweatshirt(s)** sweatshirt
	soeben just		**ständig** always, permanently	**das**	**Symbol(e)** symbol
	sofort immediately	**der**	**Standplatz(¨e)** place to stand		**sympathisch** nice
	sogar even		**stark** strong; brilliant (sl)		
der	**Sohn(¨e)** son		**starren** to stare		
	Sojabohnensprossen soya bean sprouts	**die**	**Station(en)** stop (bus/tram)		**T**
		die	**Statistik** (sing) statistics	**das**	**T-Shirt(s)** t-shirt
	solch(er/e/es) such		**statt** instead of	**die**	**Tabelle(n)** chart, table
	sollen to have to, 'ought'		**stattdessen** instead of which	**der**	**Tag(e)** day
der	**Sommer** summer		**statt/finden** to take place	**der**	**Tagesablauf** daily routine
die	**Sommerferien** (pl) summer holidays	**der**	**Staub** dust		**täglich** daily
	sondern but		**staubsaugen** to vacuum clean, hoover		**tagsüber** during the day
der	**Sonnabend** Saturday			**der**	**Takt** beat, rhythm
die	**Sonne** sun		**staunen** to be astonished	**der**	**Tal(¨er)** valley
sich	**sonnen** to sun oneself, sunbathe	**der**	**Steckbrief(e)** pen portrait, warrant	**der**	**Tank** petrol tank
das	**Sonnensystem** solar system	**die**	**Steckdose(n)** socket		**tanken** to get petrol
die	**Sonnenuhr(en)** sundial		**stecken** to put (into)	**die**	**Tankstelle(n)** petrol station
	sonnig sunny	**der**	**Stecker(-)** plug (electrical)	**die**	**Tante(n)** aunt
der	**Sonntag** Sunday		**stehen (zu)** to stand by	**der**	**Tanz(¨e)** dance
	sonst otherwise		**er steht zu mir**		**tanzen** to dance
	Sonstiges other things		he is standing by me	**das**	**Taschengeld** pocket money
die	**Sorge(n)** worry		**Steinbock** Capricorn	**die**	**Taschenlampe(n)** (pocket) torch
	sorgen (für) to take care of, see to	**die**	**Stelle(n)** place, position, job	**die**	**Tasse(n)** cup
der	**Sorgenbrief(e)** problem letter		**stellen** to place		**tauchen** to dive
das	**Sorgentelefon** problem helpline	**das**	**Stellenangebot(e)** situations vacant (in newspaper)	**das**	**Täuschen** cheating
	sortieren to sort out				**tausend** one thousand
das	**Souvenir(s)** souvenir		**sterben** to die	**das**	**Teakholz** teak (wood)
das	**Souvenirgeschäft(e)** souvenir shop	**der**	**Stern(e)** star	**die**	**Technik** technology
	soviel so much, so many	**das**	**Sternzeichen** sign of the zodiac	**der**	**Tee** tea
	sowieso anyway, in any case	**der**	**Stich(e)** trick (cards); insect bite	**der**	**Teenager(-)** teenager
	Sozialabgaben (pl) deductions from pay by the state	**der**	**Sticker(-)** badge	**der**	**Teich(e)** pool, pond
		der	**Stiefel(-)** boot	**der**	**Teil(e)** part
die	**Sozialhilfe** Social Security	**die**	**Stiefmutter(¨)** stepmother		**teilen** to share
	spannend exciting, tense	**der**	**Stiefvater(¨)** stepfather	**der**	**Teilnehmer(-)** participant
	sparen (auf/für) to save up (for)		**Stier** Taurus	**das**	**Telefon** telephone
der	**Spaß** fun	**der**	**Stift(e)** pencil		**telefonieren** to telephone
	viel Spaß! have fun!	**der**	**Stil(e)** style		**telefonisch** by telephone
	spät late		**still** quiet	**die**	**Telefonzelle(n)** telephone box
	spazieren to stroll	**die**	**Stimme(n)** voice	**der**	**Teller(-)** plate
	spazieren/gehen to go for a walk		**stimmen** to be right	**die**	**Temperatur(en)** temperature
der	**Speck(e)** bacon		**das stimmt** that's right	**das**	**Tempo** speed, time, pace
die	**Spezialität(en)** speciality	**die**	**Stimmung(en)** mood, atmosphere	**der**	**Tennisschläger** tennis racquet
	speziell special		**stinken** to stink	**der**	**Teppich(e)** carpet
der	**Spiegel(-)** mirror	**der**	**Stock(¨e)** stick; storey	**der**	**Termin(e)** appointment, date
das	**Spiegelei(er)** fried egg	**der**	**Stoff(e)** material		**teuer** expensive
	spielen to play		**stören** to disturb	**der**	**Text(e)** text
der	**Spieler(-)** player		**stoßen** to push, knock off balance	**das**	**Theater(s)** theater
das	**Spielzeug(e)** toy	**die**	**Stoßstange(n)** bumper	**die**	**Theke(n)** counter, serving area
das	**Spinnen** spinning	**die**	**Strafe(n)** punishment	**der**	**Thunfisch(e)** tunny fish, tuna
du	**spinnst!** you're joking/crazy!		**strahlend** radiant, beaming		**tief** deep
die	**Spirituosen** (pl) spirits	**der**	**Strand(e)** beach	**die**	**Tiefgarage(n)** underground car park
die	**Spitze(n)** summit, top; great	**die**	**Strand-Party(s)** beach party	**das**	**Tier(e)** animal
der	**Sport** sport	**die**	**Straße(n)** street	**die**	**Tierart(en)** type of animal
die	**Sportart(en)** type of sport	**die**	**Straßenbahn(en)** tram	**der**	**Tierarzt(¨e)** vet (m)
der	**Sportler(-)** sportsman	**das**	**Straßentheater** street theatre	**die**	**Tierärztin(nen)** vet (f)
	sportlich sporty	**die**	**Strecke(n)** distance	**der**	**Tierfilm(e)** animal film
der	**Sportwagen(¨)** sports car			**der**	**Tierpark(s)** zoo

der **Tierpfleger(-)** zoo-keeper
die **Tierspur(en)** animal track, spoor
das **Tierzuchtverein(e)** animal breeders' club
der **Tiger(-)** tiger
der **Tip(s)** tip, hint
der **Tisch(e)** table
Tischler/in joiner
das **Tischtennis** table tennis
die **Tischtennisplatte(n)** table tennis table
der **Tischtennisschläger(-)** table tennis bat
toben to rage, have a wild time
die **Tochter(¨)** daughter
der **Tod** death
todernst deadly serious
todmüde dead tired
die **Toilette(n)** toilet
toll great, splendid
der **Ton(¨e)** note
der **Topf(¨e)** pot
das **Töpfern** pottery
total totally
töten to kill
der **Tourist(en)** tourist
tragen to wear, carry
trauen (+Dat) to trust, believe
der **Traum(¨e)** dream
träumen to dream
der/die **Traumlehrer/in** dream teacher
die **Traumwelt** dream world
traurig sad
das **Treffen(-)** meeting
sich **treffen** to meet
der **Treffpunkt** meeting place
treiben to do (sport)
der **Treibhauseffekt** greenhouse effect
trennen to separate
das **Tretboot(e)** pedalo
treu faithful, loyal
der **Trick(s)** trick
der **Trickfilm(e)** cartoon
trinken to drink
das **Trinkgefäß(e)** drinking vessel
trocken dry
die **Trockenheit(en)** drought
der **Trockenraum(¨e)** drying room
das **Troparium** hot house
tropisch tropical
trotz (+ Gen) in spite of
trotzdem nonetheless
die **Trümmer** (pl) rubble, ruin
der **Trumpf(¨e)** trump (cards)
tschüs bye, cheerio
die **Tulpe(n)** tulip
tun to do
die **Tür(en)** door
die **Türke/Türkin** Turk(ish)
die **Turnhalle(n)** gym(nasium)
der **Turnschuh(e)** training shoe, trainer
die **Tüte(n)** (paper) bag, packet
typisch typical

U

die **U-Bahn(en)** underground railway
üben to practise
über (+ Acc/Dat) over, above
überall everywhere
die **Überflutung(en)** flood
überhaupt anyway
überhaupt nicht not at all
überlassen to entrust to, leave to
überlegen to consider
übernachten to spend the night
die **Übernachtung(en)** overnight stay
der **Übernachtungspreis(e)** price per night
übernehmen to take over
überqueren to cross
überschätzen to overestimate
übersenden to send, transmit
übersetzen to translate
der/die **Übersetzer/in** translator
übertreiben to exaggerate, take too far
überzeugen to convince
übrig left over

übrigens by the way
das **Ufer** bank, shore
die **Uhr(en)** clock; time
Wieviel Uhr ist es? What's the time?
die **Uhrzeit** time
um (+ Acc) round
die **Umfrage(n)** survey
die **Umgangssprache** slang
die **Umgebung(en)** surrounding area
der **Umlaufseil(e)** boundary rope
um/tauschen to exchange
die **Umwelt** environment
umweltfeindlich harmful to the environment
umweltfreundlich environmentally friendly, green
das **Umweltproblem(e)** environmental problem
der **Umweltschutz** protection of the environment
der **Umweltschutzverein** organisation for the protection of the environment
die **Umweltzerstörung** destruction of the environment
um/ziehen to move house
unabhängig independent
unangemeldet unannounced
unaufgefordert of one's own accord, without being asked
unbedingt necessarily, absolutely
unbekannt unknown
unentschieden unresolved, undecided
unerhört unheard of
unerwartet unexpected(ly)
der **Unfall(¨e)** accident
ungarisch Hungarian
ungarisches Gulasch Hungarian goulash
ungebleicht unbleached
die **Ungeduld** impatience
ungefähr approximately
ungewöhnlich unusual(ly)
unglücklich unhappy
unheimlich awfully, tremendously
die **Universität(en)** university
unmittelbar immediate, direct, first hand
unmöglich impossible
unnötig unnecessary
unordentlich untidy
der **Unsinn** nonsense, rubbish
unten underneath; downstairs
unter (+Acc/Dat) under
die **Unterbringung** accommodation
das **Untergeschoß** basement
die **Unterkunft** accommodation
unternehmen to undertake, do
unternehmungslustig enterprising
unterrichten to teach
untersagt prohibited
der **Unterschied(e)** difference
unterschreiben to sign
die **Unterschrift(en)** signature
unterstützen to support
untersuchen to examine
unterwegs on the way
ununterbrochen continuously
der **Urenkel(-)** great grandchild
der **Urlaub(e)** holiday
im Urlaub on holiday
der **Urlaubsaufenthalt** holiday stay
die **Urlaubsinsel(n)** holiday island
der **Urwald** primal forest
usw. (und so weiter) etc.

V

Vanille vanilla
der **Vater(¨)** father
Vati dad
der **Vegetarier(-)** vegetarian
die **Verabredung(en)** appointment, date
veranstalten to set up, arrange
der **Verband(¨e)** association
verbinden to join, combine
verboten forbidden

verbrauchen to consume
verbringen to spend (time)
verdammt! damn it!
verderben to spoil
verdienen to earn
verdorben rotten, spoilt
der **Verein(e)** association, club, society
die **Vereinigten Staaten** USA
zur **Verfügung stehen** to be at one's disposal, available
verfüttert fed (animals)
vergeben to forgive
vergessen to forget
die **Vergewaltigung(en)** rape
vergleichen to compare
vergünstigt reduced (in price), discounted
sich **verhalten** to keep/look after yourself
das **Verhältnis(se)** relationship
verhindern to prevent
verhungern to starve
der **Verkauf** sale
das **Verkehr** traffic
das **Verkehrsamt(¨er)** tourist office
verkehrsberuhigt with little traffic
das **Verkehrsbüro(s)** tourist office
das **Verkehrsmittel(-)** means of transport
der **Verkehrsstau(s)** traffic jam
verlassen to leave
sich **verlassen auf** (+Acc) to trust, rely upon
verliebt in (+Acc) in love with
verlieren to lose
verloren lost
vermitteln to provide
vernachlässigen to neglect
vernünftig sensible
die **Verpackung(en)** package, wrapping
verpassen to miss
verpesten to pollute
die **Verpflegung** board (in hotel)
die **Verpflegungsleistung** catering service
verraten to reveal, betray
verreist away from home, on a trip
verrichten to perform
verrückt mad
versauen to mess up, ruin
verschenken to give away
verschieden different, various
verschreiben to prescribe
aus **Versehen** by mistake
verseuchen to contaminate
die **Versicherung(en)** insurance
verspätet late, delayed
die **Verspätung** delay, lateness
der **Verstand** (power of) reason
sich **verständigen** to make yourself understood
verständnisvoll understanding
der **Verstärker** amplifier
verstecken to hide, conceal
verstehen to understand
versuchen to try
verteilen to hand out
vertrauen to trust
es **vertreibt die Langeweile** it staves off boredom
verunreinigen to dirty, besmirch
vervollständigen to complete
mit **Verwandten** with relatives
verwenden to apply, add
verwerten to make use of
verwöhnen to spoil (e.g. a child)
verzichten auf to do without
der **Videofilm(e)** video film
viel(e) much/many
vielleicht perhaps
vielmals many times
vielseitig versatile
das **Viertel** quarter
(um) Viertel nach sieben (at) a quarter past seven
der **Vogel(¨)** bird
voll full
voller full of
völlig completely, totally
die **Vollpension** full board
voll/tanken to fill up (with petrol)

das	**Vollweizenmehl** flour, wheatmeal	
	von (+ Dat) from	
	vor (+ Acc/Dat) in front of; before	
	vor allem above all	
	vor 5 Jahren 5 years ago	
	voran ahead	
im	**voraus** in advance	
	vorbei past, gone, over	
die	**Vorbereitung(en)** preparation	
	vor/fahren to drive in front	
die	**Vorführung(en)** performance	
	vorgegeben already laid on/provided	
	vorgestern the day before yesterday	
	vorher before, earlier	
der	**Vorname(n)** Christian/first name	
	vorne at the front	
der	**Vorschlag(¨e)** suggestion	
die	**Vorsicht** care, caution	
	vorsichtig careful(ly)	
die	**Vorstellung(en)** performance, show	
der	**Vortrag(¨e)** speech, presentation, talk	
der	**Vorverkauf** advance sales	
die	**Vorwahl(en)** dialling/area code (telephone)	

W

die	**Waage** scale(s), Libra	
	waagerecht across, horizontal	
	wachsen to grow	
der	**Wagen(-)** car	
die	**Wahl(en)** choice	
	wählen to choose	
	wahr/haben to accept, believe	
der	**Wald(¨er)** wood, forest	
	wahnsinnig crazy, incredible	
	während during	
	wahrscheinlich probably	
die	**Währung(en)** currency	
der	**Wald(¨er)** forest	
der	**Walfisch(e)** whale	
	Waliser(in) Welshman (woman)	
der	**Wanderer(-)** hiker	
die	**Wandergruppe(n)** group of hikers	
	wandern to hike	
die	**Wanderung(en)** hike	
der	**Wanderweg(e)** hiking path	
	wann when	
	wäre would be	
	warm warm	
die	**Warteliste(n)** waiting list	
	warten to wait	
	warum why	
	was what	
die	**Wäsche** laundry	
der	**Wäschekorb(¨e)** laundry basket	
	waschen to wash	
die	**Waschmaschine(n)** washing machine	
das	**Waschmittel(-)** detergent	
das	**Wasser** water	
der	**Wasserfall(¨e)** waterfall	
der	**Wasserhahn(¨e)** tap	
	Wassermann Aquarius	
das	**Wasserrohr(e)** water pipe	
die	**Wasserrutsche(n)** waterslide	
	wasserskifahren to water ski	
der	**Wassersport** water sport	
das	**Weben** weaving	
	wechseln to change	
die	**Wechselstube** exchange bureau	
der	**Wecker(-)** alarm clock	
der	**Weg(e)** path, way	
	weg away	
	weg/bleiben to stay away	
	wegen (+ Gen) because of	
	weg/fahren to drive away	
	weggeworfen thrown away	
	weg/räumen to clear away	
der	**Wegweiser** signpost, information board	
die	**Wegwerfflasche(n)** non-returnable bottle	
die	**Wehrdienstpflicht** conscription, national service in the army	
	weh/tun to hurt	
das	**Weideland** pasture, grazing land	
das	**Weihnachtsgeschenk(e)** Christmas present	

	weil because	
der	**Wein(e)** wine	
	weinen to cry	
	weiß white	
	weit far	
die	**Weiterfahrt(en)** onward journey	
	welch(er/e/es) which (one)	
	wellig wavy	
die	**Welt** world	
das	**Weltall** universe	
die	**Weltbevölkerung** world population	
der	**Weltkrieg(e)** world war	
der	**Weltraum** cosmos, outer space	
die	**Weltraumstation(en)** space station	
die	**Weltrekorde(n)** world record	
die	**Weltspitze** top of the world	
die	**Weltstadt(¨e)** cosmopolitan city	
	wem (Dat) who(m)	
	von wem wird gesprochen? Who are we talking about?	
	wenig little	
	wenige few	
	weniger less	
am	**wenigsten** least of all	
	wenigstens at least	
	wenn when(ever); if	
	wer who	
das	**Werbeposter(-)** advertising poster	
die	**Werbung** advertising	
	werden to become	
	werfen to throw	
die	**Werkstatt** workshop, garage	
der	**Wert** value	
	wertvoll valuable	
die	**Weste(n)** waistcoat	
	wetten to bet, wager	
das	**Wetter** weather	
	wichtig important	
	Widder Aries	
	wie how	
	wieder again	
die	**Wiederholung(en)** repeat	
auf	**Wiedersehen** goodbye	
	wiederverwenden to re-use	
	wiederverwerten to recycle	
	wieso how, for what reason	
	wieviel how much	
	wie viele how many	
die	**Wildnis** wilderness	
das	**Wildschwein(e)** wild boar	
	willkommen welcome	
der	**Wind(e)** wind	
	windig windy	
die	**Windmühle(n)** windmill	
die	**Windschutzscheibe(n)** windscreen	
der	**Winkel** angle	
	winken to nod, beckon	
der	**Winter** winter	
	wirklich really	
	wirksam effective	
	wischen to wipe	
	wissen to know	
der	**Witz(e)** joke	
	witzig witty, funny	
	wo where	
die	**Woche(n)** week	
das	**Wochenende** weekend	
	woher where from	
	wohin where to	
	wohnen to live	
der	**Wohnort** place of residence	
die	**Wohnung(en)** flat	
der	**Wohnwagen(-)** caravan	
das	**Wohnzimmer(-)** sitting room, lounge	
der	**Wolf(¨e)** wolf	
die	**Wolke(n)** cloud	
der	**Wolkenkratzer(-)** skyscraper	
	wolkig cloudy	
	wollen to want	
das	**Wort(¨er)** word	
die	**Wörterliste(n)** list of words; vocabulary section	
das	**Wörterpuzzle(s)** word puzzle	
	wunderschön marvellous, beautiful	
sich	**wünschen** to wish for	
der	**Wunschzettel(-)** list of wishes	
der	**Wurf(¨e)** throw (e.g. in judo, sports etc.)	
der	**Würfel** dice	

der	**Würfelzucker** cube sugar, sugar lump	
die	**Wurst(¨e)** sausage	
die	**Wurstbude(n)** hot dog stand	
die	**Wüste(n)** desert	

Z

die	**Zahl(en)** number	
	zahlen to pay	
	zählen to count	
	zahlreich numerous	
der	**Zahn(¨e)** tooth	
der	**Zahnarzt** dentist	
die	**Zahnarzthelferin(nen)** dental assistant (f)	
die	**Zahnbürste(n)** toothbrush	
	zärtlich affectionate, tender, loving	
das	**Zebra(s)** zebra	
	Zehner tenner, tens	
das	**Zeichen(-)** sign	
der	**Zeichentrickfilm(e)** cartoon	
das	**Zeichnen** drawing	
	zeigen to show	
die	**Zeit(en)** time	
der	**Zeitpunkt(¨e)** point (in time)	
der	**Zeitraum(¨e)** interval, period of time	
die	**Zeitschrift(en)** magazine	
die	**Zeitung(en)** newspaper	
der/die	**Zeitungsausträger/in** paper boy/girl	
das	**Zeitungspapier** newspaper (substance)	
die	**Zensur(en)** mark, grade	
	zentral central	
das	**Zentrum(Zentren)** centre	
	zerbrochen broken, shattered	
	zerreißen to tear	
die	**Zerrung(en)** strain (muscle)	
	zerstören to destroy	
der	**Zettel** note	
das	**Zeugnis(se)** school report	
	ziehen to pull, drag	
	ziemlich fairly, quite	
die	**Zigarette(n)** cigarette	
der	**Zigarettenqualm** cigarette smoke	
das	**Zimmer(-)** room	
der	**Zimmernachweis(e)** accommodation directory	
der	**Zimt** cinnamon	
das	**Zitat(e)** quotation	
die	**Zitrone(n)** lemon	
	zu (+ Dat) to	
	zubereiten to prepare	
	züchten to breed, grow	
der	**Zucker** sugar	
die	**Zuckerwatte** candyfloss	
	zuerst first of all	
	zufrieden satisfied	
der	**Zug(¨e)** train	
	zukommen (lassen) to send	
die	**Zukunft** future	
	zumal especially	
	zurück back	
	zurück/kommen to return	
	zurück/schicken to send back	
	zusammen together	
	zusammen/kommen to come together, meet	
	zusammen/sitzen to sit together	
der	**Zustand(¨e)** condition, state	
die	**Zustimmung** agreement	
die	**Zutat(en)** ingredient	
	zu/treffen to match, fit	
	zuviel too much	
	Zwanziger twenties	
	zwar to be sure, in fact	
der	**Zweck(e)** aim, purpose	
das	**Zweibettzimmer(-)** twin-bedded room	
	zweimal twice	
zu	**zweit** in pairs, alone with someone	
	zweitgrößt(er/e/es) second largest	
die	**Zwiebel(n)** onion	
der	**Zwilling(e)** twin, Gemini	
	zwischen between	
	zwischendurch inbetween	

A

to be	**able** können	
	about etwa	
	above oben	
	absolute(ly) absolut	
	accident der Unfall(¨e)	
	accommodation die Unterkunft	
	ace (in cards) das As(se)	
	acid rain saurer Regen	
	active aktiv; lebendig	
	activity die Aktivität(en)	
	actually eigentlich	
	addicted süchtig	
	addiction die Sucht(¨e)	
	address die Adresse(n),	
	die Anschrift(en)	
	adjective das Adjektiv(e)	
	adult der/die Erwachsene(n)	
in	**advance** im voraus	
	adventure das Abenteuer(-)	
	adventure film der Abenteuerfilm(e)	
	advertisement die Anzeige(n)	
	advertiser der Anzeiger(-)	
	advertising die Werbung	
	advertising poster	
	das Werbeposter(-)	
	advice der Rat	
	aeroplane das Flugzeug(e)	
	aerosol die Spraydose(n)	
to	**afford** leisten	
	Africa Afrika	
	African afrikanisch	
	after nach **(+ Dat)**	
	after all immerhin	
	after that danach	
	afternoon der Nachmittag(e)	
	in the afternoons nachmittags	
	afterwards nachher, danach	
	again nochmal, wieder	
	against gegen **(+ Acc)**	
	age das Alter	
	aggressive aggressiv	
	ago vor (x Jahren)	
	ahead voran	
	aim der Zweck(e)	
	air die Luft(¨e)	
	air pressure der Luftdruck	
	airport der Flughafen(¨)	
	alarm clock der Wecker(-)	
	alcohol der Alkohol	
	alcoholic alkoholisch	
	all all(e)	
	all's well that ends well	
	Ende gut, alles gut	
	allergic (to) allergisch (gegen)	
	allergy die Allergie(n)	
to	**allow** erlauben	
to be	**allowed** dürfen	
	alone allein	
	along entlang **(+ Acc)**	
	alphabetical(ly) alphabetisch	
	already schon	
	also auch	
	aluminium can	
	die Aluminiumdose(n)	
	always immer	
	American amerikanisch	
to	**analyse** analysieren	
	analysis (solution)	
	die Auswertung(en)	
to be	**angry** sich ärgern	
	animal das Tier(e)	
	animal film der Tierfilm(e)	
	animal fodder das Futter	
to	**annoy** ärgern	
	annoying nervend	
	annual jährlich	
	answer die Antwort(en)	
to	**answer** antworten, beantworten	
	anything else? noch etwas?	
	anyway überhaupt; sowieso	
	appearance das Aussehen	
	appetite der Appetit	
	apple juice der Apfelsaft	
	appointment die Verabredung(en),	
	der Termin(e)	
	approximately etwa, ungefähr	
	Aquarius Wassermann	

	Arabic arabisch	
	area der Bereich(e)	
to	**argue about** streiten über **(+Acc)**	
	argument der Streit(e)	
	Aries Widder	
to	**arise** entstehen	
	arrival die Ankunft(¨e)	
to	**arrive** an/kommen; ein/treffen	
	article der Artikel(-)	
	article of clothing	
	das Kleidungsstück(e)	
	artistic künstlerisch	
	as als; da	
	as follows folgenderweise	
	as soon as sobald	
to	**ascertain** fest/stellen	
	Asia Asien	
to	**ask** bitten; fragen	
	association der Verband(¨e),	
	das Verein(e)	
to be	**astonished** staunen	
	astronomy die Himmelskunde	
	atmosphere die Atmosphäre	
	Australia Australien	
	Australian australisch	
	Austrian Österreicher/Österreicherin	
	autumn der Herbst	
to be	**available** zur Verfügung stehen	
	away los; weg; (from home) verreist	
	awfully unheimlich	

B

	babysitter der/die Babysitter/in	
	back zurück	
	at the back hinten	
	bad schlecht, schlimm	
	badge der Sticker(-)	
to	**bake** backen	
	baker's die Bäckerei(en)	
	ballad die Ballade(n)	
	banana die Banane(n)	
	banana skin die Bananenschale(n)	
	bank die Bank(en)	
	barbecue die Grillparty(s)	
	bars (of cage) das Gitter(-)	
	bar die Bar(s)	
	bath das Bad(¨er), die Badewanne(n)	
to have a	**bath** sich baden	
	bathroom das Badezimmer(-)	
	battery die Batterie(n)	
to	**be** sein	
	beach der Strand(e)	
	beach party die Strand-Party	
	bean die Bohne(n)	
	because weil	
	because of wegen **(+ Gen)**	
to	**become** werden	
	bed das Bett(en)	
	bed linen die Bettwäsche	
	bedroom das Schlafzimmer(-)	
	bee die Biene(n)	
	been (from sein) gewesen	
	beer das Bier(e)	
	before bevor; vorher	
to	**befriend** befreunden	
to	**begin** an/fangen	
	beginning der Beginn	
	behind hinter **(+ Acc/Dat)**	
to	**believe** glauben	
	bell die Klingel(n)	
to	**belong** gehören **(+ Dat)**	
	bench die Bank(¨e)	
to	**bend** biegen	
	best best(er/e/es)	
to	**bet** wetten	
	better than besser als	
	between zwischen	
	bicycle das Fahrrad(¨er),	
	das Rad(¨er)	
	big groß	
	big-headed angeberisch	
	bike ride die Radtour(en)	
	bill die Rechnung(en)	
	bird der Vogel(¨)	
	birthday der Geburtstag(e)	
	birthday present	
	das Geburtstagsgeschenk(e)	

	bison der Bison(s)	
a	**bit** ein bißchen	
	bitch die Hündin(nen)	
	black schwarz	
	blessed selig	
	blonde blond	
	blouse die Bluse(n)	
	blue blau	
	board das Brett(er)	
	board (in hotel) die Verpflegung	
	full board die Vollpension	
	half board die Halbpension	
on	**board** an Bord	
to	**boast** angeben	
	bomb die Bombe(n)	
to	**book** buchen	
	book das Buch(¨er)	
	booking die Buchung(en)	
	boot der Stiefel(-);	
	(of car) der Kofferraum	
	boredom die Langeweile	
	boring langweilig	
	born geboren	
	both beide(r/s)	
I'm not	**bothered** es ist mir egal	
	bottle die Flasche(n)	
	boutique das Modegeschäft(e)	
	bow tie die Fliege(n)	
	boy der Junge(n)	
	boyfriend der Freund(e)	
	brand name der Markenname(n)	
	brave mutig	
	be brave sei mutig	
	bread das Brot(e)	
to	**break out** aus/brechen	
	breakfast das Frühstück	
to	**breed** züchten	
	breeders' club	
	das Tierzuchtverein(e)	
that's	**brilliant!** das ist stark!	
to	**bring** bringen	
to	**bring with one** mit/bringen	
	British britisch	
	brochure der Prospekt(e)	
	broken kaputt	
	brother der Bruder(¨)	
	brothers and sisters	
	die Geschwister **(pl)**	
	brown braun	
to	**build** bauen	
	bus der Bus(se)	
	bus stop die Haltestelle(n)	
	busy beschäftigt	
	but aber; sondern	
	butter die Butter	
to	**buy** kaufen	
	by per	
	by heart auswendig	
	by the way übrigens	
	bye tschüs	

C

	café das Café(s)	
	cake der Kuchen(-)	
to	**call** nennen	
to be	**called** heißen	
	calm gelassen	
to	**calm** beruhigen	
	camel das Kamel(e)	
	camera der Fotoapparat(e)	
	campsite der Campingplatz(¨e)	
	can die Dose(n)	
	Cancer Krebs	
	can of drink die Getränkedose(n)	
	cap die Mütze(n)	
	Capricorn Steinbock	
	car der Wagen(-)	
	car driver der Autofahrer(-)	
	car key der Autoschlüssel(-)	
	car park der Parkplatz(¨e)	
	(motorway) der Rastplatz(¨e)	
	(multi-storey) das Parkhaus(¨er)	
	caravan der Wohnwagen(-)	
	carbon der Kohlenstoff(-)	
	card die Karte(n)	
	care die Vorsicht	
to take	**care of** sorgen für **(+ Acc)**, betreuen	
	careful(ly) vorsichtig	

to	carry tragen	
	carton der Karton(s)	
	cartoon der Trickfilm(e), der Zeichentrickfilm(e)	
in any	case falls	
in any	case jedenfalls	
	cash das Bargeld	
to	cash (cheque) ein/lösen	
	cassette die Kassette(n)	
	cassette recorder der Kassettenrecorder(-)	
	castle die Burg(en)	
	cat die Katze(n)	
to	catch fangen	
	category die Kategorie(n)	
	Catholic katholisch	
	cattle Rinder (pl)	
to	celebrate feiern	
	cellar der Keller(-)	
	central zentral	
	centre das Zentrum (Zentren)	
	centre of town das Ortszentrum	
	certainly sicher; natürlich; klar	
	chaotic chaotisch	
	chart die Tabelle(n)	
to	chat plaudern, quatschen	
	cheap billig, preisgünstig	
	cheating das Täuschen	
to	check nach/sehen; prüfen	
	checked kariert	
	cheese der Käse	
	chemical (adj) chemisch	
	chemicals die Chemikalien (pl)	
	chemistry Chemie	
	cheque der Scheck(s)	
	cherry die Kirsche(n)	
	chess das Schach	
	chewing gum der Kaugummi	
	chicken das Hähnchen(-)	
	child das Kind(er)	
	only child das Einzelkind(er)	
	childish kindisch	
	children's helpline das Kindertelefon	
	children's playground der Kinderspielplatz(¨e)	
	children's playroom das Kinderspielzimmer(-)	
	chimpanzee der Schimpanse(n)	
	chips die Pommes frites (pl)	
	chocolate die Schokolade	
	chocolate bar der Schokoriegel(-)	
to	choose aus/suchen; wählen	
	Christian name der Vorname(n)	
	Christmas present das Weihnachtsgeschenk(e)	
	church die Kirche(n)	
	cigarette die Zigarette(n)	
	cigarette smoke der Zigarettenqualm	
	cinema das Kino(s)	
	circle der Kreis(e)	
	city die Großstadt(¨e)	
	city life das Stadtleben	
	civic hall die Stadthalle	
	class die Klasse(n)	
	class rules die Klassenordnung	
	class teacher der/die Klassenlehrer/in	
	clean sauber	
to	clean putzen	
to keep	clean sauber/halten	
	cleaner die Putzhilfe(n)	
to	clear (table) ab/räumen	
to	clear away weg/räumen	
to	clear up auf/räumen	
	clearly klar	
	clever klug	
	cliff der Fels(en)	
	cliff face Felswand(¨e)	
	climate das Klima	
	clock die Uhr(en)	
	closed geschlossen	
	closing time die Schließzeit(en)	
	clothes (slang) die Klamotten (pl)	
	clothes die Kleider (pl)	
	clothing die Kleidung	
	clubs (in cards) das Kreuz(e)	
	coast die Küste(n)	

	coffee der Kaffee	
	coffee house das Kaffeehaus(¨er)	
	cola die Cola(s)	
	cold kalt	
	colleague der Mitarbeiter(-)	
to	collect sammeln	
	collection die Sammlung(en)	
	collection point die Sammelstelle(n)	
	colour die Farbe(n)	
	colourful bunt	
to	come kommen	
	comedy (film) die Komödie(n)	
	commentary der Kommentar(e)	
	community hall das Gemeindehaus(¨er)	
	compact disc die CD(s)	
to	complain klagen	
to	complete vervollständigen	
	comprehensive school die Gesamtschule(n)	
	compromise der Kompromiß (Kompromisse)	
	computer course der Computerkurs(e)	
	computer der Computer(-)	
	computer game das Computerspiel(e)	
	conceited eingebildet	
to	concentrate sich konzentrieren	
	concert das Konzert(e)	
to	confirm bestätigen	
	connection die Beziehung(en)	
	contact der Kontakt(e)	
	container (for bottles etc.) der Container(-)	
to	contaminate verseuchen	
	content zufrieden	
	continuously ununterbrochen	
	conversation das Gespräch(e)	
to	cook kochen	
	cooker der Herd(e)	
	copy die Kopie(n)	
	corner die Ecke(n)	
	correct richtig	
	correspondent der/die Briefpartner/in	
to	cost kosten	
	costume das Kostüm(e)	
to	cough husten	
to	count zählen	
	counter der Schalter(-), die Theke(n)	
	country das Land(¨er)	
	couple das Paar(e)	
	covered bedeckt	
	cow das Rind(er); die Kuh(¨e)	
	crazy wahnsinnig	
	cream die Sahne	
	creative kreativ	
	credible glaubwürdig, glaublich	
	credit card die Kreditkarte(n)	
to	criticise kritisieren	
	crockery das Geschirr	
	crocodile das Krokodil(e)	
to	cross überqueren	
	cross das Kreuz(e)	
	crossword puzzle das Kreuzworträtsel(-)	
	crowd die Menge(n)	
to	cry weinen	
	cuddly toy das Plüschtier(e)	
	cup die Tasse(n)	
	cupboard der Schrank(¨e)	
	currency die Währung(en)	
	curtain die Gardine(n)	
	customer der Kunde(n)/ die Kundin(nen)	
	cutlery das Besteck	
	cycle path der Fahrradweg(e)	
to	cycle rad/fahren	

D

	dad Papa, Vati	
	daft doof	
	daily täglich	
	daily routine der Tagesablauf, die Tagesroutine	

	damaging to one's health gesundheitsschädlich	
to	dance tanzen	
	danger die Gefahr(en)	
	dangerous gefährlich	
	dark dunkel	
	dark brown dunkelbraun	
	daughter die Tochter(¨)	
	day der Tag(e)	
the	day before yesterday vorgestern	
	day room der Aufenthaltsraum(¨e)	
	dead gestorben	
	dear (formal letter) geehrte/r; (informal letter) Liebe/r	
	death der Tod	
	deer der Hirsch(e), der Reh(e)	
	definitely bestimmt	
	deforestation die Abholzung	
	degree das Grad(-)	
to	deliver aus/tragen	
	dental assistant (f) die Zahnarzthelferin(nen)	
	department store das Kaufhaus(¨er)	
	departure die Abfahrt(en), die Abreise(n)	
	depressed deprimiert	
to	describe beschreiben	
	desert die Wüste(n)	
to	destroy zerstören	
	detective story der Krimi(s)	
	detergent das Waschmittel(-)	
	diagram das Diagramm(e)	
	dialogue der Dialog(e)	
	diamond der Diamant(en)	
	diamonds (in cards) das Karo	
to	dictate diktieren	
to	die sterben	
	difference der Unterschied(e)	
	difficult schwierig, schwer	
	difficulty Schwierigkeit(en)	
	dining room das Eßzimmer(-)	
	diplomatic diplomatisch	
	direct direkt, unmittelbar	
	direction die Richtung(en)	
	dirt der Dreck, der Schmutz	
	dirty schmutzig	
	disco die Disco(s)	
to	discuss besprechen	
	disgusting ekelhaft	
	dishonest unehrlich	
	dishwasher der Geschirrspüler(-), die Spülmaschine(n)	
	disinfectant das Desinfektionsmittel(-)	
to	dismantle aus/bauen	
	distance die Strecke(n)	
	distant entfernt	
	district der Kreis(e); (of town) der Stadtviertel(-)	
to	dive tauchen	
to	do machen, tun, schaffen	
to	do without verzichten auf	
	dog der Hund(e)	
	domestic waste der Hausmüll	
	door die Tür(en)	
	dormitory der Schlafraum(¨e)	
	double room das Doppelzimmer(-)	
	downstairs unten	
	drawing das Zeichnen	
	dreadful fürchterlich, furchtbar	
	dream der Traum(¨e)	
to	dream träumen	
	dream world die Traumwelt	
	dress das Kleid(er)	
	dressed gekleidet	
	drink das Getränk(e)	
to	drink trinken; (of animals) saufen	
to	drive away weg/fahren	
to	drive in front vor/fahren	
	driving licence der Führerschein(e)	
	drought die Trockenheit(en)	
to	drown ertrinken	
	dry trocken	
	drying room der Trockenraum(¨e)	
to	dry the dishes ab/trocknen	
	during während	
	during the day tagsüber	
	dust der Staub	
	duvet die Bettdecke(n)	

E

	each, every jede(r/s)	
	ear das Ohr(en)	
	early früh; baldig	
to	**earn** verdienen	
	earring der Ohrring(e)	
	earth die Erde	
at	**Easter** zu Ostern	
to	**eat** essen; **(of animals)** fressen	
	effort die Bemühung(en)	
	to make an effort sich bemühen	
	egg das Ei(er)	
	either ... or entweder ... oder	
	electricity die Elektrizität	
	elephant der Elefant(en)	
	employee der/die Angestellte(n)	
	empty leer	
to	**empty** aus/räumen	
	end das Ende(n)	
to	**end** (be)enden	
	endangered gefährdet	
	endless endlos	
	energy die Energie	
	English(man/woman) Engländer/in	
	Enjoy your meal! Guten Appetit!	
	enormous riesengroß	
	enough genug	
that's	**enough** das reicht	
to	**enter (on list/chart)** ein/tragen	
	entrance der Eingang(¨e)	
	entrance ticket die Eintrittskarte(n)	
	envious neidisch	
	environment die Umwelt	
	destruction of the environment die Umweltzerstörung	
	environmental problem das Umweltproblem(e)	
	environmentally friendly umweltfreundlich	
	protection of the environment der Umweltschutz	
	organisation for the protection of the environment der Umweltschutzverein	
	equal egal	
	equator der Äquator	
	equipped ausgestattet	
to	**escape** entkommen	
	especially besonders; zumal	
	etc. usw. (und so weiter)	
	Eurocheque der Euroscheck(s)	
	Europe Europa	
	even sogar; eben	
	ever je	
	everything alles	
	everywhere überall	
	exam die Prüfung(en)	
to	**examine** untersuchen	
	example das Beispiel(e)	
	for example (e.g.) zum Beispiel (z.B.)	
	except for außer	
	excerpt der Ausschnitt(e)	
to	**exchange** um/tauschen, wechseln	
	exchange der Austausch(e)	
	exchange bureau die Wechselstube, der Geldwechsel	
	exchange of letters der Briefwechsel(-)	
	exchange partner der/die Austauschpartner/in	
	excursion der Ausflug(¨e)	
	excuse die Ausrede(n)	
	exercise book das Heft(e)	
	exhaust der Auspuff	
	exhaust fume das Auspuffgas(e), das Abgas(e)	
	exit der Ausgang(¨e); **(motorway)** die Ausfahrt(en)	
	exotic exotisch	
to	**expect** erwarten	
	expensive teuer	
	experience die Erfahrung(en)	
to	**explain** erklären	
	extended erweitert	
become	**extinct** aus/sterben	
	eye das Auge(n)	

F

in	**fact** zwar	
	face das Gesicht(er)	
	factory die Fabrik(en)	
	fair gerecht, fair	
	fairly, quite ziemlich	
	fairness die Gerechtigkeit	
	family die Familie(n)	
	family member das Familienmitglied(er)	
	family ticket der Familienausweis(e)	
	fantastic fantastisch	
	far fern; weit	
as	**far as I'm concerned** meinetwegen	
	fare das Reisegeld	
	farm der Bauernhof(¨e)	
	farmer der Bauer(n)	
	fashion die Mode(n)	
	fashionable modisch	
to	**fasten one's safety belt** an/schnallen	
	fat dick	
	father der Vater(¨)	
at	**fault** schuld	
	it's my fault ich bin schuld	
	favourite der Liebling(e)	
	fear die Angst(¨e)	
	fed (animals) verfüttert	
	Federal Republic die Bundesrepublik	
to	**feed (animals)** füttern	
to	**feel** fühlen	
to	**feel like** Lust haben	
	feeling das Gefühl(e)	
	ferry die Fähre(n)	
to	**fetch** holen; ab/holen	
a	**few** ein paar, einige	
to	**fight** kämpfen	
to	**fill** füllen	
to	**fill in (form)** aus/füllen	
to	**fill up (with petrol)** voll/tanken	
	film der Film(e)	
	finally zum Schluß	
	financial problem das Geldproblem(e)	
to	**find** finden	
	fine die Geldstrafe(n); **(splendid)** fein	
	finger der Finger(-)	
	fire brigade die Feuerwehr	
	first erst(er/e/es)	
	first of all zuerst	
	first class erstklassig	
	fish der Fisch(e)	
to	**fish** angeln	
	fishing rod die Angelrute(n)	
to	**fit** passen	
	flag die Flagge(n)	
	flat die Wohnung(en)	
	holiday flat die Ferienwohnung(en)	
	block of flats das Hochhaus(¨er)	
	flight der Flug(¨e)	
	flight number die Flugnummer(n)	
	flood die Überflutung(en), das Hochwasser	
	floor der Boden(¨)	
to	**flow** fließen	
to	**flow away** ab/fließen	
	fluent fließend	
	flute die Flöte(n)	
	flute case der Flötenkasten	
to	**fly** fliegen	
	fly die Fliege(n)	
the	**following** folgende(r/s)	
	food das Essen	
	foot der Fuß(¨e)	
	football der Fußball(¨e)	
	football ground das Fußballstadion(-stadien)	
	football match das Fußballspiel(e)	
	for für (+ Acc); **(because)** denn	
	forbidden verboten	
	foreign ausländisch	
	foreign currency for trip die Reisedevisen	
	foreign language die Fremdsprache(n)	
	foreign word das Fremdwort(¨er)	

G

	forest der Wald(¨er)	
to	**forget** vergessen	
to	**forgive** vergeben	
to	**form** bilden	
	form representative der/die Klassensprecher/in	
	free frei, gratis, kostenlos	
to	**freeze** frieren	
	frequently häufig	
	Frenchman/woman Franzose/Französin	
	fresh frisch	
	friendly freundlich	
	from ab; von (+ Dat)	
at the	**front** vorne	
	fruit die Frucht(¨e)	
	frying pan die Bratpfanne(n)	
	full voll; satt	
	full of voller	
	full board die Vollpension	
	fun der Spaß	
	have fun! viel Spaß!	
	funny lustig; komisch	
to	**furnish** ein/richten	
	furniture die Möbel (pl)	

	game of cards das Kartenspiel(e)	
	gap die Lücke(n)	
	gapped text der Lückentext(e)	
	garden der Garten(¨)	
	gas das Gas(e)	
	Gemini Zwilling	
	general allgemein	
	generous großzügig	
	genius das Genie(s)	
	gentle sanft	
	gentleman der Herr(en)	
	geography Erdkunde	
	German Deutscher/Deutsche	
	German youth hostel association das DJH (Deutsches Jugendherbergswerk)	
to	**get** bekommen, kriegen	
to	**get dressed** sich an/ziehen	
to	**get on someone's nerves** nerven	
to	**get on with** aus/kommen (mit) (+ Dat), sich verstehen	
to	**get there** hin/kommen	
to	**get to know (each other)** (sich) kennen/lernen	
to	**get up** auf/stehen	
	giraffe die Giraffe(n)	
	girl das Mädchen(-)	
	girlfriend fester Freund(e)/ feste Freundin(nen)	
to	**give** geben; (present) schenken	
to	**give up** auf/geben	
	gladly gern(e)	
	glass das Glas(¨er)	
	glass bottle die Glasflasche(n)	
	glove der Handschuh(e)	
to	**go** gehen	
	to go for a walk spazieren/gehen	
	to go out aus/gehen	
	to go there hin/gehen	
	good gut	
	goodbye auf Wiedersehen	
	gorge die Bergschlucht(en)	
	gradually allmählich	
	grammar school das Gymnasium(Gymnasien)	
	grandad der Opa	
	grandma die Oma	
	grandmother die Großmutter(¨e)	
	grandparents die Großeltern (pl)	
	grass das Gras(¨er)	
	grateful dankbar	
	greasy fettig	
	Great Britain Großbritannien	
	great toll, prima, super, Spitze	
	Greece Griechenland	
	green grün; umweltfreundlich	
	greenhouse effect das Treibhauseffekt	
	Greenland Grönland	
	greeting der Gruß(¨e)	
	grey grau	

group die Gruppe(n); die Clique(n)
group of hikers
   die Wandergruppe(n)
to **grow** wachsen
to **grumble** meckern
grumblers' corner die Meckerecke
to **guess** raten
guest der Gast(¨e)
guest house das Gästehaus(¨er),
   die Pension(en)
guest room das Gästezimmer(-)
guitar die Gitarre(n)
guitar case der Gitarrenkasten(¨e)

H

hair das Haar(e)
hairdresser der Friseur(e)/
   die Friseuse(n)
hairdresser's der Friseursalon
half halb(er/e/es)
at half past eight um halb neun
ham der Schinken
hamster der Hamster(-)
hand die Hand(¨e)
   on the other hand andererseits;
   dagegen
to **hand in** ab/geben
handbag die Handtasche(n)
handle der Griff(e)
to **hand out** verteilen
to **hang up** auf/hängen
to **happen** passieren
hard hart
hard-working fleißig
hardly kaum
hat der Hut(¨e)
to **hate** hassen
to **have** haben
to **have to (must)** müssen;
   (ought) sollen
hay das Heu
hay fever der Heuschnupfen
headlight der Scheinwerfer(-)
health die Gesundheit
healthy gesund
heap der Haufen(-)
to **hear** hören
heart das Herz(en)
heated beheizt
heating die Heizung
heavy schwer
hedgehog der Igel(-)
height die Höhe(n)
help die Hilfe
to **help** helfen **(+ Dat)**; mit/helfen
to **help out** aus/helfen
helpful hilfsbereit
here hier
to **hide** verstecken
high hoch (hohe/r/s)
hike die Wanderung(en)
to **hike** wandern
hiker der Wanderer(-)
hill der Hügel(-), der Berg(e)
history Geschichte
to **hit** schlagen
hobby room der Hobbyraum(¨e)
hole das Loch(¨er)
holiday der Urlaub(e); die Ferien **(pl)**
   on holiday im Urlaub
   holiday flat
   die Ferienwohnung(en)
   holiday resort der Ferienort(e)
at **home** daheim
to come **home** heim/kommen
home help die Haushaltshilfe(n)
homework die Hausaufgaben **(pl)**
honest ehrlich
to **hoover** staubsaugen
to **hope** hoffen
hopefully hoffentlich
horse das Pferd(e)
hospital das Krankenhaus(¨er)
host family die Gastfamilie(n)
hot heiß
hot house das Troparium
hot dog stand die Wurstbude(n)
hotel das Hotel(s)

hotel reception der Hotelempfang,
   die Hotelrezeption
hotel room das Hotelzimmer(-)
hour die Stunde(n)
house das Haus(¨er)
   at the house of bei **(+ Dat)**
housekeeping die Haushalt
how much wieviel
how wie, **(for what reason)** wieso
however jedoch
huge riesig
humorous humorvoll
humour der Humor
hungry hungrig

I

ice cream das Eis(-)
   dairy ice cream das Milcheis(-)
   ice cream flavour die Eissorte(n)
   fruit sorbet ice cream
   das Fruchteis(-)
   ice cream kiosk der Eiskiosk(e)
   ice cream parlour das Eiscafé(s)
   ice cream sundae
   der Eisbecher(-)
   strawberry-flavoured ice cream
   das Erdbeereis(-)
ice rink die Eislaufbahn(en)
idea die Idee(n)
to **illustrate** illustrieren
imaginative phantasievoll
immediately sofort
impatience die Ungeduld
important wichtig
impossible unmöglich
impressive eindrucksvoll
in/into in **(+ Dat/Acc)**
inclusive of inklusive (inkl.)
independent unabhängig
indoor swimming pool
   das Hallenbad(¨er)
to **inform** mit/teilen
information die Auskunft(¨e);
   die Information(en)
information technology (IT)
   die Informatik
inn das Gasthaus(¨er),
   der Gasthof(¨e)
inside drinnen
instead of statt
instrument das Instrument(e)
to **insult** beleidigen
insurance die Versicherung(en)
intelligent intelligent
interest das Interesse(n)
to be **interested (in)** sich interessieren (für)
interesting interessant
interval der Zeitraum(¨e)
interview das Interview(s)
invitation die Einladung(en)
to **invite** ein/laden
Irishman/woman Ire/Irin
to **iron** bügeln
Islamic islamisch
island die Insel(n)
isolated isoliert
Italy Italien
ivory das Elfenbein

J

Jack (in cards) der Bube(n)
jacket die Jacke(n)
job der Job(s); der Beruf(e)
to **join** verbinden
to **join in** mit/machen
joke der Witz(e)
July Juli
to **jump** springen
June Juni
jungle der Dschungel
just gerecht; mal; soeben;
   (colloquial) halt

K

key der Schlüssel(-)
to **kill** töten
kilometre das Kilometer(-)
   6 kilometres away
   6 Kilometer entfernt
   kilometres per hour
   Stundenkilometer (km/h)
kind (type) die Art(en)
king der König(e)
kiss der Kuß(Küsse)
to **kiss** küssen
kitchen die Küche(n)
to **know** wissen; **(person)** kennen
knowledge of English
   die Englischkenntnisse

L

lake der See(n)
lamp die Lampe(n)
to **land** landen
landing die Landung(en)
language die Sprache(n)
to **last** dauern
last letzt(er/e/es)
at **last** endlich
late spät
to **laugh** lachen
laundry die Wäsche
lawn der Rasen(-)
lazy faul
lead-free bleifrei
to **learn** lernen
at **least** mindestens
least of all am wenigsten
leather das Leder
to **leave** lassen; verlassen
to **leave in peace** in Ruhe lassen
to **leave open** offen/lassen
to **leave to** überlassen
on the **left** links
legend die Legende(n)
leisure centre
   das Freizeitzentrum(-zentren)
leisure time die Freizeit
lemon die Zitrone(n)
lemonade die Limonade
to **lend** aus/leihen
Leo Löwe
less weniger
lesson die Stunde(n)
private lesson
   die Nachhilfestunde(n)
letter der Brief(e);
   (of alphabet) der Buchstabe(n)
Libra Waage
library die Bibliothek(en)
Libya Libyen
licence der Führerschein(e)
to **lie** liegen
life das Leben(-)
lift der Lift
light das Licht(er)
lightning das Blitzen
to **like** mögen, gern haben
   I like it es gefällt mir
   I like reading ich lese gern
likewise gleichfalls
line die Linie(n)
lion der Löwe(n)
liqueur der Likör(e)
list die Liste(n)
lit beleuchtet
litre das Liter(-)
litter bin der Abfalleimer(-)
little wenig
   a little ein bißchen
to **live** leben; wohnen
lively lebhaft
living lebendig
loaf das Brot(e)
loneliness die Einsamkeit
lonely einsam
long lang
to **look** gucken; **(appear)** aus/sehen
to **look after** hüten, sorgen für **(+Acc)**
to **look at** an/gucken, an/sehen

to	**look for** suchen
to	**look forward (to)** sich freuen (auf) **(+Acc)**
to	**look up (in dictionary etc.)** nach/schlagen
	lorry (HGV) der LKW(s)
to	**lose** verlieren
	lost property office das Fundbüro(s)
	lost verloren
	lottery die Lotterie(n)
	loud laut
	lounge das Wohnzimmer
in	**love** verliebt
	love film der Liebesfilm(e)
	luck das Glück
	luggage das Gepäck
	lung cancer der Lungenkrebs
	luxury hotel das Luxushotel(s)

M

	machine die Maschine(n)
	mad verrückt
	magazine die Zeitschrift(en)
	main road die Hauptstraße(n)
to	**make** machen, schaffen
to	**man** der Mann(¨er)
to	**manage** schaffen
	management die Direktion
	many viele
	many times vielmals
	map die Landkarte(n)
	mark die Note(n)
to	**mark** notieren
	market place der Marktplatz(¨e)
	married couple das Ehepaar(e)
	marvellous wunderschön
	material der Stoff(e)
	maths Mathe
	mean gemein
to	**mean** bedeuten
	means of transport das Verkehrsmittel(-)
by that	**means** dadurch
	meat das Fleisch
	mechanic der Mechaniker(-)
	Mediterranean das Mittelmeer
to	**meet** sich treffen; zusammen/kommen
	meeting das Treffen
	meeting place der Treffpunkt
	melon die Melone(n)
to	**melt** ein/schmelzen
	member das Mitglied(er)
	membership card der Mitgliedsausweis(e)
to	**mess up** versauen
	metal das Metall(e)
	metre das Meter(-)
	middle die Mitte(n)
	in the middle of mitten in **(+ Dat)**
	midnight die Mitternacht
	Milan Mailand
	milk die Milch
	milkshake der Milchshake(s)
	millenium das Jahrtausend(e)
	millimetre das Millimeter(-)
	million die Million(en)
	mineral water das Mineralwasser
	minute die Minute(n)
	mirror der Spiegel(-)
	miserable elend; mies
to	**miss** verpassen
	missing fehlend
	mistake der Fehler(-)
	by mistake aus Versehen
	model aeroplane das Modellflugzeug(e)
	modern(ised) modern(isiert)
	modest bescheiden
	moment der Moment(e); der Augenblick(e)
at the	**moment** momentan
	money das Geld
	monkey der Affe(n)
	month der Monat(e)
	mood die Laune(n), die Stimmung(en)
	moody launisch

	moped das Mofa(s)
	more mehr
	morning der Morgen(-)
in the	**mornings** morgens
	most die meisten
	most of all am meisten
	mostly meistens
	mother die Mutter(¨)
	motorway die Autobahn(en)
	mountain der Berg(e)
	mountain range das Gebirge
	mountaineer der Bergsteiger(-)
	mountaineering das Bergsteigen
	mouth der Mund(¨er)
to	**move** sich bewegen; **(house)** um/ziehen
to	**mow** mähen
	Mr Herr
	Mrs. Frau
	much viel
in a	**muddle** durcheinander
	mug der Becher(-)
	mum Mutti
	Munich München
	murder der Mord
	music die Musik
	music teacher der/die Musiklehrer/in
	musical musikalisch
	musical instrument das Musikinstrument(e)
	myself, yourself etc. selber; selbst

N

	name der Name(n)
	namely nämlich
	narrow eng
	nature die Natur
	nature film der Naturfilm(e)
	nature lovers die Naturliebhaber(-)
	near neben **(+Acc/Dat)**
	nearly fast
to	**need** brauchen, benötigen
to	**neglect** vernachlässigen
	neighbour der/die Nachbar/in
	neighbourhood die Nähe
	neither...nor weder...noch
	nerve die Nerve(n)
	it gets on my nerves das geht mir auf die Nerven
	never nie
	new neu
	newspaper die Zeitung(en)
	next nächst(er/e/es)
	next door nebenan
	nice nett; sympathisch; schön
	nicotine das Nikotin
	night die Nacht(¨e)
	night club der Nachtklub(s)
	Nile (river) der Nil
	no (not a) kein(e)
	nobody niemand
	noise der Lärm; der Krach
	non-smoker der Nichtraucher(-)
	nonetheless trotzdem
	nonsense der Quatsch
	not nicht
	not at all gar nicht, überhaupt nicht
	nothing nichts
	nothing special nichts Besonderes
	notice die Notiz(en)
	notice board das schwarze Brett
	now jetzt; nun
	nowadays heutzutage
	nuclear power die Kernkraft
	nuclear power station das Atomkraftwerk(e)
	nuclear war der Atomkrieg(e)
	nuclear waste der Atommüll
	number die Anzahl; die Nummer(n); die Zahl(en)
	number plate das Nummernschild(er)
	nut die Nuß(Nüsse)

O

	object der Gegenstand(¨e)
to	**observe** beobachten
	occasionally gelegentlich
	occupied besetzt
	odd komisch
	of course natürlich
to	**offer** bieten
	office das Büro(s)
	often oft, häufig
	oh! ach!
	oil das Öl
	oil level der Ölstand
	oil pollution die Ölverschmutzung
	oil tanker der Öltanker(-)
	old alt
	old-fashioned altmodisch
	on/onto auf **(+ Dat/Acc)**
	one man
	only einzig(er/e/es); nur
	open offen; geöffnet
to	**open** öffnen; eröffnen; auf/machen
	to leave open offen/lassen
	opening times die Öffnungszeiten **(pl)**
	opinion die Meinung(en)
	opposite gegenüber **(+ Dat)**
	or oder
	oral(ly) mündlich
	orange (colour) orange
	orange juice der Orangensaft
	orchestra das Orchester(-)
to	**order** bestellen
	order die Ordnung(en); die Reihenfolge(n)
	to put in order ordnen
	other ander(er/e/es)
	other things Sonstiges
	otherwise sonst
	out heraus
	out of aus **(+ Dat)**
	outside draußen
	over über **(+ Acc/Dat)**
	over there drüben
	overnight stay die Übernachtung(en)
	own eigen(er/e/es)
	oxygen der Sauerstoff

P

to	**paint** malen
	painted bemalt
	pair of tights die Strumpfhose(n)
	panic die Panik
	paper das Papier(e)
	paper boy/girl der/die Zeitungsausträger/in
	parcel das Paket(e)
	parents die Eltern **(pl)**
	park der Park(s)
to	**park** parken
	part der Teil(e)
	part-time job der Nebenjob(s); die Halbtagsstelle(n)
	partner der/die Partner/in
	passenger der Passagier(e)
	passport der Paß(Pässe)
	past vorbei
	path der Weg(e)
	patient geduldig
to	**pay** bezahlen; zahlen
	peaceful ruhig
	pedestrian precinct die Fußgängerzone(n)
	pen-friend der/die Brieffreund/in
	pencil der Stift(e)
	people die Leute **(pl)**
	per pro
	percent das Prozent(-)
	performance die Vorführung(en), der Auftritt(e)
	perhaps vielleicht
to	**permit erlauben**
(not)	**permitted** (nicht) erlaubt
	person der Mensch(en); die Person(en)
	pet das Haustier(e)
	petrol das Benzin
to get	**petrol** tanken

petrol station die Tankstelle(n)
petrol tank der Tank
photograph das Foto(s)
photography die Fotografie
photo story die Bildgeschichte(n)
physics Physik
to pick up auf/nehmen
picture das Bild(er)
picture postcard
　die Ansichtskarte(n)
piece das Stück(e)
pillow das Kopfkissen(-)
pink rosa
Pisces Fische
pistachio nut die Pistazie(n)
pistol die Pistole(n)
that's a pity! schade!
pizza die Pizza(s)
place der Platz(¨e);
　(town) der Ort(e);
　(of work) der Arbeitsplatz(¨e)
to place stellen
to plan planen
plant die Pflanze(n)
plastic die Plastik
plastic bag die Plastiktüte(n)
plate der Teller(-)
to play spielen
player der Spieler(-)
to please gefallen
plug (electrical) der Stecker(-)
pocket money das Taschengeld
podge das Nudelbaby
poem das Gedicht(e)
poetry die Poesie
point der Punkt(e)
poison das Gift
poisonous giftig
polar bear der Eisbär(en)
police die Polizei
to pollute verpesten
pompous pompös
pool der Teich(e)
poor arm
pop concert das Popkonzert(e)
pop group die Popgruppe(n)
pop music die Popmusik
popular beliebt, populär
portion die Portion(en)
possible möglich
post/post office die Post
postcard die Ansichtskarte(n)
poster das Poster(-)
potato die Kartoffel(n)
potato salad der Kartoffelsalat
pottery das Töpfern
pound das Pfund(-)
to pour gießen
practical praktisch
to practise üben
precocious frühreif
I prefer to drink tea
　ich trinke lieber Tee
preferably lieber
preparation die Vorbereitung(en)
preposition die Präposition(en)
present (gift) das Geschenk(e);
　(there) dabei;
　(time) die Gegenwart
to present präsentieren
pressure der Druck
price der Preis(e)
　price for a child
　der Kinderpreis(e)
　price per night
　der Übernachtungspreis(e)
on principle grundsätzlich
printed in blue blaugedruckt
printer der Drucker(-)
private lesson
　die Nachhilfestunde(n)
prize der Preis(e)
probably wahrscheinlich
problem das Problem(e)
　problem helpline
　das Sorgentelefon
　problem letter der Sorgenbrief(e)
produce das Produkt(e)
to produce her/stellen

product das Produkt(e)
programme das Programm(e)
progress der Fortschritt(e)
prohibited untersagt
protestant evangelisch,
　protestantisch
proud stolz
provided besorgt
to provide food for ernähren
provisions die Lebensmittel (pl)
pub die Kneipe(n)
pullover der Pullover
pupil der/die Schüler/in
pure pur
pure nonsense lauter Quatsch,
　lauter Unsinn
purple lila
purse das Portemonnaie(s)
to put (place) legen; setzen;
　(into) stecken
to put on an/legen; (clothes) an/ziehen
　to put on make-up
　sich schminken
to put up auf/stellen
to put up with in Kauf nehmen
puzzle das Rätsel(-)

Q

quarrel die Auseinandersetzung(en)
quarter das Viertel
　at quarter past two
　um Viertel nach zwei
queen (in cards) die Dame
question die Frage(n)
to queue Schlange stehen
quick schnell
quiet still; ruhig
　quiet for the night die Nachtruhe
　to keep quiet schweigen
quite ganz; ziemlich
quotation das Zitat(e)

R

rabbit das Kaninchen(-)
radio das Radio
radio alarm clock der Radiowecker(-)
radioactive radioaktiv
radioactivity die Radioaktivität
radiologist der Radiologe(n)
rain der Regen
rain water das Regenwasser
to rain regnen
raincoat der Regenmantel(¨)
to raise erhöhen
rarely selten
raw material das Rohmaterial
RE die Religion
to reach erreichen; (attain) gelangen
to react reagieren
reaction die Reaktion(en)
to read lesen
to read through durch/lesen
reader's corner die Leseecke(n)
ready bereit, fertig
real(ly) echt; wirklich; eigentlich
recently neulich
reception die Rezeption
to recommend empfehlen
recommendation
　die Empfehlung(en)
to recover sich erholen
to recycle wiederverwerten
recycling das Recycling
red rot
reduced (in price) vergünstigt,
　reduziert
regular(ly) regelmäßig
relationship das Verhältnis(se)
relaxing entspannend
to relieve erleichtern
remainder der Rest
to replace ersetzen
reply card die Antwortkarte(n)
to report berichten
report (school) das Zeugnis(se)
reservation die Reservierung(en)
to reserve reservieren

respectively jeweils
restaurant das Restaurant(s)
result das Resultat(e); die Folge(n)
to return zurück/kommen
to re-use wiederverwenden
rich reich
to ride (horse) reiten
riding lesson die Reitstunde(n)
riding teacher der Reitlehrer(-)
right das Recht(e)
　on the right rechts
　to be right stimmen
　that's right das stimmt
river der Fluß(Flüsse)
to romp aus/toben
roof das Dach(¨er)
room das Zimmer(-); der Raum(¨e)
rope das Seil(e)
rotten verdorben
round rund; um (+ Acc)
route die Route(n)
row der Krach
rubbish der Abfall(¨e); der Müll,
　Quatsch! (sl)
rubble die Trümmer (pl)
rucksack der Rucksack(¨e)
rude frech
rule die Regel(n)
to run laufen

S

sack der Sack(¨e)
sad traurig
saddle der Sattel(-)
safari park der Safaripark(s)
safe sicher
Sagittarius Schütze
to sail segeln
salad der Salat
sale der Verkauf
same gleich(er/e/es)
the same derselbe/dieselbe/dasselbe/
　dieselben
　it's all the same to me
　meinetwegen
sand der Sand
satisfactory befriedigend
satisfied zufrieden
Saturday der Samstag,
　der Sonnabend
saucepan der Kochtopf(¨e)
sausage die Wurst(¨e)
to save retten
to save up (for) sparen (auf/für)
to say sagen
scarcely kaum
scarf das Halstuch(¨er); der Schal(e)
school die Schule(n)
　school book das Schulbuch(¨er)
　school exchange
　der Schüleraustausch
　school magazine
　die Schülerzeitung(en)
　school report das Zeugnis(se)
Scorpio Skorpion
Scot(sman/swoman)
　Schotte/Schottin
to scream schreien
sea das Meer(e), die See(n)
sea bird der Seevogel(¨)
seagull die Möwe(n)
search die Suche
season (e.g. football) die Saison
second zweit(er/e/es)
second largest zweitgrößt(er/e/es)
secretary die Sekretärin(nen)
to see sehen
see you! Tschüs!
see you soon! bis bald!
to see to (look after) sich kümmern
　(um); sorgen (für) (+ Acc)
self-assured selbstsicher
self-confident selbstbewußt
self-service die Selbstbedienung
semi-detached house
　das Doppelhaus(¨er)
to send schicken; zukommen (lassen);
　(transmit) übersenden

to	**send back** zurück/schicken		**sometimes** manchmal			**strong** stark	
	sense der Sinn(e)		**somewhere** irgendwo			**stubborn** eigensinnig	
	sensible vernünftig		**somewhere else** anderswo			**student** der/die Student/in	
	sensitive empfindlich		**son** der Sohn("e)			**stupid** blöd, doof, dumm	
	sentence der Satz("e)		**song** das Lied(er)			**style** der Stil(e)	
to	**separate** trennen		**soon** bald			**subject** das Fach("er)	
	sequence die Reihenfolge(n)	to be	**sorry** leid tun			**such** solch(er/e/es)	
	series die Serie(n)		**I'm sorry** es tut mir leid			**suddenly** plötzlich	
	serious-minded ernsthaft	to	**sort out** sortieren; aus/sortieren	to		**suffer** leiden	
to	**serve** bedienen		**sour** sauer(saure)	to		**suffice** reichen	
	service die Bedienung;		**souvenir** das Souvenir(s)			**sugar** der Zucker	
	die Dienstleistung(en)		**souvenir shop**			**suggestion** der Vorschlag("e)	
	service station (motorway)		das Souvenirgeschäft(e)			**suit** der Anzug("e)	
	der Rasthof("e)		**space** der Raum("e); das Weltall	to		**suit** passen	
to	**set (table)** decken		**spades (cards)** Pik			**suitable** geeignet; passend	
to	**shake** schütteln		**spare part** der Ersatzteil(e)			**suitcase** der Koffer(-)	
to	**share** teilen	to	**speak** sprechen, reden			**summer** der Sommer	
	shelf das Regal(e)		**speaking** am Apparat			**summer holidays**	
to	**shine** scheinen		**special** speziell			die Sommerferien **(pl)**	
	ship das Schiff(e)		**speciality** die Spezialität(en)			**summit** die Spitze(n)	
	shirt das Hemd(en)		**spectacles** die Brille(n)			**sun** die Sonne	
	shoe der Schuh(e)		**speech bubble** die Sprechblase(n)			**sun tan lotion** das Sonnenöl	
	shop der Laden("); **(business)** das		**speed** das Tempo,			**Sunday** der Sonntag	
	Geschäft(e)		die Geschwindigkeit(en)			**sunny** sonnig	
to	**shop** ein/kaufen, Einkäufe machen	to	**spend (money)** aus/geben;			**supermarket** der Supermarkt("e)	
	shopping bag die Einkaufstasche(n)		**(time)** verbringen	to		**surf** surfen	
	shopping centre	to	**spend the night** übernachten			**surrounding area** die Umgebung(en)	
	das Einkaufszentrum(-zentren)		**spinning** das Spinnen			**survey** die Umfrage(n)	
	short kurz		**spirits** die Spirituosen **(pl)**			**sweatshirt** das Sweatshirt(s)	
	show die Schau(en)	in	**spite of** trotz (+ Gen)			**sweet** der Bonbon(s),	
to	**show** zeigen	to	**spoil (e.g. a child)** verwöhnen			die Süßigkeit(en)	
	shower die Dusche(n)		**spoon** der Löffel(-)	to		**swim** schwimmen	
	to (take a) shower duschen		**sport** der Sport			**swimming pool**	
	shy schüchtern, scheu,	to do	**sport** Sport treiben			das Schwimmbad("er)	
	zurückhaltend		**sports car** der Sportwagen(")			**Switzerland** die Schweiz	
	sick krank		**sports centre**			**symbol** das Symbol(e)	
	side die Seite(n)		das Sportzentrum(zentren)			**sympathetic** mitfühlend	
	side street die Seitenstraße(n)		**sports gear** das Sportzeug				
	sign das Zeichen(-)		**sportsman** der Sportler(-)				
	sign of the zodiac		**sporty** sportlich			**T**	
	das Sternzeichen(-)		**spot (pimple)** der Pickel(-)				
to	**sign** unterschreiben		**spotted** gepunktet			**t-shirt** das T-Shirt(s)	
	signature die Unterschrift(en)		**spring** der Frühling			**table** der Tisch(e); die Tabelle(n)	
	simple einfach		**square** der Platz("e)			**table tennis** das Tischtennis	
	since seit **(+ Dat)**		**square kilometre**			**table tennis bat**	
to	**sing** singen		das Quadratkilometer(-)			der Tischtennisschläger(-)	
	single room das Einzelzimmer(-)		**square metre** das Quadratmeter(-)			**table tennis table**	
	sink das Spülbecken(-)		**stamp enthusiast**			die Tischtennisplatte(n)	
	sister die Schwester(n)		der Briefmarkenfreund(e)	to		**take** nehmen	
to	**sit** sitzen	to	**stand by** stehen (zu) **(+ Dat)**	to		**take over** übernehmen	
to	**sit out** aus/sitzen		**star** der Stern(e)	to		**take with one** mit/nehmen	
to	**sit together** zusammen/sitzen	to	**stare** starren			**tall** groß	
	sitting room das Wohnzimmer(-)	to	**starve** verhungern	to		**taste** schmecken	
	situation die Situation(en); die Lage(n)		**state** der Staat(en)			**Taurus** Stier	
	skate der Schlittschuh(e)		**station** der Bahnhof("e)			**tea** der Tee	
	skiing das Skifahren		**statistics** die Statistik **(sing)**			**teacher** der/die Lehrer/in	
	skiing holiday der Skiurlaub(e)	to	**stay** bleiben; sich auf/halten	to		**tear** zerreißen	
	skin die Haut	to	**stay away** weg/bleiben			**technology** die Technik	
	skirt der Rock("e)		**steel** der Stahl			**teenager** der Teenager(-)	
	skyscraper der Wolkenkratzer(-)		**steering wheel** das Lenkrad("er)			**telephone** das Telefon,	
to	**sleep** schlafen		**stepfather** der Stiefvater(")			der Apparat(e)	
	sleeping bag der Schlafsack("e)		**stepmother** die Stiefmutter(")			**by telephone** telefonisch	
to	**slide** rutschen	to	**stick** kleben			**telephone box** die Telefonzelle(n)	
	slim schlank		**stick** der Stock("e)	to		**telephone** an/rufen, telefonieren	
	slippery glitschig		**sticker** der Aufkleber(-)			**television** das Fernsehen	
	slow(ly) langsam		**sticky tape** das Klebeband	to		**tell** erzählen	
	small klein		**still** noch			**temperature** die Temperatur(en)	
	smart schick, elegant	to	**stink** stinken			**terrible** furchtbar, schrecklich	
to	**smell** riechen; (nasty) stinken		**stomach ache**			**text** der Text(e)	
to	**smoke** rauchen		die Magenschmerzen **(pl)**			**than** als	
	smooth glatt		**stop (bus/tram)** die Station(en)	to		**thank** danken(+Dat)	
	snake die Schlange(n)	to	**stop** halten			**that** daß	
to	**snore** schnarchen		**storey** der Stock			**theater** das Theater(s)	
	so much, so many soviel		**storm** das Gewitter(-)			**then** dann	
	so so; also		**stormy** stürmisch			**there** da, dort; **(to there)** dorthin	
	sociable gesellig		**story** die Geschichte(n)			**therefore** daher, darum	
	sock die Socke(n)		**straight** gerade			**thick** dick	
	socket die Steckdose(n)		**straight on** geradeaus			**thin** dünn	
	solar system das Sonnensystem		**straw hat** der Strohhut("e)			**thing** das Ding(e); die Sache(n)	
	solution die Lösung(en);		**strawberry** die Erdbeere(n)	to		**think** denken; glauben	
	die Auswertung(en)		**street** die Straße(n)			**third** das Drittel; dritt(er/e/es)	
	some manche(r/s); einige		**street plan** der Stadtplan("e)			**this** dies(er/e/es)	
	someone jemand	to	**stretch out** aus/streichen			**thought** der Gedanke(n)	
	something etwas		**strict** streng	one		**thousand** tausend	
	something comfortable		**strictly (forbidden)** strengstens	to		**threaten** bedrohen	
	etwas Bequemes		(verboten)			**through** durch **(+ Acc)**	
	something else etwas anderes		**striped** gestreift	to		**throw** werfen	
	something small		**stroll around town** der Stadtbummel			**thrown away** weggeworfen	
	eine Kleinigkeit(en)	to	**stroll** bummeln; spazieren	it's		**thundering** es donnert	
						Thursday der Donnerstag	

ticket die Fahrkarte(n);
  die Eintrittskarte(n)
tidy ordentlich
tie der Schlips(e)
tight eng
time die Zeit(en); die Uhrzeit;
  (pace) das Tempo
each time jeweils
tip der Tip(s)
to zu **(+ Dat)**; nach **(+ Dat)**;
  an **(+ Acc/Dat)**
today heute
together gemeinsam, zusammen
toilet die Toilette(n)
toilet attendant die Klofrau
toilet paper das Klopapier
tomato die Tomate(n)
tomato juice der Tomatensaft
tomorrow morgen
too much zuviel
tooth der Zahn(¨e)
toothbrush die Zahnbürste(n)
torch die Taschenlampe(n)
to get in touch sich melden
total die Endsumme(n)
totally total
tourist der Tourist(en)
  tourist office
  das (Fremden)verkehrsamt(¨er),
  das Verkehrsbüro(s)
town die Stadt(¨e)
  town centre
  das Stadtzentrum(-zentren)
  town council die Stadtverwaltung
toy das Spielzeug(e)
track die Bahn(en)
traffic der Verkehr
  traffic jam der Verkehrsstau(s)
  traffic lights die Ampel(n)
train der Zug(¨e)
  by train mit der Bahn
training shoe der Turnschuh(e)
tram die Straßenbahn(en)
to translate übersetzen
to travel reisen; an/reisen; fahren
to travel there hin/fahren
to travel with mit/reisen
traveller's cheque
  der Reisescheck(s)
travel bag die Reisetasche(n)
to treat behandeln
tree der Baum(¨e)
trendy flippig
trick der Trick(s); **(cards)** der Stich(e)
trip die Reise(n)
trophy das Pokal(e)
tropical tropisch
trousers die Hose(n)
trump (cards) der Trumpf(¨e)
to trust vertrauen
Tuesday der Dienstag
Turk(ish) Türke/Türkin
to turn drehen
it's my turn ich bin dran
twice zweimal
twin der Zwilling(e)
twin-bedded room
  das Zweibettzimmer(-)
type die Art(en); das Schriftbild(er)
  type of animal die Tierart(en)
  type of sport die Sportart(en)
typical typisch
tyre der Reifen(-)

U

umbrella der Regenschirm(e)
unannounced unangemeldet
uncle der Onkel(-)
under unter **(+Acc/Dat)**
underneath unten
to understand verstehen
understanding verständnisvoll
to undertake unternehmen
unfortunately leider
unhappy unglücklich
unheard of unerhört
universe das Weltall
university die Universität(en)

unknown unbekannt
untidy unordentlich
until bis
upstairs oben
USA die Vereinigten Staaten
to use benutzen
used bottles das Altglas
usually normalerweise

V

to vacate räumen
valid gültig, geltend
to be valid gelten
valley der Tal(¨er)
valuable wertvoll
value der Wert
vanilla Vanille
VAT MwSt (Mehrwertsteuer)
vegetarian der Vegetarier(-)
vending machine der Automat(en)
versatile vielseitig
very sehr; **(good)** echt (gut)
video camera die Kamera(s)
video film der Videofilm(e)
village das Dorf(¨er)
Virgo Jungfrau
visit der Besuch(e)
to visit besuchen
visitor der Besucher(-)
vivid grell
vocabulary section
  die Wörterliste(n)

W

waistcoat die Weste(n)
to wait warten
waiter/waitress der/die Kellner/in,
  der/die Servierer/in
to wake up auf/wachen
to walk (zu Fuß) gehen
  to take the dog for a walk
  den Hund aus/führen
to want wollen
wanted gesucht
warm warm
to wash waschen
to wash up ab/waschen, spülen
washing line die Leine(n)
washing machine
  die Waschmaschine(n)
waste disposal die Müllabfuhr
waste paper das Altpapier
to watch television fern/sehen
water das Wasser
water sport der Wassersport
waterfall der Wasserfall(¨e)
way der Weg(e)
  on the way unterwegs
  by the way übrigens
weather das Wetter
weaving das Weben
Wednesday der Mittwoch
week die Woche(n)
weekend das Wochenende
to welcome begrüßen
welcome willkommen
well! na!
wellington boot der Gummistiefel(-)
Welshman/woman Waliser/in
wet naß
the wet die Nässe
whale der Walfisch(e)
what was
  What's on? Was läuft?
  What's the time?
  Wieviel Uhr ist es?
with wheelchair access rollstuhlgängig
when wann; als; **(whenever)** wenn
where wo
where from woher
where to wohin
whether ob
which welch(er/e/es)
whistling das Pfeifen
white weiß
who wer
whole ganz(er/e/es)

why warum
wife die Frau(en)
wilderness die Wildnis
to win gewinnen
wind der Wind(e)
windmill die Windmühle(n)
window das Fenster(-)
windscreen
  die Windschutzscheibe(n)
  windscreen wiper
  der Scheibenwischer(-)
windy windig
wine der Wein(e)
winter der Winter
to wipe wischen; ab/wischen
to wish for sich wünschen
with mit **(+ Dat)**
with one another miteinander
within innerhalb **(+ Gen)**
without ohne **(+ Acc)**
witty witzig
wolf der Wolf(¨e)
woman die Frau(en)
wood das Holz
word das Wort(¨er)
work die Arbeit(en)
to work arbeiten; funktionieren
work clothes die Arbeitskleidung
to work out aus/arbeiten
world die Welt
  world population
  die Weltbevölkerung
  world record die Weltrekorde(n)
  world war der Weltkrieg(e)
worry die Sorge(n)
to be worthwhile sich lohnen
to write schreiben
to write out auf/schreiben
in writing schriftlich
writing paper das Schreibpapier
wrong falsch

Y

year das Jahr(e)
yellow gelb
yesterday gestern
young jung
young people, youth die Jugend
young person der/die Jugendliche(n)
youth centre
  das Jugendzentrum(-zentren)
youth group die Jugendgruppe(n)
youth hostel die Jugendherberge(n)
youth hostel association
  das Jugendherbergswerk (DJH)
youth hostel pass
  der Herbergsausweis(e)
youth magazine
  das Jugendmagazin(e)

Z

zany ausgeflippt
zoo der Zoo(s), der Tierpark(s)
zoo-keeper der Tierpfleger(-)

Beantworte (die) Fragen.	*Answer (the) questions.*
Beantworte diesen Brief oder schreib einen ähnlichen Brief.	*Answer this letter or write a similar letter.*
Beginn deinen Brief folgenderweise.	*Begin your letter like this.*
Benutze die Sätze unten, wenn du willst.	*Use the sentences below if you want.*
Benutze die Wörter …	*Use the words …*
Benutze folgende Angaben, um folgende Fragen zu beantworten.	*Use the following details to answer the following questions.*
Beschreib die Ferien/Reisen/Unterschiede.	*Describe the holidays/journeys/differences.*
Beschreib die Unterschiede.	*Describe the differences.*
Beschreib, was du gekauft hast.	*Describe what you have bought.*
Beschrifte die Situationen so.	*Label the situations like this.*
Bilde Dialoge.	*Make up conversations.*
Bring die Satzhälften zusammen.	*Put the halves of the sentences together.*
Denkt euch Dialoge aus.	*Work out/Make up dialogues.*
Die richtigen Endungen sind unten zu finden.	*The correct endings are below.*
Diktiere einen Brief an ein Verkehrsamt.	*Dictate a letter to a tourist office.*
Erfinde dein eigenes Wörterpuzzle!	*Make up your own word puzzle.*
Erfinde ein Schild für deine Zimmertür.	*Design a notice for the door of your bedroom.*
Ersetz die Bilder durch die passenden Wörter.	*Replace the pictures with the right words.*
Ersetz die blaugedruckten Wörter.	*Replace the words printed in blue.*
Finde das richtige Ende für jede Frage/jeden Satz.	*Find the correct ending for each question/each sentence.*
Finde den Text für dein Sternzeichen.	*Find the text for your star sign.*
Finde die passenden Paare.	*Find the matching pairs.*
Finde die passenden Satzteile heraus.	*Find the matching parts of the sentences.*
Finde die zutreffenden Endungen für die Sätze.	*Find the appropriate endings for the sentences.*
Finde heraus, wo die Bombe ist/wohin die Tiere gehören.	*Find out where the bomb is/where the animals belong.*
Füll die Lücken/die Sprechblasen aus.	*Fill in the gaps/the speech bubbles.*
Füll ihn/den Dialog mit den richtigen Wörtern aus.	*Complete it/the dialogue with the right words.*
Hier sind fünf Sorgenbriefe und fünf Titel, die durcheinander sind. Welcher Titel paßt zu welchem Brief?	*Here are five problem letters and five jumbled headlines. Which headline matches each letter?*
Hier sind Ratschläge für die Sorgenbriefe.	*Here are pieces of advice for the problem letters.*
Hör (nochmal) gut zu.	*Listen carefully (again).*
Ist das richtig oder falsch/positiv oder negativ?	*Is it true or false/positive or negative?*
Jetzt bist du dran!	*Now it's your turn!*
Kannst du andere Sätze in diesem Stil schreiben?	*Can you write other sentences in this style?*
Kannst du die Geschichte richtig ordnen?	*Can you put the story in the right order?*
Kannst du ein Problem für jeden Buchstaben im Alphabet finden?	*Can you find a problem for every letter of the alphabet?*
Kannst du einen Brief über deinen Alltag schreiben?	*Can you write a letter about your daily routine?*
Kannst du noch weitere Definitionen schreiben?	*Can you write some other definitions?*
Kannst du raten, welches Adjektiv unten in jede Lücke paßt?	*Can you work out which adjective below fits into each gap?*
Kannst du Umgangssprache? Mach diesen kleinen Test.	*Do you know slang? Do this little test.*
Kannst du Wörter bauen?	*Can you make words?*
Lies den Brief/Dialog/Text/die Ausschnitte/Sätze.	*Read the letter/conversation/text/extracts/sentences.*
Lies die Antworten und füll die Lücken mit den Wörtern unten aus. Hör dann zu. Hattest du recht?	*Read the replies and fill the gaps with the words below. Then listen. Were you correct?*
Lies die Ausschnitte. Worum handelt es sich jeweils?	*Read the extracts. What is each one about?*
Lies die Bemerkungen oben. Ist das positiv oder negativ?	*Read the comments above. Are they positive or negative?*
Mach ein Interview/eine Umfrage über …	*Make up an interview/a survey about …*
Mach die Übungen unten.	*Do the exercises below.*
Mach eine Kurzfassung.	*Do a summary.*
Mach eine Liste (in alphabetischer Reihenfolge).	*Make a list (in alphabetical order).*
Mach jetzt eine Aufnahme von deiner Antwort!	*Now do a recording of your answer.*
Mach Notizen/ein Werbeposter/eine Kopie.	*Make notes/an advertising poster/a copy.*
Mach Vorschläge.	*Make suggestions.*
Macht denselben Dialog zu zweit.	*Do the same dialogue in pairs.*
Macht jetzt eure eigenen Interviews.	*Now do your own interviews.*

Richtig oder falsch?	*True or false?*
Sag deinem Partner/deiner Partnerin, wieviel du ausgegeben hast. Er/Sie muß raten, was du gekauft hast.	*Tell your partner how much you have spent. He or she must work out what you bought.*
Sag, wann es Krach gibt.	*Say when there's a row.*
Schau in der Grammatik nach.	*Look in the grammar section.*
Schlag die unbekannten Wörter in der Wörterliste nach.	*Look up the words you don't know in the vocabulary list.*
Schlag in der Wörterliste/im Wörterbuch nach.	*Look in the vocabulary list/dictionary.*
Schreib ‚richtig' oder ‚falsch'/‚ja' oder ‚nein' auf.	*Write 'true' or 'false'/'yes' or 'no'.*
Schreib alles in dein Heft auf.	*Write everything out in your exercise book.*
Schreib das auf, dann kannst du es auf Kassette aufnehmen oder es der Klasse erzählen.	*Write it out, then you can record it or tell it to the class.*
Schreib das Hotelrätsel anders.	*Write the hotel puzzle differently.*
Schreib das richtig/die richtige Reihenfolge auf.	*Write it correctly/the correct order.*
Schreib Definitionen für die anderen Geschäfte.	*Write the definitions for the other shops.*
Schreib deine Meinung auf.	*Write down your opinion.*
Schreib deinen eigenen Faxbrief.	*Write your own fax.*
Schreib den ganzen Text in dein Heft auf.	*Write the whole text in your exercise book.*
Schreib den Text auf und wähl jeweils das richtige Verb.	*Write out the text and choose the correct verb each time.*
Schreib die (passenden) Namen/Buchstaben/Zahlen auf.	*Write out the (appropriate) names/letters/numbers.*
Schreib die Bemerkungen in die passenden Spalten.	*Write the comments in the matching columns.*
Schreib die fehlenden Informationen auf.	*Write the missing information.*
Schreib die fehlenden Wörter auf.	*Write out the missing words.*
Schreib die Namen auf und kreuz die Tabelle in deinem Heft an.	*Write the names and tick the chart in your book.*
Schreib die Preise auf.	*Write the prices.*
Schreib die Sätze/Geschichte in der richtigen Reihenfolge auf.	*Write out the sentences/story in the correct order.*
Schreib die Vorschläge/die Frage und die Antwort auf.	*Write out the suggestions/the question and answer.*
Schreib die Vorwahl und die Telefonnummer auf.	*Write the local code and the telephone number.*
Schreib dieses Gedicht weiter – und erfinde ein passendes Ende dazu!	*Finish this poem and invent a suitable ending.*
Schreib eine Antwort auf diesen Brief!	*Write a reply to this letter.*
Schreib eine Postkarte aus dem Urlaub.	*Write a postcard from your holiday.*
Schreib einen kurzen Artikel/einen Brief (an deinen Freund).	*Write a short article/a letter (to your friend).*
Schreib noch eine Kleinanzeige für die Zeitung.	*Write another advert for the newspaper.*
Schreibt alles auf.	*Write everything out.*
Seht euch den Stadtplan an.	*Look at the town map.*
Seht euch diese Adjektive an und macht zwei Listen:	*Look at these adjectives and write two lists.*
Setz die Hälften zusammen.	*Put the halves together.*
Sieh dir die Artikel/die Flaggen/das Formular/die Namen/die Resultate/den Wegweiser/die Werbung an.	*Look at the articles/the flags/the form/the names/the results/the store guide/the advert.*
Sieh dir die Bilder oben an und schreib jeweils die entsprechenden Buchstaben auf.	*Look at the pictures above and write the matching letter for each.*
Sieh dir die elf Kleinanzeigen unten an. In welche Spalten in der Zeitung kommen sie?	*Look at the eleven small ads below. In which column of the newspaper do they belong?*
Sieh dir die Fotos an und schreib die Schulfächer auf.	*Look at the photos and write the subjects.*
Sieh dir die Fotos/Bilder/Texte/Tabelle/das Diagramm an.	*Look at the photos/pictures/texts/chart/diagram.*
Sieh dir die Lückentexte an und rate, welche Wörter fehlen.	*Look at the gapped texts and work out which words are missing.*
Sieh dir die Lückentexte/Sprechblasen/Kategorien/den Kreis an.	*Look at the gapped texts/speech bubbles/categories/circle.*
Sieh dir die zwei Listen an, und wähl die passenden Bemerkungen.	*Look at the two lists and choose the matching comments.*
Sind sie dafür oder dagegen?	*Are they for or against?*
Sing mit.	*Sing along.*
Sortiere die Texte in vier Gruppen und schreib sie ab.	*Sort the texts into four groups and copy them out.*
Stell (deinem Partner/deiner Partnerin) Fragen.	*Ask (your partner) questions.*
Stell dir vor, …	*Imagine …*
Stell dir vor, du bist Arbeitgeber oder du suchst einen Job.	*Imagine that you are an employer or that you are looking for a job.*
Stell dir vor, du bist eine von diesen Personen. Dein(e) Partner(in) muß Fragen stellen, um herauszufinden, wer du bist.	*Imagine that you are one of these people. Your partner has to ask questions to find out who you are.*
Stell dir vor, du hast diesen Brief an deine Gastfamilie geschrieben.	*Imagine that you have written this letter to your host family.*
Stell dir vor, wie das Essen in hundert oder hundertfünfzig Jahren sein wird. Schreib eine Einkaufsliste!	*Imagine what food will be like in a hundred or a hundred and fifty years time. Write a shopping list.*
Stellt einander Fragen und findet die passende Person heraus.	*Ask each other questions and find the matching person.*
Stimmt das oder nicht?	*Is that right or not?*

Trag das Formular in dein Heft ein und füll es für jede Person aus.	Copy the chart into into your books and fill out the details for each person.
Trag die Informationen in die Tabelle ein.	Enter the information into the grid.
Übersetz ihm die Texte.	Translate the texts for him.
Übersetze ins Englische, was jede Person sagt.	Translate what each person says into English.
Vervollständige den Text/die Sätze.	Complete the text/the sentences.
Wähl auf jeder Liste das Wort, das nicht paßt.	Choose the odd one out.
Wähl den passenden Kommentar.	Choose the matching comment.
Wähl den richtigen Satz/eine Person/eine Situation/ein Bild.	Choose the correct sentence/a person/a situation/a picture.
Wähl die passende Kategorie.	Choose the appropriate category.
Wähl drei Fächer und schreib deine Meinung dazu.	Choose three subjects and write your opinion about each.
Wähl einige Berufe, und schreib, was man da machen kann oder muß.	Choose some jobs and write down what people can or have to do in them.
Wähl jetzt eine von diesen Personen und beschreib sein/ihr Leben in einigen Sätzen.	Now choose one of these people and describe his or her life in a few sentences.
Wähl vier Adjektive.	Choose four adjectives.
Was bedeuten die Symbole?	What do the symbols mean?
Was bestellen die Leute?	What are the people ordering?
Was gehört zusammen?	What belongs together?
Was hältst du vom Fernsehen?	What do you think of television?
Was ist das/der beste Kompromiß?	What is that/the best compromise?
Was paßt wozu/zu wem?	What goes with what/with whom?
Was sagen die Leute?	What do the people say/are the people saying?
Was sagt man, wenn man Geld wechseln will?	What do you say when you want to change some money?
Was sind die richtigen Antworten?	What are the correct answers?
Was wird hier diskutiert?	What's being discussed here?
Was wollen die Leute?	What do the people want?
Welche Adjektive passen zu Haustieren?	Which adjectives can you use to describe pets?
Welche Antwort geben sie auf folgende Fragen?	How do they answer the following questions?
Welche Antwort paßt zu welcher Frage?	Which answer matches each question?
Welche Definition paßt jeweils?	Which definition is correct in each case?
Welche Freizeitaktivitäten kannst du hier sehen?	Which leisure activities can you see here?
Welche Länder sind das?	What countries are these?
Welche Nationalitäten haben sie?	What are their nationalities?
Welche Nebenjobs haben sie?	What spare-time jobs do they have?
Welche Situation stört dich am meisten?	Which situation disturbs you most?
Welcher Satz/Text paßt zu welchem Bild/Foto?	Which sentence/text goes with which picture/photo?
Welcher Text beschreibt welches Bild/Foto?	Which text describes which picture/photo?
Welches Bild ist das/paßt am besten?	Which picture is it/is best suited?
Welches Wort paßt nicht zu den anderen?	Which word doesn't match the others?
Wer bestellt was?	Who orders what?
Wer sagt was (über sie)?	Who says what (about her)?
Wer spart auf was?	Who is saving for what?
Wer spricht?	Who is speaking?
Werft abwechselnd einen Würfel.	Take it in turns to throw the dice.
Wie antworten diese Jugendlichen?	How do these young people reply?
Wie bist du wirklich?	Who are you really?
Wie findest du ihn?	What do you think of him?
Wie ist der Dialog richtig?	Put the dialogue into the correct order.
Wie ist die richtige Reihenfolge?	What is the correct order?
Wie ist er/sie?	What is he/she like?
Wie waren die Fragen?	What were the questions?
Wiederhol die Sätze.	Repeat the sentences.
Wieviel verstehst du?	How much do you understand?
Wo finden die Dialoge statt?	Where do these dialogues take place?
Wo kann man Informationen über folgendes bekommen?	Where can you get information about the following?
Wo sind diese Gegenstände?	Where are these items?
Wo sitzt jede Person?	Where is each person sitting?
Zu welcher Reise passen die Dialoge?	Which journey do the conversations match?